Fr

L'auteur de *Dune*, le livre suprême de la S.-F. — comme *Le Seigneur des Anneaux* pour la fantasy —, est né en 1920 à Tacoma (État de Washington), au nord-ouest des U.S.A. Sa mère est de la région, son père y est venu enfant avant d'y exercer les professions de policier puis d'inspecteur du travail ; de jeunes Indiens chinooks lui apprennent à pêcher dans les rivières voisines. Études de littérature (université de Washington) où il rate tous ses examens mais forme son style à l'école d'Edgar Poe, d'O'Henry et d'Ezra Pound : un idéal d'écriture à la fois concise et précise. Alors il entre dans le journalisme, dont il vivra pendant trente ans ; il se marie (1946) : trois enfants, cinq petits-enfants ; tout du patriarche, y compris la barbe fleurie. «La société a plus besoin de généralistes que de spécialistes», dit-il en se dotant d'une culture encyclopédique (écologie, biologie, génétique, sémantique…). En 1952, il publie sa première nouvelle de S.-F. dans *Astounding* ; la même année, il «étudie» la psychanalyse jungienne — après quoi il devient analyste lui-même pendant deux ans et familier de la psychologie des profondeurs. Premier roman, en 1955 ; la même année, il devient rédacteur en chef du *San Francisco Examiner* (édition du dimanche). Le triomphe de *Dune* (1963-1965) puis du *Messie de Dune* (1969) fait de lui un écrivain à plein temps : en 1972, près de Tacoma, il crée une ferme expérimentale écologique. En 1984 sort le film *Dune* ; il réagit à la mort de sa femme en se remariant et en partant pour Hawaii où il écrit *la Maison des Mères* (1985). C'est là qu'il meurt le 11 février 1986.

DU MÊME AUTEUR
CHEZ POCKET

SCIENCE-FICTION
Collection dirigée par Jacques Goimard

FRANK HERBERT

LE CYCLE DE DUNE

DUNE 2

ROBERT LAFFONT

Titre original :
DUNE
traduit de l'américain par Michel Demuth

Si vous souhaitez recevoir régulièrement
notre zine **« Rendez-vous ailleurs »**, écrivez-nous à :

« Rendez-vous ailleurs »
Service promo Pocket
12, avenue d'Italie
75627 PARIS Cedex 13

PRESSECO

PAPIER RECYCLÉ
NATURE PROTÉGÉE

© Frank Herbert, 1965
© Galaxy Publishing Corporation, 1969
Traduction française : Éditions Robert Laffont, S.A. 1970, 1972
ISBN 2-266-11403-4

depuis le Jihad Butlérien. Mais il peut être perfectionné : l'ordre féminin du Bene Gesserit se consacre à l'entraînement physique et mental de ses membres — qui peuvent contrôler les individus en sélectionnant certaines harmoniques de leur voix — et surtout à la réalisation d'un programme de sélection génétique visant à créer le Kwisatz Haderach, « Celui qui peut être en plusieurs endroits ». Un homme supérieur, en qui se réaliseront les dons latents de toute l'espèce humaine — et notamment le don de prescience.

Les Révérendes Mères du Bene Gesserit se gardent bien d'agir au grand jour. En effet le Jihad a créé une société féodale quelque peu bloquée où leur projet pourrait être mal accueilli. Mais certaines lignées sont surveillées de près, parfois depuis plus de mille ans, comme celle des Atréides. Dame Jessica n'a jamais connu son père, mais les Révérendes Mères du Bene Gesserit, qui l'ont élevée, en savent peut-être plus long qu'elle puisqu'elles lui ont donné l'ordre de s'unir au duc Leto Atréides et d'engendrer une fille. Le programme prévoit l'union de cette fille avec Feyd-Rautha Harkonnen, neveu du baron Vladimir. Engendreront-ils le Kwisatz Haderach ? Est-ce la dernière étape ? Non, car Jessica, pour obéir au désir de Leto — et peut-être pour des raisons plus fondamentales, qui ne lui apparaissent pas clairement —, se retourne contre les ordres et engendre un fils, Paul Atréides. Un fils qui, dès son enfance, révèle des dons extraordinaires. Pas le Kwisatz Haderach. Quelque chose d'*inattendu*.

Dès lors le plan est bouleversé par une série d'événements imprévus. Vladimir Harkonnen, le Siridar-Baron — gouverneur planétaire — d'Arrakis, est révoqué pour malversations, et le duc Leto reçoit la planète en fief. Paul, transplanté sur ce nouveau monde, est salué par les Fremen comme « la voix d'ailleurs ». Les Fremen : les hommes libres de Dune. Pour échapper à l'autorité impériale, ils ont choisi de vivre dans le désert. Ils portent le distille, vêtement qui récupère l'eau d'évaporation du corps et des déjections organiques. Nul ne comprend comment ils parviennent à échapper aux vers des sables, si dangereux pour les autres hommes. Mais l'on sait qu'ils attendent le prophète : la dure vie du désert a exalté leur mysticisme ancestral. Les Atréides ont besoin d'eux.

Le duc Leto verse régulièrement à l'Empire et au Combinat des Honnêtes Ober Marchands le tribut d'épice imposé à sa planète. N'importe. L'empereur est jaloux. Après bien des intrigues, il rend sa confiance à Vladimir Harkonnen et l'aide à s'emparer traîtreusement d'Arrakis. Leto est massacré sans pouvoir se défendre. Hawat, son Mentat — son ordinateur humain —, est capturé. Paul et sa mère, poursuivis par les Sardaukar — les guerriers fanatiques de l'empereur — se réfugient dans le désert. Paul respire l'épice et sent monter en lui des pouvoirs terrifiants. Il révèle à Jessica qu'elle est la fille naturelle du Baron ; il sait qu'elle porte dans son ventre une fille de Leto. Il devine dans l'avenir un Jihad, une guerre religieuse capable de faire flotter la bannière des Atréides dans toute la Galaxie, mêlant toutes les lignées et anéantissant le programme de Bene Gesserit. Paul pourra-t-il venger son père ? Derrière cet enjeu s'en cache peut-être un autre, obscur et colossal.

Jacques GOIMARD.

Que méprisez-vous ? Par cela, on vous connaît
vraiment.

Extrait du Manuel de Muad'Dib,
par la Princesse Irulan.

« **I**LS sont morts, Baron, dit Iakin Nefud, le capitaine des gardes. Ils sont certainement morts : la femme et le garçon. »

Le Baron Vladimir Harkonnen se redressa dans les suspenseurs de sa chambre. Tout autour de lui, au-delà de ses appartements, la grande frégate posée sur le sol d'Arrakis était comme un œuf protecteur aux coquilles multiples. Ici, dans la chambre, les dures parois de métal avaient été dissimulées par des draperies, des tentures, des objets précieux.

« C'est une certitude, reprit Nefud. Ils sont morts. »

Le Baron ajusta son corps volumineux aux champs des suspenseurs. Son attention se porta sur une statue d'ebaline placée dans une niche et représentant un garçon figé dans un bond. Lentement, le sommeil s'écoulait de son esprit. Il remonta le suspenseur moelleux placé sous les replis graisseux de son cou et, par-delà l'unique brilleur de la chambre, regarda en direction du seuil le capitaine Nefud immobilisé par le penta-bouclier.

« Ils sont certainement morts, Baron », répéta Nefud.

Le Baron décelait dans son regard le flou engendré par la

sémuta. Il était évident que l'homme avait été sous l'emprise de la drogue au moment où il avait reçu le rapport. Avant de se ruer vers la chambre du Baron, il avait dû absorber l'antidote.

« J'ai un rapport complet », dit-il encore.

Laissons-le transpirer un peu, songea le Baron. *Les instruments du pouvoir doivent toujours être affûtés et prêts. La puissance et la peur... Toujours affûtés et prêts.*

« As-tu vu leurs corps ? » gronda-t-il.

Nefud hésita.

« Eh bien ? »

« Mon Seigneur... on les a vu disparaître dans une tempête... un vent de plus de huit cents kilomètres à l'heure.. Rien ne résiste à une telle tempête, Mon Seigneur. Rien ! Un de nos appareils a été détruit en les poursuivant. »

Le Baron fixait Nefud, notant le tic nerveux qui secouait les muscles crispés de la mâchoire du garde, la façon dont son menton bougeait tandis qu'il s'efforçait d'avaler sa salive.

« Tu as vu les corps ? » demanda le Baron.

« Mon Seigneur... »

« Dans quel but es-tu venu traîner ton armure ici ? Pour me dire qu'une chose est certaine alors qu'elle ne l'est pas ? Crois-tu que je vais te féliciter pour une telle stupidité ? T'accorder une autre promotion ? »

Le visage de Nefud devint blême comme de l'os.

Regardez-moi cette loque, songea le Baron. *Voilà ce dont je suis entouré : de lamentables résidus inutiles. Si je jetais du sable devant lui en lui disant que c'est du blé, il se baisserait pour le picorer.*

« Idaho t'a donc conduit jusqu'à eux ? »

« Oui, Mon Seigneur. »

Regardez-moi donc comme il crache ça.

« Alors ils essayaient de rejoindre les Fremen ? »

« Oui, Mon Seigneur. »

« Ce... rapport en dit-il plus long ? »

« Le Planétologiste Impérial, Kynes, s'est joint à eux, Mon

Seigneur. Idaho l'a contacté dans des circonstances mystérieuses... Je dirais même *suspectes.* »

« Vraiment ? »

« Ils... Ils se sont réfugiés ensemble dans un abri où il semble que la mère et le fils se trouvaient déjà. Dans l'excitation de la poursuite, plusieurs de nos groupes ont été victimes d'une explosion bouclier-laser. »

« Combien d'hommes avons-nous perdus ? »

« Je... je ne connais pas encore le chiffre exact, Mon Seigneur. »

Il ment, se dit le Baron. *Ce chiffre doit être terriblement élevé.*

« Le laquais de l'Empereur, ce Kynes... Il jouait le double jeu, n'est-ce pas ? »

« Je suis prêt à risquer ma réputation sur ce point, Mon Seigneur ! »

Sa réputation !

« Qu'on le tue. »

« Mon Seigneur ! Kynes est le Planétologiste *Impérial !* Le serviteur de Sa Majesté... »

« Alors, que cela ait l'air d'un accident ! »

« Mon Seigneur, des Sardaukar étaient aux côtés de nos hommes pour donner l'assaut à ce repaire fremen. Kynes est placé sous leur garde, maintenant. »

« Reprends-le. Dis que je veux le questionner. »

« Et s'ils refusent ? »

« Ils ne refuseront pas si tu sais procéder avec habileté. »

Nefud se raidit. « Oui, Mon Seigneur. »

« Cet homme doit mourir, gronda le Baron. Il a tenté d'aider mes ennemis. »

Nefud se balançait d'un pied sur l'autre.

« Oui ? »

« Mon Seigneur... Les Sardaukar détiennent deux personnes qui vous intéressent. Ils ont pris le Maître Assassin du Duc. »

« Hawat ? Thufir Hawat ? »

« J'ai vu le prisonnier de mes yeux, Mon Seigneur. C'est bien Hawat. »

« Je n'aurais pas cru cela possible ! »

« Ils m'ont dit qu'il avait été abattu par un tétaniseur, Mon Seigneur. En plein désert, là où il ne pouvait utiliser son bouclier. Il n'est pratiquement pas blessé. Si nous parvenons à le reprendre, il nous procurera certainement des distractions. »

« Tu parles d'un Mentat, en ce moment, gronda le Baron. On ne supprime pas un Mentat. A-t-il parlé ? Que pense-t-il de sa capture ? Sait-il l'étendue de… mais non. »

« Ce qu'il a dit, Mon Seigneur, révèle seulement qu'il croit avoir été trahi par Dame Jessica. »

« Ah !... »

Le Baron se laissa aller en arrière, réfléchit, puis demanda : « En es-tu certain ? Sa fureur était dirigée contre Dame Jessica ? »

« Il l'a dit en ma présence, Mon Seigneur. »

« En ce cas, laisse-lui croire qu'elle est vivante. »

« Mais, Mon Seigneur… »

« Silence. Je veux que Hawat soit traité avec égards. On ne doit rien lui dire au sujet du Docteur Yueh. Qu'on lui laisse croire qu'il a trouvé la mort en défendant le Duc. D'ailleurs, en un certain sens, cela aurait pu être vrai. Il faut nourrir ses soupçons à l'encontre de Dame Jessica. »

« Mon Seigneur, ne… »

« L'information, Nefud, est le seul moyen de contrôler et de diriger un Mentat. A information fausse, résultats faux. »

« Oui, Mon Seigneur, mais… »

« Hawat a-t-il faim ? Soif ? »

« Mon Seigneur, il est encore aux mains des Sardaukar ! »

« Oui, certes. Mais les Sardaukar seront aussi désireux que nous d'obtenir des renseignements de sa bouche. J'ai remarqué une chose concernant nos alliés, Nefud. Ils ne sont pas très subtils... sur le plan politique. Je pense que c'est là un effet de la volonté de l'Empereur. Oui, je le pense. Tu rappelleras au chef des Sardaukar la réputation dont je jouis pour ce qui est d'obtenir les aveux de sujets rétifs. »

Nefud parut soudain mal à son aise. « Bien sûr, Mon Seigneur. »

« Tu lui expliqueras que je désire interroger Hawat et Kynes en même temps, en jouant de l'un contre l'autre. J'espère qu'il pourra au moins comprendre cela. »

« Oui, Mon Seigneur. »

« Et lorsqu'ils seront entre nos mains… » (Le Baron hocha la tête.)

« Mon Seigneur, les Sardaukar désireront certainement qu'un des leurs assiste à… l'interrogatoire. »

« Je suis bien certain que nous pouvons créer une diversion propre à écarter tout observateur indésirable, Nefud. »

« Je comprends, Mon Seigneur. C'est à ce moment-là que Kynes pourrait avoir un accident. »

« Kynes et Hawat auront un accident, oui. Mais seul celui de Kynes sera authentique. C'est Hawat que je désire. Oui… Oh, oui. »

Nefud battit des paupières, avala péniblement sa salive. Un instant, il parut sur le point de poser une question, puis se tut.

« Nous donnerons de la nourriture et de la boisson à Hawat, reprit le Baron. Nous le traiterons avec douceur, avec sympathie. Dans son eau, tu veilleras à ce que l'on ajoute ce poison résiduel mis au point par feu Piter de Vries. *Mais surtout*, tu feras en sorte que l'antidote soit régulièrement présent dans ses aliments à partir de maintenant… jusqu'à nouvel ordre. »

« L'antidote, oui. (Nefud secoua la tête.) Mais… »

« Ne sois pas borné, Nefud. Le Duc a failli me tuer avec cette dent empoisonnée. Ce gaz qu'il a exhalé en ma présence m'a privé de mon précieux Mentat, Piter. Il me faut un remplaçant. »

« Hawat ? »

« Hawat. »

« Mais… »

« Tu allais me dire que Hawat était d'une loyauté totale envers les Atréides. C'est vrai, mais les Atréides sont morts. Et nous finirons bien par le séduire. Il faudra le convaincre qu'il n'est en rien coupable de la défaite du Duc. Que celle-ci est le seul fait de cette sorcière Bene Gesserit. Son maître était faible, sa raison était obscurcie par ses émotions. Les Mentats admirent ceux qui calculent sans faire intervenir l'émotion humaine, Nefud. Nous allons dompter le formidable Thufir Hawat. »

« Nous allons le dompter. Oui, Mon Seigneur. »

« Malheureusement, Hawat avait un maître dont les ressources étaient maigres et qui ne pouvait se permettre de faire accéder son Mentat à ces hauteurs sublimes auxquelles un Mentat est en droit de prétendre. Hawat ne pourra que reconnaître qu'il y a en cela quelque vérité. Le Duc n'a jamais pu fournir à son Mentat les espions les plus efficients qui auraient pu lui fournir les renseignements les plus utiles. (Le Baron regarda Nefud.) N'essayons jamais de tricher entre nous, Nefud. La vérité est une arme puissante. Nous savons comment nous avons triomphé des Atréides, et Hawat le sait lui aussi : grâce à notre richesse. »

« Oui, grâce à notre richesse, Mon Seigneur. »

« Nous séduirons Hawat, Nefud. Nous le mettrons hors d'atteinte des Sardaukar. Et comme garantie nous aurons.. l'antidote. Il est impossible d'échapper au poison résiduel, Nefud. Et jamais Hawat ne se doutera de quelque chose. L'antidote échappera à tous les goûte-poison. Hawat pourra analyser ses aliments autant qu'il lui plaira sans relever la présence du moindre poison. »

Sous l'effet de la compréhension, les yeux de Nefud s'ouvrirent soudain tout grands.

« L'absence d'une chose, reprit le Baron, peut être aussi fatale que sa présence. L'absence d'air, par exemple... Ou l'absence d'eau... L'absence de tout ce à quoi nous sommes organiquement habitués. (Il hocha la tête.) Tu me comprends, Nefud ? »

« Oui, Mon Seigneur. »

« Alors hâte-toi. Trouve le chef de ces Sardaukar et déclenche les opérations. »

« Tout de suite, Mon Seigneur. » Et Nefud s'inclina, se détourna et s'éloigna.

Hawat avec moi ! se dit le Baron. *Les Sardaukar me le donneront. Au pis, ils me soupçonneront de vouloir le supprimer. Et ce soupçon, je me charge de le confirmer ! Les idiots ! L'un des plus puissants Mentats de l'Histoire, un Mentat formé au meurtre... et ils vont me le laisser comme un jouet inutile que je voudrais briser. Mais je vais leur montrer l'usage que l'on peut faire d'un tel jouet !*

Glissant la main sous une tenture, le Baron appuya sur un bouton pour convoquer l'aîné de ses neveux, Rabban. Puis il attendit, souriant.

Et tous les Atréides morts !

Bien sûr, ce stupide capitaine des gardes ne s'était pas trompé. Rien ne pouvait survivre à une tempête de sable sur Arrakis. Aucun ornithoptère... et encore moins ses occupants. La femme et le garçon étaient morts. Toutes les corruptions judicieusement calculées, les *incroyables* dépenses consacrées au débarquement d'une force écrasante sur cette planète, tous les rapports secrets à l'Empereur, tout le vaste plan soigneusement mis au point... Tout cela, enfin, portait pleinement ses fruits.

La puissance et la peur... La puissance et la peur !

Devant lui, le Baron voyait le chemin tout tracé. Un jour, un Harkonnen deviendrait Empereur. Ce ne serait pas lui, non, ni aucun de ses rejetons. Mais ce serait un Harkonnen. Pas ce Rabban non plus, évidemment. Mais le plus jeune frère de Rabban, Feyd-Rautha. Il y avait en lui une certaine dureté, une férocité que le Baron appréciait.

Un garçon adorable, songea-t-il. *Encore une année ou deux... Disons que lorsqu'il atteindra ses dix-sept ans, j'aurai la certitude qu'il est bien l'outil qui donnera le trône à la Maison des Harkonnens.*

« Mon Seigneur Baron. »

Celui qui venait d'apparaître sur le seuil de la chambre du Baron était trapu. Son visage comme son corps était épais. Ses yeux très rapprochés et ses épaules larges étaient ceux des

Harkonnens mais il conservait cependant une certaine rigidité dans sa graisse, quoiqu'il fût visible que, un jour prochain, il serait voué aux suspenseurs portatifs.

Esprit blindé et musclé, songea le Baron. *Ce n'est pas un Mentat, mon neveu, pas un Piter de Vries, mais sans doute est-il plus indiqué pour les tâches immédiates. Je vais lui laisser toute liberté et je suis certain qu'il broiera tout ce qui se trouvera sur son passage. Et Arrakis va le détester... Oh, comme elle va le détester !*

« Mon cher Rabban ! » s'écria le Baron. Il désactiva le champ de protection de la porte en maintenant son bouclier corporel à pleine puissance. Il savait que le brilleur placé à côté du lit en révélerait la présence.

« Vous m'avez appelé », dit Rabban. Il s'avança dans la pièce, jeta un coup d'œil rapide au frémissement d'air qui révélait le bouclier, chercha une chaise à suspenseur et n'en trouva point.

« Approche-toi que je puisse mieux te voir », dit le Baron.

Rabban fit un nouveau pas en avant. Il se disait que le satané vieillard avait délibérément supprimé tous les sièges afin d'obliger ses visiteurs à rester debout.

« Les Atréides sont morts. Les derniers des Atréides. C'est la raison pour laquelle je désirais ta présence sur Arrakis. A nouveau, ce monde t'appartient. »

Rabban se raidit. « Mais je croyais que vous aviez proposé à Piter de Vries de... »

« Piter est mort, lui aussi. »

« Piter ? »

« Piter. »

Il réactiva le champ de la porte contre toute pénétration d'énergie.

« Vous vous en êtes finalement lassé, n'est-ce pas ? » demanda Rabban.

Dans la pièce maintenant isolé, sa voix était plate, dépourvue de vie.

« Pour une fois, je vais te dire une chose, grommela le Baron. Tu insinues que j'ai supprimé Piter comme cela... (Il claqua ses doigts épais.) Mais je ne suis pas aussi stupide, Mon Neveu. Et crois bien que je serai sans indulgence la prochaine fois que tu t'aviseras de suggérer en parole ou en acte que je puis être aussi stupide. »

La peur apparut dans les yeux plissés de Rabban. Il savait, dans certaines limites, jusqu'où le Baron pouvait agir contre sa famille. Cela atteignait rarement la mort, à moins qu'il n'y eût à en tirer un profit extraordinaire ou qu'il ne s'agît de provocation. Mais les châtiments familiaux pouvaient être fort douloureux.

« Pardonnez-moi, Mon Seigneur Baron », dit Rabban. Et il baissa les yeux, autant pour prouver son humilité que pour dissimuler sa rage.

« Tu ne me donnes pas le change », dit le Baron.

Rabban demeura les yeux baissés et avala sa salive.

« Pour moi, c'est une obligation. Ne jamais supprimer un homme sans réfléchir, ainsi que pourrait le faire un fief *par le jeu des lois.* Ne le faire que pour un dessein majeur... *et connaître ce dessein !* »

« Mais vous avez supprimé le traître, Yueh ! Comme j'arrivais, la nuit dernière, j'ai vu que l'on emportait son corps ! » Il y avait de la colère dans la voix de Rabban. Il releva la tête et regarda son oncle, soudain effrayé de ce qu'il venait de dire. Mais le Baron souriait.

« Je suis très prudent avec les armes dangereuses. Le docteur Yueh était un traître. Il m'a livré le Duc. (La puissance monta dans la voix du Baron.) J'ai corrompu un docteur de l'École Suk ! L'École *Intérieure !* Tu entends cela, mon garçon ? Et c'était une arme sauvage à propos de laquelle je ne pouvais mentir. Je ne l'ai pas supprimée sans réfléchir. »

« L'empereur sait-il que vous avez corrompu un docteur Suk ? »

Question insidieuse, songea le Baron. *Me serais-je trompé sur son compte ?*

« Il ne le sait pas encore, mais il est certain que ses Sardaukar vont lui faire un rapport. Néanmoins, auparavant, j'aurai mon propre rapport par l'entremise de la CHOM.

J'expliquerai que, *par chance,* j'ai découvert un docteur qui simulait le conditionnement. Un faux docteur, comprends-tu ? Comme chacun sait que l'on ne peut aller contre le condition- nement de l'École Suk, on acceptera mes dires. »

« Ah, je comprends », murmura Rabban.

Je l'espère bien, pensa le Baron. *J'espère que tu comprends la nécessité du secret. Mais pourquoi ai-je fait cela ? Pourquoi me suis-je vanté auprès de ce neveu que je compte utiliser pour l'écarter ensuite ?* Il était furieux, tout à coup, comme s'il venait de se trahir lui-même.

« Il faut que cela reste secret, dit Rabban. Je le com- prends. »

Le Baron soupira. « En ce qui concerne Arrakis, dit-il, mes instructions, cette fois, seront différentes, Mon Neveu. Lors- que tu as régné précédemment sur cette planète, je t'ai maintenu les rênes serrées. Aujourd'hui, je n'aurai qu'une seule exigence. »

« Oui, Mon Seigneur ? »

« Le bénéfice. »

« Le bénéfice ? »

« Rabban, as-tu la moindre idée de ce que nous avons dû dépenser pour opposer une telle force militaire aux Atréides ? Devines-tu seulement ce que la Guilde exige pour un transport de troupes de cet ordre ? »

« C'est coûteux, n'est-ce pas ? »

« Très coûteux ! »

Le Baron tendit un bras grassouillet vers son neveu.

« Si tu pressais Arrakis à fond durant les soixante années à venir, nous serions à peine remboursés ! »

Rabban ouvrit la bouche et la referma sans prononcer une parole.

« Coûteux... (Le Baron eut un sourire grimaçant.) Si je n'avais pas depuis longtemps prévu cette dépense, cette satanée Guilde nous aurait ruinés, avec son monopole spatial. Rabban, il faut que tu saches bien que, dans cette affaire, nous avons tout financé. Même le transport des Sardaukar. »

Et le Baron se demanda (ce n'était pas la première fois) si

un jour viendrait où l'on pourrait se passer de la Guilde. La Guilde, si habile, qui soutirait à ses clients juste ce qu'il fallait pour qu'ils ne puissent lui résister, jusqu'à ce qu'ils soient en son pouvoir et qu'ils paient, paient encore et sans cesse.

Les exigences exorbitantes de la Guilde exerçaient leur emprise sur toutes les aventures militaires. « Le tarif n'est que celui du hasard », répétaient les mielleux agents de la Guilde. Et pour un seul homme que l'on parvenait à placer au sein de la Banque de la Guilde, la Guilde, elle, réussissait à infiltrer deux agents chez vous.

Intolérable !

« Le bénéfice », dit Rabban.

Le Baron abaissa son bras, referma le poing. « Il faut pressurer », dit-il.

« Et, pour autant que je le fasse, je serai libre d'agir à mon gré ? »

« Entièrement. »

« Ces canons que vous avez amenés.. Pourrais-je ?... »

« Je vais les faire reprendre. »

« Mais vous... »

« Tu n'auras nul besoin de ces jouets. Ils constituaient une innovation toute spéciale mais, maintenant, ils sont sans utilité. Nous avons besoin du métal. Ils ne sauraient venir à bout d'un bouclier, Rabban. Leur qualité a été de représenter l'inattendu. Il était probable que, sur cette planète atroce, les hommes du Duc chercheraient refuge dans les grottes. Nos canons nous ont permis de les y enfermer. »

« Les Fremen ne se servent pas de boucliers. »

« Tu peux conserver quelques lasers si tu le désires. »

« Oui, Mon Seigneur. Et je pourrai agir à mon gré. »

« Pour autant que tu pressures. »

Rabban eut un sourire rayonnant. « Je comprends parfaitement, Mon Seigneur. »

« Tu ne comprends rien parfaitement, grommela le Baron. Que ceci soit bien clair. Ce que tu comprends, c'est la manière d'obéir à mes ordres. Mon Neveu, t'est-il seulement venu à l'esprit qu'il y avait cinq millions d'êtres sur cette planète ? »

« Mon Seigneur oublierait-il que j'ai été son régent-siridar auparavant ? Que Mon Seigneur me pardonne mais... son estimation me paraît même insuffisante. Il est difficile de faire le compte d'une population dispersée comme ici dans des creux et des failles. Si vous songez seulement aux Fremen... »

« Il est inutile de tenir compte des Fremen ! »

« Pardonnez-moi, Mon Seigneur, mais ce n'est pas là ce que pensent les Sardaukar. »

Le Baron hésita. « Tu sais quelque chose à ce sujet ? »

« Mon Seigneur s'était déjà retiré lorsque je suis arrivé la nuit dernière. Je... j'ai pris alors la liberté de rencontrer certains de mes... anciens lieutenants. Ils ont servi de guides aux Sardaukar. Ils m'ont appris qu'une bande de Fremen, quelque part dans le sud-est, avait tendu une embuscade à un parti de Sardaukar. Les Sardaukar ont été massacrés. »

« Les Sardaukar ? »

« Oui, Mon Seigneur. »

« C'est impossible ! »

Rabban haussa les épaules.

« Des Fremen ont massacré des Sardaukar... »

« Je ne fais que rapporter ce que l'on m'a dit. De plus, ces Fremen auraient déjà mis la main sur le redoutable Thufir Hawat. »

« Aahh », fit le Baron, avec un sourire.

« Je crois ce rapport exact, ajouta Rabban. Vous ne savez pas quel problème représentent les Fremen. »

« Peut-être, mais ce que vos lieutenants ont vu, ce ne sont certainement pas des Fremen mais des hommes des Atréides formés par Hawat et déguisés en Fremen. C'est la seule réponse possible. »

A nouveau, Rabban haussa les épaules. « Ma foi, les Sardaukar, quant à eux, croient que c'étaient bien des Fremen et ils ont déjà déclenché un pogrom contre tous les Fremen. »

« Très bien ! »

« Mais... »

« Cela les occupera. Et nous aurons bientôt Hawat. J'en suis certain ! Je le sais ! Ah... quelle journée !... Et ces

Sardaukar qui traquaient quelques malheureuses hordes dans le désert pendant que nous nous emparions du seul, du vrai butin ! »

« Mon Seigneur... (Rabban hésita.) J'ai toujours pensé que nous sous-estimions les Fremen, aussi bien en nombre qu'en... »

« Ne t'en occupe pas, mon garçon ! Ils ne comptent pour rien ! Ce sont les cités peuplées, les villes, les villages qui nous intéressent. Et cela fait beaucoup de monde, non ? »

« Beaucoup, en effet, Mon Seigneur. »

« Ils m'inquiètent, Rabban. »

« Ils vous inquiètent ? »

« Oh... Je ne me soucie guère de quatre-vingt-dix pour cent d'entre eux, mais il subsiste cependant quelques... Maisons Mineures... Des gens ambitieux qui pourraient se livrer à de dangereuses tentatives... Par exemple, il se pourrait que quelqu'un quitte Arrakis avec quelque déplaisante histoire à raconter sur ce qui s'est passé ici. Et cela me déplairait beaucoup... En as-tu seulement idée, Rabban ? »

Rabban déglutit sans répondre.

« Il convient que tu prennes des mesures immédiates pour nous assurer un otage de chaque Maison Mineure, reprit le Baron. Hors Arrakis, chacun doit croire que tout ceci n'était qu'une lutte de Maison à Maison. Les Sardaukar n'y ont pas pris la moindre part, comprends-tu ? Le Duc s'est vu offrir la grâce habituelle ainsi que l'exil mais il a trouvé la mort dans un accident malheureux avant même d'avoir pu accepter. Mais il est bien certain qu'il eût accepté. Telle sera l'histoire. Et toute rumeur faisant état de la présence de Sardaukar sur Arrakis ne devra être que prétexte à rire. »

« Ainsi le veut l'Empereur », dit Rabban.

« Ainsi le veut l'Empereur. »

« Et les contrebandiers ? »

« Nul ne croit en l'existence des contrebandiers, Rabban. On les tolère, mais on n'y croit pas. Ici, il te faudra corrompre, à quelque prix que ce soit, ou prendre toute autre mesure.. Ce dont je te sais capable. »

« Oui, Mon Seigneur. »

« J'attends donc deux choses d'Arrakis, Rabban : Des bénéfices et un gouvernement sans merci. Sur ce monde, point de pitié. Il faut voir cette canaille telle qu'elle est ; une foule d'esclaves jaloux de leurs maîtres et guettant la première occasion de rébellion. Il convient donc de ne jamais montrer la plus infime trace de bonté ou de pitié. »

« Peut-on exterminer toute une planète ? » demanda Rabban.

« Exterminer ? (Il y avait de la surprise dans le rapide mouvement de tête du Baron.) Mais qui a parlé d'extermination ? »

« Eh bien, je pensais que vous aviez l'intention de repeupler et... »

« J'ai dit *pressurer*, Mon Neveu, et non *exterminer*. Ne diminue pas la population. Contente-toi de la soumettre, totalement. Il faut que tu sois le carnivore, mon garçon. (Le Baron sourit et une expression enfantine apparut sur son visage gras.) Jamais un carnivore ne s'arrête. Jamais il ne montre la moindre pitié. Jamais. La pitié est une chimère. L'estomac grondant sa faim suffit à la balayer, et la gorge brûlante de soif... Aie donc toujours faim et soif... Comme moi. » Et le Baron caressa ses bourrelets de graisse, sous les suspenseurs.

« Je comprends, Mon Seigneur. »

Le regard de Rabban allait de droite à gauche.

« Est-ce bien clair, Mon Neveu ? »

« Oui, hormis une chose, Mon Oncle : Kynes, le planétologiste. »

« Ah, oui... Kynes. »

« Il représente l'Empereur, Mon Oncle. Il peut aller et venir selon son gré. Et il est très lié aux Fremen... Il a épousé une des leurs... »

« Il sera mort lorsque la nuit viendra, demain. »

« C'est là une dangereuse action, Mon Oncle... Tuer un serviteur de l'Empereur. »

« Comment crois-tu donc que je sois arrivé aussi rapidement si haut ? (La voix du Baron était basse, lourde, pleine d'adjectifs muets.) De plus, tu n'aurais jamais dû craindre de voir Kynes s'enfuir d'Arrakis. Tu sembles oublier qu'il est intoxiqué par l'épice. »

« Oui, bien sûr ! »

« Ceux qui savent ce qu'il en est ne feront jamais rien qui puisse mettre en péril leurs moyens de ravitaillement. Et Kynes, certainement, sait ce qu'il en est. »

« J'avais oublié », dit Rabban.

En silence, ils se regardèrent.

« A ce propos, reprit le Baron, tu devras veiller tout particulièrement à mon ravitaillement personnel. Je dispose d'un stock important mais ce raid des hommes du Duc m'a coûté la plus grande partie de ce que j'entendais revendre. »

Rabban acquiesça. « Oui, Mon Seigneur. »

« Demain matin, tu rassembleras tout ce qui subsiste de notre organisation sur cette planète et tu déclareras : Notre Sublime Empereur Padishah m'a chargé de prendre possession de cette planète pour y mettre fin à toute querelle. »

« Je comprends, Mon Seigneur. »

« Cette fois, je suis bien certain que tu comprends, oui. Mais demain, nous reverrons les détails. A présent, laisse-moi finir mon sommeil. »

Le Baron désactiva le bouclier du seuil et regarda disparaître son neveu.

Esprit blindé, songea-t-il. *Esprit musclé et blindé. Lorsqu'il en aura fini avec eux, il n'y aura plus que de la pulpe sanglante. Ainsi, lorsque mon cher Feyd-Rautha arrivera, il sera accueilli à bras ouverts, comme un libérateur. Délicieux Feyd-Rautha. Il viendra les sauver de cette bête. Il méritera leur obéissance. Ils voudront même mourir pour lui... Lorsque ce temps sera venu, je suis bien certain qu'il saura comment oppresser dans l'impunité. C'est lui qu'il me faut, oui. Avec le temps, il apprendra. Et ce corps, tellement adorable... Quel garçon délicieux !*

A quinze ans, il avait déjà appris le silence.

Extrait de Histoire de Muad'Dib enfant,
par la Princesse Irulan.

PAUL, luttant aux commandes de l'ornithoptère, prit conscience qu'ils échappaient à l'entrelacs des forces de la tempête. Ses facultés de perception, supérieures à celles d'un Mentat, lui permettaient de sélectionner des informations multiples et précises. Il sentait, tout autour de lui, les fronts de poussière, les dépressions, les turbulences complexes et, parfois, le passage d'un tourbillon.

La cabine de l'orni était comme une boîte furieusement ballottée, baignée de la clarté verte des cadrans. Au-dehors, le sable était une muraille ocre, lisse, semblait-il, sans la moindre faille. Pourtant, Paul commençait à *voir* au-delà.

Il me faut trouver le bon tourbillon, songea-t-il.

Depuis un certain temps, il percevait l'affaiblissement de la tempête. Mais elle ne s'était pas encore éteinte et continuait de les secouer durement. Il guettait l'approche d'une autre turbulence.

Le tourbillon apparut. Comme une vague monstrueuse qui agita frénétiquement l'appareil. Paul repoussa toute trace de peur et inclina l'orni sur la gauche. Jessica décela la manœuvre sur le globe de navigation.

« Paul ! »

Le tourbillon s'empara d'eux, les saisit, les enveloppa. L'ornithoptère ne fut plus qu'une feuille sur un geyser, projeté, craché dans un torrent de poussière, dans la clarté de la seconde lune.

Paul regarda vers le bas. Il vit le pilier de poussière formé par le vent torride qui les avait capturés, avalés puis dégorgés. Il vit la tempête mourante qui poursuivait son cours, comme un fleuve de sable dans le sable du désert, ruban gris de lune qui se faisait de plus en plus petit comme l'orni montait toujours plus haut.

« Nous en sommes sortis », dit Jessica.

Paul fit glisser l'appareil hors de la poussière. Il épiait le ciel.

« Nous leur avons échappé », dit-il enfin.

Jessica lutta pour ralentir les battements de son cœur, pour retrouver son calme tout en regardant disparaître la tempête. Sa notion du temps lui disait qu'ils avaient voyagé au sein de ces forces naturelles pendant près de quatre heures. Mais, pour une grande part de son esprit, cela avait duré le temps d'une vie. Il lui semblait renaître.

C'était comme la litanie, se dit-elle. *Nous avons fait face, sans résister. Et la tempête est passée au travers de nous, autour de nous. Elle a disparu et nous restons.*

« Je n'aime pas le bruit que font les ailes, dit Paul. Elles ont dû être endommagées. »

Ses mains, tout en agissant sur les commandes, percevaient le changement, le vol plus lourd, difficile. Ils avaient échappé à la tempête mais ils n'avaient pas encore atteint l'image que lui avait révélée sa vision prescientre. Pourtant, ils étaient sauvés, et Paul tremblait, au seuil d'une révélation.

Il frissonna.

C'était magnétique, terrifiant. Pourquoi ? se demanda-t-il. Il sentait que c'était dû en partie à la nourriture, saturée d'épice. Mais cela pouvait s'expliquer aussi par la litanie dont les paroles semblaient receler une puissance qui leur était propre.

23

Je ne connaîtrai pas la peur...

Cause et effet . il vivait en dépit des forces mauvaises et il approchait d'une nouvelle perception qui, sans la litanie magique, n'aurait pu être.

Des paroles de la Bible Catholique Orange flottèrent dans sa mémoire : *Ne nous manque-t-il pas des sens qui nous permettent de voir et d'entendre cet autre monde qui est tout autour de nous ?*

« Il y a des rochers, tout autour de nous », dit Jessica.

Paul revint à l'ornithoptère. Il secoua la tête pour éclaircir ses idées et il regarda ce que lui désignait sa mère. Des rochers, noirs sur le sable, droit devant eux. Puis il sentit un souffle de vent sur ses chevilles, un frôlement de poussière dans la cabine. Il y avait un trou quelque part.

« Il vaut mieux nous poser dans le sable, dit Jessica. Les ailes risquent de ne pas nous freiner suffisamment. »

Du menton, il lui désigna quelques rochers qui émergeaient des dunes dans le clair de lune.

« Nous allons nous poser là. Vérifiez votre harnachement. »

Elle obéit et songea : *Nous avons de l'eau, des distilles. Si nous pouvons nous procurer de la nourriture, nous réussirons à survivre longtemps dans le désert. C'est là que vivent les Fremen. Ce qu'ils peuvent, nous le pouvons aussi.*

« Dès que nous serons posés, courez vers ces rochers, dit Paul. Je prendrai le paquet. »

« Courir... (Elle hésita, acquiesça.) Oui, les vers. »

« Nos amis les vers. Ils s'empareront de cet ornithoptère et il n'y aura plus la moindre trace de notre passage. »

Comme sa pensée est directe, songea-t-elle.

Ils glissaient vers le désert, toujours plus bas. Les ombres floues des dunes, les rochers comme des îles se ruaient à leur rencontre. L'orni accrocha le faîte d'une dune avec un bruit soyeux, glissa dans un creux, aborda une autre dune.

Il utilise le sable comme un frein, pensa Jessica. Elle admirait l'habileté de son fils.

« Cramponnez-vous ! » lança Paul.

Il tira la commande de freinage à lui, d'abord très lentement, puis plus fort, à fond. Il sentit les ailes bloquer la masse d'air. Le vent hurla dans les feuillures protectrices et les nervures. Brusquement, l'aile gauche, après un faible frémissement, se replia contre le flanc de l'appareil qui escalada une dernière dune avant de s'incliner sur la gauche, piquant du nez dans une cascade de sable. L'orni s'immobilisa définitivement, son aile droite dressée vers les étoiles.

Paul se débarrassa de son harnachement, passa devant sa mère et ouvrit rapidement la porte. Le sable du désert se déversa dans la cabine avec une senteur de silex. Paul s'empara du paquet à l'arrière de l'appareil puis s'assura que sa mère s'était libérée de son harnachement. Elle escaladait déjà le siège de droite puis, de là, gagnait la coque de métal. Il la suivit, portant le paquet et lança : « Courez ! »

Il désignait une tour rocheuse qui se dressait dans le vent de sable, de l'autre côté de la dune la plus proche.

Jessica s'élança dans le sable, trébuchant et glissant au flanc de la dune. Paul haletait derrière elle. Ils se retrouvèrent sur une crête de sable qui s'infléchissait en direction des rochers.

« Il faut la suivre, dit Paul. Nous irons plus vite. »

Ils reprirent leur course. Le sable s'agrippait à leurs pieds.

Ils perçurent alors un son nouveau : un sifflement, un chuchotement étouffé, un souffle grésillant.

« Un ver ! » lança Paul.

Le son devint plus net.

« Plus vite ! »

Le premier rocher. Comme une plage sur le désert. Il n'était plus qu'à dix mètres devant eux lorsqu'ils entendirent le fracas du métal broyé.

Paul saisit les liens du paquet dans sa main droite et, de l'autre, prit la main de sa mère. Il l'entraîna vers le haut, sur le sol caillouteux, dans un dédale rocheux sculpté par le vent. Dans leurs gorges, leur souffle était brûlant, rêche.

« Pas plus loin », haleta Jessica.

Il s'arrêta, la poussa dans l'abri d'un creux et se retourna pour observer le désert. Au large de l'île de rochers, une dune courait. Vagues de sables, sillons au clair de lune, sillage distant d'un kilomètre environ, situé au niveau du regard de Paul. Il y eut un vaste mouvement dans les dunes, une boucle se referma sur le désert, là où avait été l'ornithoptère. Il n'y avait plus trace de l'appareil.

La dune en mouvement s'éloigna dans le désert, revint en arrière dans son sillage. Cela cherchait.

« C'est plus grand qu'un vaisseau de la Guilde, murmura Paul. On m'avait bien dit que les vers atteignaient de très grandes tailles dans le désert profond mais... je ne pensais pas qu'ils pouvaient être aussi énormes. »

« Moi non plus », souffla Jessica.

A nouveau, la chose se détourna des rochers et s'éloigna vers l'horizon. Ils prêtèrent l'oreille jusqu'à ce que le bruit de sa course se confondît avec les ruissellements du sable, tout autour d'eux.

Paul, alors, respira profondément, leva les yeux sur l'amoncellement de rochers givré de clair de lune et cita le *Kitab al-Ibar* : « Voyage de nuit et repose à l'ombre tout le jour. (Il regarda sa mère.) Il nous reste encore quelques heures de nuit. Pourrez-vous continuer ? »

« Dans un moment. »

Paul s'avança sur le rocher, ajusta le paquet sur son épaule et prit un paracompas en main.

« Quand vous serez prête », dit-il.

Elle s'approcha, sentant ses forces revenir.

« Dans quelle direction ? »

« Celle de cette chaîne. »

« Loin dans le désert », dit-elle.

« Le désert des Fremen », chuchota Paul.

Puis il se tut, revoyant soudain l'image précise qui lui était apparue une fois sur Caladan, dans un moment de prescience. Il avait vu ce désert. Mais, dans sa vision, d'une façon subtilement différente. L'image s'était infiltrée dans son esprit, elle avait été absorbée par la mémoire et, maintenant, projetée sur la scène réelle, elle n'était plus parfaite. Elle paraissait avoir changé et l'approcher, lui, sous un angle différent tandis qu'il demeurait immobile.

Dans la vision, Idaho était avec nous, se souvint-il tout à coup. *Mais à présent, il est mort.*

« Tu as trouvé un chemin ? » demanda Jessica, se trompant sur le sens de son hésitation.

« Non, dit-il, mais mettons-nous en marche. »

Il raffermit ses épaules et s'avança dans un boyau rocheux creusé par le vent de sable. Le boyau débouchait sur une table de rocher baignée de lune qui, vers le sud, s'élevait en terrasses successives.

Paul se mit en marche dans cette direction, entama l'escalade et Jessica le suivit. Elle prenait conscience de ce que les choses avaient d'immédiat, de particulier, à chaque pas. Les poches de sable entre les rochers, qui ralentissaient leur progression, les saillies aiguisées par le vent qui entaillaient leurs mains, l'obstacle qui obligeait au choix : escalader ou contourner ? Le terrain leur imposait ses rythmes propres. Ils ne parlaient que lorsque c'était absolument nécessaire et, alors, leurs voix étaient rauques d'épuisement.

« Attention ici. Le sable est glissant. »

« Ne vous cognez pas à la corniche. Prenez garde. »

« Restez dans l'ombre. La lune est derrière nous et nos moindres gestes nous feraient repérer. »

Paul s'arrêta dans un renfoncement et appuya le paquet contre une étroite saillie rocheuse.

Jessica l'imita, heureuse de cet instant de répit. Elle entendit Paul tirer sur le tube de son distille et elle but, elle aussi, l'eau de son propre corps. Le goût en était saumâtre et le souvenir des eaux de Caladan lui revint. Une haute fontaine enfermant une portion de ciel. Tant d'eau dans cette fontaine dont on ne remarquait que la forme, les reflets, le bruit lorsqu'on s'arrêtait auprès d'elle.

S'arrêter, songea-t-elle. *S'arrêter... Se reposer... vraiment.*

Le véritable bonheur, c'était cela. La possibilité de s'arrêter, ne serait-ce que pour un moment. Autrement, il ne pouvait y avoir de bonheur.

Paul se redressa et reprit l'escalade. Elle le suivit avec un soupir.

Un vaste entablement descendait jusqu'à une muraille qu'il contournait. A nouveau, ce territoire brisé leur imposait son rythme irrégulier.

Sous ses mains, sous ses pas, Jessica percevait dans la nuit les formes et les tailles, jusqu'aux plus extrêmes degrés de petitesse : rocs ou graviers, cailloux, sable aggloméré, sable pulvérulent, poudre ou farine de sable.

La poudre obstruait les filtres respiratoires et il fallait souffler pour la chasser. Le sable aggloméré et le gravier roulaient sous les pas et pouvaient provoquer une chute. Les éclats de rocher coupaient.

Et les poches de sable omniprésentes semblaient coller aux pieds.

Paul s'arrêta brusquement sur une avancée de rocher et il soutint Jessica. Puis il tendit le doigt vers la gauche et elle vit qu'ils se trouvaient en réalité au sommet d'une falaise qui dominait une portion de désert d'une hauteur de quelque deux cents mètres. Le désert était comme une mer de vagues figées sous la lune, d'ombres acérées qui disparaissaient dans les creux et qui, dans le lointain, se fondaient dans la masse grise et imprécise d'un autre massif rocheux.

« Le désert ouvert », dit Jessica.

« Il nous faudra longtemps pour traverser. » La voix de Paul était étouffée par le filtre.

Le regard de Jessica glissa de droite à gauche. Il n'y avait que le sable.

Paul observait les dunes. Là-bas, les ombres jouaient sous la lune lente.

« Trois ou quatre kilomètres », dit-il.

« Les vers. »

« Certainement. »

Elle prit conscience de sa lassitude, de la douleur qui habitait chacun de ses muscles et affaiblissait ses sens.

« Nous pourrions nous reposer et manger. »

Paul se débarrassa du paquet, s'assit et s'appuya contre lui. Jessica mit une main sur son épaule pour conserver son équilibre et elle s'assit à son tour. Paul fouillait déjà dans le paquet.

« Voilà », dit-il.

Elle sentit sa main sèche dans la sienne. Il déposa deux capsules énergétiques au creux de sa paume. Elle les avala avec une gorgée d'eau qu'elle aspira au tube de son distille.

« Buvez toute votre eau, dit Paul. Axiome : Le corps est le meilleur endroit où conserver son eau. Elle maintient l'énergie et, ainsi, on est plus fort. Faites confiance à votre distille. »

Elle obéit et vida toutes les poches d'eau. Elle sentit alors son énergie revenir. Ce moment de lassitude et de repos était plein de tranquillité et elle se rappela les paroles de Gurney Halleck : « Mieux vaut le calme et un maigre repas qu'une maison pleine de luttes et de doutes. »

Elle les répéta à l'intention de Paul.

« C'est bien de Gurney », dit-il. Et, à son intonation, elle se rendit compte qu'il semblait parler d'un mort et elle songea : *Oui, ce pauvre Gurney est peut-être mort.* Tous les gens d'Atréides étaient morts, ou prisonniers ou perdus comme eux sur ce monde desséché.

« Gurney trouvait toujours la citation appropriée, reprit Paul. Je l'entends encore : « J'assécherai les fleuves, je vendrai la terre aux méchants et je rendrai le pays aride par la main des étrangers. »

Jessica ferma les yeux, émue jusqu'aux larmes par la tristesse qu'elle percevait dans la voix de son fils.

« Comment vous... sentez-vous ? » demanda-t-il.

Elle comprit que la question concernait son état et elle dit : « Ta sœur ne naîtra pas avant plusieurs mois et je me sens encore... physiquement en forme. »

C'est mon fils, songea-t-elle, *et je lui parle avec tant de froideur !* Et puis, parce qu'une Bene Gesserit se devait de chercher en elle la réponse, elle pensa : *Je suis effrayée par mon fils. Je crains son étrangeté. Je crains ce qu'il peut voir au-devant de notre route, ce qu'il peut me dire.*

Paul abaissa son capuchon sur ses yeux. Il écoutait les bruits infimes de la nuit. Ses poumons étaient emplis de son propre silence. Son nez le démangeait. Il le gratta, ôta le filtre de ses narines et décela alors la riche senteur de cannelle qui emplissait l'air.

« Il y a du Mélange à proximité », dit-il.

Un vent léger lui caressa les joues et fit flotter les plis de son burnous. C'était un vent qui n'annonçait nulle tempête, nulle menace. Déjà, Paul pouvait sentir cette différence.

« L'aube est proche », dit-il.

Jessica acquiesça.

« Il existe un moyen de traverser sans danger cette portion de désert. Les Fremen l'utilisent. »

« Et les vers ? »

« Nous avons un marteleur dans notre Fremkit. Si nous le plantions dans ces rochers, le ver serait occupé pendant un certain temps. »

Le regard de Jessica glissa sur le fleuve blanc du désert jusqu'à l'autre rivage rocheux.

« Assez de temps pour parcourir quatre kilomètres ? » demanda-t-elle.

« Peut-être. Et si nous réussissons à marcher en ne produisant que des bruits *naturels* qui n'attirent pas les vers... »

Son regard demeurait fixé sur le désert. Il cherchait dans sa mémoire presciente, il retrouvait ces mystérieuses allusions aux marteleurs et aux hameçons à faiseur qu'il avait lues dans le manuel du Fremkit. Et la terreur absolue qu'il éprouvait à la pensée des vers lui semblait bizarre. C'était comme si, juste au-delà de sa perception, résidait la certitude que les vers devaient être respectés et non craints... si... si...

Il secoua la tête.

« Ce devraient être des bruits sans rythme », dit Jessica.

« Comment ? Oh, oui... Si nous brisons seulement notre démarche... Le sable tombe de lui-même à certains moments. Les vers ne peuvent se ruer sur n'importe quel bruit infime. Mais il faut que nous soyons tout à fait reposés pour cela. »

Il regarda en direction de l'autre massif de rochers, lisant le passage du temps dans les ombres verticales dessinées par la lune. « Dans une heure ce sera l'aube. »

« Où passerons-nous la journée ? »

Il se tourna sur la gauche et tendit la main. « La falaise, là-bas, s'incline vers le nord. Vous pouvez voir que cette face est exposée aux vents et nous y trouverons des crevasses. Des crevasses profondes. »

« Ne ferions-nous pas mieux de partir tout de suite ? »

Il se releva et l'aida à se remettre sur ses pieds. « Êtes-vous suffisamment reposée pour la descente ? Je voudrais que nous soyons aussi près que possible du désert avant de monter la tente. »

« Suffisamment. »

Il hésita, puis reprit le paquet, l'assura sur ses épaules et se mit en marche.

Si seulement nous avions des suspenseurs, se dit Jessica. *Ce serait si simple de sauter jusqu'en bas. Mais peut-être faut-il éviter d'employer les suspenseurs dans le désert profond... Peut-être attirent-ils les vers, tout comme les boucliers.*

Ils atteignirent une série de terrasses. Tout en bas, le clair de lune révélait une fissure. Paul entama la descente. Il cheminait avec prudence mais aussi vite qu'il pouvait car il était évident que le clair de lune ne durerait plus guère. Ils allaient bientôt pénétrer dans un monde d'ombres profondes. Tout autour d'eux, des aiguilles rocheuses se dressaient sur les étoiles, de plus en plus hautes. La fissure se rétrécissait pour atteindre une dizaine de mètres de large au bord d'une pente de sable gris qui se perdait plus bas dans les ténèbres.

« Pouvons-nous descendre ? » murmura Jessica.

« Je le pense. »

Du bout du pied, Paul éprouva la surface du sable.

« Nous pouvons glisser, dit-il. Je descends le premier. Attendez jusqu'à ce que vous m'entendiez m'arrêter. »

« Sois prudent. »

Il s'avança sur la pente, glissa, dévala jusqu'à une zone de sable dur, entre les murailles rocheuses.

Il entendit alors le bruit du sable derrière lui. Il se retourna, essaya de distinguer le haut de la pente dans l'obscurité et faillit être renversé par la cascade de sable qui s'écoula au loin avant que revienne le silence.

« Mère ? » appela-t-il.

Il n'y eut pas de réponse.

« Mère ! »

Il lâcha le paquet et se lança à l'assaut de la pente, trébuchant, creusant, rejetant le sable entre ses mains comme un animal furieux. « Mère ! Mère, où êtes-vous ? » Il haletait. Une nouvelle cascade s'abattit sur lui et il eut du sable jusqu'aux hanches. Il s'en arracha.

Elle a été prise dans l'avalanche de sable, songea-t-il. *Engloutie. Il faut que je reste calme et que je procède avec précaution. Elle ne sera pas immédiatement étouffée. Elle va se mettre en état de suspension bindu pour réduire sa consommation d'oxygène. Elle sait que je la retrouverai.*

Suivant l'éducation Bene Gesserit reçue de sa mère, il entreprit de calmer les battements désordonnés de son cœur. Son esprit redevint une ardoise vierge sur laquelle les moments les plus récents du passé pouvaient apparaître à nouveau. Dans sa mémoire, chaque mouvement, chaque courant de l'avalanche recommença, plus lentement, bien qu'une fraction de seconde suffît à cette évocation.

Puis il reprit son escalade en diagonale, jusqu'à ce qu'il trouve une des murailles de la fissure, un rocher qui émergeait du sable. Alors il se mit à creuser, lentement, veillant à ne pas provoquer une nouvelle avalanche de sable. Et il rencontra du tissu sous ses mains. Il progressa, découvrit un bras. Doucement, il le dégagea, découvrit le visage.

« M'entendez-vous ? » murmura-t-il.

Nulle réponse ne lui parvint.

Il creusa plus avant, libéra les épaules. Le corps de sa mère était inerte entre ses mains mais il décela les battements espacés du cœur.

Suspension bindu, se dit-il.

Il la libéra du sable jusqu'à la taille, passa ses bras sur ses épaules et l'entraîna vers le bas de la pente, doucement d'abord, puis aussi vite qu'il le put, au fur et à mesure que cédait le sable sous ses pas. De plus en plus vite il l'emporta, l'entraîna en haletant, luttant pour garder son équilibre, jusqu'au sol ferme au fond de la fissure, la hissa sur ses épaules et courut maladroitement à l'instant où la pente tout entière glissait sur eux avec un sifflement assourdi que répercutèrent les hautes murailles.

Au bout de la fissure, Paul s'arrêta et son regard se posa sur les dunes du désert, trente mètres plus bas. Doucement, il étendit sa mère sur le sable et prononça le mot qui devait la sortir de sa catalepsie.

Elle s'éveilla lentement, son souffle devint plus profond.

« Je savais que tu me retrouverais », dit-elle dans un murmure.

Il se retourna vers la fissure. « Peut-être eût-il mieux valu que je ne vous retrouve pas. »

« Paul ! »

« J'ai perdu le paquet. Il est enfoui sous des tonnes de sable... »

« Tout ? »

« L'eau, la tente... Tout ce qui avait de l'importance. (Il porta la main à une poche.) Il me reste le paracompas. (Il toucha la bourse fixée à sa taille.) Le couteau et les jumelles également. Au moins, nous pourrons bien voir l'endroit où nous allons mourir. »

A cet instant, le soleil apparut sur l'horizon quelque part à gauche au-delà de la fissure. Et les couleurs jaillirent sur le désert. Un chœur d'oiseaux s'éveilla dans les multiples refuges des rochers.

Mais Jessica ne voyait que le désespoir qui avait envahi le visage de son fils. Elle mit du mépris dans sa voix pour demander : « Est-ce là ce que l'on t'a enseigné ? »

« Ne comprenez-vous pas ? Tout ce qu'il nous fallait pour survivre est perdu dans ce sable ! »

« Tu m'as retrouvée », dit-elle, et, à présent, sa voix était douce, raisonnable. Paul s'accroupit sur ses talons. Son regard se porta sur la nouvelle pente qui s'était formée. Le sable était fragile, instable.

« Si seulement nous pouvions en immobiliser une petite partie, dit-il, et creuser un puits jusqu'au paquet. Mais il nous faudrait de l'eau pour cela, et nous n'en avons pas assez... (Il s'interrompit et dit tout à coup :) De la mousse ! »

De peur de déranger ses réflexions, Jessica demeura immobile.

Paul contemplait les dunes, et ses yeux, aussi bien que ses narines, cherchaient, trouvaient, centraient son attention sur une portion de désert qui semblait plus sombre.

« De l'épice, dit-il. Son essence est hautement alcaline. Et je dispose encore du paracompas. Sa pile contient de l'acide. »

Jessica se redressa et s'appuya au rocher.

Paul ne parut pas en avoir conscience. Il se leva et s'engagea sur le sable durci par le vent qui menait au désert.

Elle observa sa démarche. Il bridait le rythme : Un pas... arrêt... Un pas, un autre... Un glissement... Une pause...

Il n'y avait plus dans sa progression le moindre rythme qui pût révéler à un ver en maraude que quelque chose d'étranger au désert se déplaçait dans cette zone.

Il atteignit le gisement d'épice, en recueillit une brassée dans sa robe et revint vers la fissure. Il répandit tout l'épice dans le sable, devant Jessica, s'accroupit et entreprit de démanteler le paracompas à l'aide de la pointe de son couteau. Le dessus du compas s'ouvrit. Paul dispersa les pièces sur la ceinture de sa robe et prit la pile. Puis il ôta le cadran de l'instrument, laissant un emplacement vide.

« Il va te falloir de l'eau », dit Jessica.

Il prit le tube près de son cou, aspira une goulée et la déversa dans l'ouverture du cadran.

Si cela échoue, songea Jessica, *toute cette eau est gâchée. Mais, de toute façon, cela n'aura plus d'importance.*

A l'aide de son couteau, Paul ouvrit la pile et répandit les cristaux dans l'eau. Ils formèrent une écume légère qui disparut très vite.

Jessica décela un mouvement, leva les yeux et aperçut les faucons perchés sur le rebord de la fissure. Tous regardaient l'eau.

Grande Mère ! songea-t-elle. A une telle distance. ils peuvent encore la déceler !

Paul avait remis en place le couvercle du paracompas tout en ôtant le bouton de réglage, ce qui offrait une issue au liquide. Tenant l'instrument d'une main et une poignée d'épice de l'autre, il remonta vers le haut de la fissure, étudiant la pente de sable. Sa robe, à présent sans ceinture, flottait autour de lui. Il s'avança, soulevant des plumets de poussière, faisant naître des ruisseaux de sable.

Puis il s'arrêta, mit une pincée d'épice dans le paracompas et secoua le boîtier.

Une écume verte surgit par le trou correspondant au bouton de réglage. Paul la dirigea vers le sable, dessinant une petite digue qu'il entreprit de consolider ensuite en rajoutant alternativement du sable et de la mousse verte.

D'en bas, Jessica demanda : « Je peux t'aider ? »

« Venez et creusez, dit-il. Ça ne devrait pas dépasser trois mètres de profondeur. » Il vit alors que l'écume verte ne se formait plus.

« Vite. Il est impossible de savoir combien de temps le sable restera en place. »

Jessica le rejoignit à l'instant où il jetait une nouvelle pincée d'épice dans le paracompas. La mousse réapparut et Paul se remit à consolider la digue tandis que Jessica attaquait le sable avec ses mains, le rejetant derrière elle, vers le bas de la pente.

« Il est loin ? » demanda-t-elle.

« Non, mais la position est approximative. Il faudra peut-être élargir l'excavation. (Il fit un pas de côté, glissant dans le sable fluide.) Creusez plutôt en oblique. »

Elle obéit.

Lentement, l'excavation devint de plus en plus profonde. Elle atteignit le niveau du fond du bassin rocheux et le paquet n'apparaissait toujours pas.

Me serais-je trompé dans mes calculs ? se demanda Paul. C'est à cause de moi que cela s'est produit, à cause de cette panique. Est-ce que cela a diminué mes capacités ?

Il regarda le paracompas. Il ne restait plus que deux onces d'acide.

Jessica se redressa dans le trou, passa une main maculée de mousse verdâtre sur ses joues. Son regard rencontra celui de Paul.

« Vers le haut, maintenant, dit-il. Doucement. » Il ajouta une nouvelle pincée d'épice au contenu du paracompas et la mousse gicla autour des mains de Jessica qui taillaient une tranchée dans la paroi supérieure du trou. A la seconde tentative, elle rencontra quelque chose de dur. Lentement. elle dégagea un bout de courroie et une boucle de plastique.

« N'en sortez pas plus », dit Paul, et sa voix était comme un chuchotement. Il ajouta : « Nous n'avons plus de mousse. »

Jessica, sans lâcher la courroie du paquet. leva les yeux vers son fils.

Il jeta le paracompas vide vers le fond du bassin.

« Donnez-moi votre autre main. Maintenant, écoutez attentivement. Je vais vous tirer vers le bas. Surtout ne lâchez pas cette courroie. Nous ne recevrons pas trop de sable du sommet. Cette pente s'est à peu près stabilisée. Tout ce que je veux, c'est maintenir votre tête hors du sable. Lorsque ce trou sera comblé, je pourrai vous tirer et le paquet suivra. »

« Je comprends. »

« Prête ? »

« Prête. » Elle crispa ses doigts sur la courroie.

D'un seul élan, Paul la sortit à moitié de l'excavation et maintint sa tête au-dessus du sable qui se ruait par la digue effondrée. Lorsque l'avalanche prit fin, Jessica était enfoncée jusqu'à la taille dans le sable. Son bras gauche était également prisonnier, jusqu'à l'épaule, mais son menton reposait sur un pli de la robe de Paul. Sous la tension, son épaule était douloureuse.

« Je tiens toujours la courroie », souffla-t-elle.

Lentement, Paul plongea la main dans le sable près d'elle et toucha la courroie, la prit. « Ensemble. D'un seul mouvement. Il ne faut pas l'arracher. »

De nouveaux ruisseaux de sable se formèrent comme ils

36

tiraient le paquet vers la surface. Lorsque la courroie apparut, Paul s'interrompit et libéra complètement sa mère. Puis tous deux finirent d'extraire le paquet de sa prison de sable.

Quelques minutes après, ils se retrouvaient au fond de la fissure avec le paquet entre eux.

Paul regarda sa mère, son visage maculé de mousse, sa robe pleine de sable collé.

« Vous êtes dans un bel état », dit-il.

« Tu n'es pas mal toi non plus », répondit-elle.

Ils rirent, puis se turent.

« Cela n'aurait pas dû arriver, dit Paul. J'ai été inconscient. »

Elle haussa les épaules et un peu de sable sec tomba de sa robe.

« Je vais monter la tente, reprit Paul. Il faudrait que vous ôtiez cette robe pour la secouer. »

Il se détourna, se pencha sur le paquet. Jessica acquiesça en silence, trop lasse pour parler.

« Il y a des trous d'amarrage dans ce rocher, dit Paul. Quelqu'un a déjà campé ici. »

Pourquoi pas? pensa-t-elle, tout en secouant la robe. L'emplacement était tout indiqué, à l'abri entre les rochers, face au désert et à l'autre falaise, à quatre kilomètres de là, suffisamment haut, pourtant, pour échapper aux vers tout en étant assez près du désert.

En se retournant, elle vit que Paul avait déjà érigé la tente-distille dont l'hémisphère semblait se confondre avec les murailles rocheuses qui se dressaient alentour. Il s'avança, tenant ses jumelles dont il ajusta la pression interne d'un rapide mouvement vissant. Puis il braqua les objectifs à huile vers l'autre falaise qui se dressait comme une barrière dorée dans la lumière du matin.

Il observait minutieusement ce paysage d'apocalypse, suivant les rivières et les canyons de sable.

« Il y a des choses qui poussent, là-bas », dit-il.

Jessica alla prendre la seconde paire de jumelles dans le Fremkit, près de la tente, et revint à côté de son fils.

« Dans cette direction. » Il tendait le doigt vers le désert.

« Du saguaro, dit-elle. Mauvaise herbe. »

« Il y a peut-être des gens à proximité. »

« Cela pourrait être aussi bien les restes d'une station botanique. »

« Nous sommes loin dans le sud », dit-il.

Il baissa ses jumelles, se gratta sous son filtre. Ses lèvres étaient sèches et craquelées et il avait dans la bouche le goût de poussière de la soif.

« Cela semble un site fremen. »

« Sommes-nous sûrs qu'ils se montreront amicaux ? » demanda-t-elle.

« Kynes nous a promis leur aide. »

Mais ces gens du désert sont emplis de désespoir, songea-t-elle. *Ce désespoir que j'ai moi-même ressenti aujourd'hui. Et des gens aussi désespérés pourraient nous tuer pour notre eau.*

Elle ferma les yeux et, comme pour repousser l'image de cette terre désolée, elle évoqua un paysage de Caladan. Un voyage d'agrément qu'ils avaient fait ensemble, le Duc Leto et elle, avant la naissance de Paul. Ils avaient survolé les jungles du sud, les feuilles, l'herbe sauvage des savanes et le jeune riz dans les deltas. Et dans tout ce vert ils avaient vu des files de fourmis. Des hommes, minuscules, portant leur fardeau sur les balanciers à suspenseurs. Et près de la mer, ils avaient entrevu les pétales blancs des dhows trimarans.

Tout cela avait disparu.

Elle ouvrit les yeux sur l'immobilité du désert, la chaleur du jour, le silence. Déjà, l'air vibrait au-dessus du sable, comme sous l'effet de la danse torride d'innombrables et infatigables démons. De l'autre côté du désert, l'image d'or de la falaise devenait de plus en plus floue.

Une pluie de sable, l'espace d'un instant, forma un rideau léger à l'extrémité de la fissure. Le sable grésillait de toutes parts, libéré par la brise du matin, par l'envol des premiers faucons quittant les falaises. Et, après chaque cascade, Jessica continuait d'entendre comme un sifflement, de plus en plus fort. C'était un son que l'on ne pouvait oublier, lorsqu'on l'avait entendu une fois.

« Un ver », murmura Paul.

Il apparut sur leur droite, avec une majesté sereine. Une dune cheminant entre les dunes, traversant leur champ de vision. Droit devant eux, elle s'éleva un peu, rejetant du sable comme la proue d'un navire rejette de l'eau. Puis cela disparut sur la gauche.

Et le sifflement s'estompa, mourut.

« J'ai vu des frégates spatiales plus petites », murmura Paul.

Jessica hocha la tête. Son regard ne quittait pas le désert. Là où le ver était passé, demeurait un fascinant sillage, entre le sable et le ciel.

« Quand nous nous serons reposés, dit Jessica, nous reprendrons tes leçons. »

Il lutta contre une soudaine colère. « Mère, ne pensez-vous pas que nous pourrions nous passer de... »

« Aujourd'hui, tu as paniqué. Peut-être connais-tu mieux que moi ton esprit et ton système nerveux bindu, mais il te reste encore tant à apprendre sur la musculature prana de ton corps. Parfois, le corps agit par lui-même, Paul, et je dois t'apprendre des choses à ce propos. Il faut que tu parviennes à contrôler chacun de tes muscles, chacun de tes doigts, de tes tendons, de tes extrémités tactiles. (Elle se détourna.) Viens dans la tente, maintenant. »

Il regarda sa main gauche, replia ses doigts. Jessica s'introduisait déjà dans la tente par la valve-sphincter et il sut qu'il ne pourrait lutter contre sa détermination, qu'il lui faudrait s'y plier.

Quoi que l'on m'ait fait, songea-t-il, *je m'y suis prêté.*

Examen de la main !

A nouveau, il regarda sa main. Elle semblait si maladroite comparée à des créatures telles que le ver.

Nous sommes venus de Caladan, monde paradi-
siaque pour notre forme de vie. Sur Caladan, nous
n'avions nul besoin de construire un paradis physique ou un paradis de l'esprit. La réalité suffisait,
tout autour de nous. Et le prix que nous avons payé
est celui que les hommes ont toujours payé pour
jouir du paradis durant le temps de leur vie : nous
sommes devenus fragiles, notre fil s'est émoussé.

Extrait de Conversations avec Muad'Dib,
par la Princesse Irulan.

« AINSI vous êtes le grand Gurney Halleck », dit
l'homme.

Debout dans la caverne ronde, Halleck regardait le contrebandier assis derrière un bureau de métal. L'homme arborait
la robe fremen et le bleu trop clair de ses yeux révélait qu'il se
nourrissait en partie d'aliments importés. La pièce reprodui-
sait le centre de contrôle d'une frégate spatiale. Instruments
de communication et écrans de vision couvraient la paroi
courbe sur trente degrés. Il y avait des consoles d'armement et
de tir automatiques et le bureau lui-même semblait une
excroissance de la paroi.

« Je suis Staban Tuek, fils d'Esmar Tuek », dit le contrebandier.

« Alors vous êtes celui qu'il me faut remercier pour l'aide que nous avons reçue », dit Halleck.

« Ah... La gratitude, dit le contrebandier. Asseyez-vous. »

Un siège creux pareil à ceux des vaisseaux spatiaux sortit de la paroi, entre les écrans, et Halleck s'y laissa aller avec un soupir, prenant conscience de sa lassitude. Dans la sombre surface, devant lui, à côté de l'homme, il pouvait maintenant voir son reflet. La fatigue avait imprimé ses sillons sur son visage. Il fronça les sourcils et la cicatrice, au long de sa mâchoire, se plissa.

Il se détourna alors de son reflet pour regarder Tuek. Maintenant, il décelait la ressemblance avec le père. Les sourcils lourds, le dessin net, acéré, des joues et du nez.

« Vos hommes m'ont dit que votre père était mort, tué par les Harkonnens », dit-il.

« Par les Harkonnens ou par le traître qui s'était glissé parmi les vôtres. »

La colère eut raison de la fatigue. Halleck se raidit.

« Pouvez-vous nommer ce traître ? »

« Nous n'en sommes pas certains. »

« Thufir Hawat soupçonnait Dame Jessica. »

« Ah... La sorcière Bene Gesserit... Peut-être. Mais Hawat est prisonnier des Harkonnens. »

« On me l'a appris. (Halleck inspira profondément.) Il semble que d'autres massacres nous attendent. »

« Nous ne ferons rien qui puisse attirer l'attention », dit Tuek.

Halleck se raidit. « Mais... »

« Vous et vos hommes êtes les bienvenus parmi nous. Vous parliez de gratitude. Fort bien. Acquittez-vous de votre dette envers nous. Nous saurons toujours comment utiliser des hommes de valeur mais, pourtant, nous vous tuerons de nos mains si vous tentez la moindre action ouverte contre les Harkonnens. »

« Mais ils ont tué votre père ! »

« Peut-être. Et si cela est vrai, je vous citerai alors ce que disait mon père à ceux qui agissaient sans réfléchir : « Lourde est la pierre et dense le sable. Mais l'un et l'autre ne sont rien auprès de la colère de l'idiot ».

« Vous voulez dire que vous n'allez rien faire ? »

« Je n'ai pas dit cela. J'ai simplement déclaré que j'entendais protéger notre contrat avec la Guilde. La Guilde entend que nous agissions prudemment. Et il existe bien des moyens de venir à bout d'un ennemi. »

« Ah... »

« Oui, en vérité. Si vous avez dans l'idée de partir en quête de la sorcière, partez. Mais je dois pourtant vous avertir qu'il est probablement trop tard... Et nous doutons qu'elle soit bien la traîtresse que vous cherchez. »

« Hawat ne s'est que rarement trompé. »

« Mais il est tombé aux mains des Harkonnens. »

« Vous pensez que c'est *lui* le traître ? »

(Tuek eut un haussement d'épaules.) « Peu importe. Mais nous pensons que la sorcière est morte. Les Harkonnens, quant à eux, en sont persuadés. »

« Vous semblez savoir beaucoup de choses à leur propos. »

« Suppositions et suggestions... rumeurs et déductions. »

« Nous sommes soixante-quatorze, dit Halleck. Si vous nous proposez sérieusement de nous mettre à votre service, c'est donc que vous croyez que notre Duc est bien mort. »

« On a vu son corps. »

« Et le garçon aussi... le jeune Maître Paul ? » (Il essaya d'avaler sa salive. Il y avait comme un nœud dans sa gorge.)

« Selon nos dernières informations, sa mère et lui se sont perdus dans une tempête, en plein désert. Il est fort probable que l'on ne retrouvera même pas leurs os. »

« Donc la sorcière est morte... Bien morte. »

Tuek acquiesça. « Et Rabban la Bête, à ce que l'on dit, va reprendre place sur le trône de Dune. »

« Le comte Rabban de Lankiveil ? »

« Oui. »

Il fallut un moment à Halleck pour réprimer l'élan de rage qui venait brusquement de naître au fond de lui, menaçant de tout submerger. Lorsqu'il put parler, ce fut d'une voix haletante : « J'ai un compte personnel à régler avec Rabban. La vie des miens... Et ceci... » Il porta un doigt à la cicatrice sur sa mâchoire.

« Mais on ne risque pas tout afin de régler prématurément certains comptes », dit Tuek. Et il fronça les sourcils en remarquant le frémissement des muscles sur le faciès de Halleck, le regard absent de l'homme.

« Je sais... Je sais... » Halleck souffla lentement, profondément.

« En nous servant, vous et vos hommes pourrez payer votre voyage, quitter Arrakis. Il y a bien des endroits... »

« Je laisse mes hommes libres de choisir par eux-mêmes. Si Rabban est ici... Je reste. »

« Devant votre état présent, je ne suis pas sûr que nous le désirions. »

« Vous doutez de ma parole ? »

« Non... »

« Vous m'avez sauvé des Harkonnens. Pour la même raison j'ai été loyal envers le duc Leto. Je demeurerai sur Arrakis... avec vous... ou avec les Fremen. »

« Qu'une pensée soit ou non exprimée, dit Tuek, elle demeure une chose réelle et puissante. Il se pourrait, au sein des Fremen, que vous trouviez que la ligne qui sépare la vie de la mort est trop incertaine et fragile. »

Halleck ferma les paupières un bref instant. Sa lassitude revenait.

« Où est donc le Seigneur qui nous conduisit par cette terre de déserts et de puits ? » murmura-t-il.

« Agissez lentement et le jour de votre revanche viendra, dit Tuek. La vitesse est le fait de Shaitan. Calmez votre peine... Nous avons des diversions pour cela, trois biens qui soulagent le cœur : l'eau, l'herbe verte et la beauté de la femme. »

Halleck ouvrit les yeux. « Je préférerais le sang de Rabban Harkonnen, coulant en ruisseau à mes pieds. Croyez-vous que ce jour viendra ? »

« Je ne peux guère vous aider à affronter demain, Gurney Halleck. Je ne puis que vous aider pour aujourd'hui. »

« J'accepte cette aide et je resterai parmi vous jusqu'au jour où vous me direz de venger votre père et tous ceux qui… »

« Écoutez-moi, *soldat*. (Tuek se pencha par-dessus son bureau, baissant la tête, le regard intense, son visage soudain changé en un masque de pierre érodée.) L'eau de mon père… je la rachèterai moi-même, avec ma propre lame. »

Halleck l'affronta. En cet instant, le contrebandier lui rappelait le duc Leto : meneur d'hommes, courageux, sûr de sa position et de ses actes. Tout comme le Duc… avant Arrakis.

« Souhaitez-vous voir ma lame à vos côtés ? » demanda-t-il.

Tuek se rassit, se détendit. Il examina Halleck en silence.

« Vous me considérez comme un *soldat* ? » insista Halleck.

« Vous seul, de tous les lieutenants du Duc, avez réchappé L'ennemi vous submergeait, pourtant vous l'avez défait comme nous avons défait Arrakis. »

« Comment ? »

« Ici bas, Gurney Halleck, nous vivons par tolérance. Et Arrakis est notre ennemi. »

« Chaque ennemi en son temps, n'est-ce pas ? »

« C'est cela. »

« Est-ce ainsi que font les Fremen ? »

« Peut-être. »

« Vous m'avez dit que je risquerais de trouver la vie difficile parmi les Fremen. Parce qu'ils vivent dans le désert ? C'est pour cette raison ? »

« Qui sait où vivent les Fremen ? Pour nous, le Plateau Central est terre interdite. Mais j'aimerais que nous parlions un peu plus… »

« On m'a dit que la Guilde aventure rarement ses cargos à épice au-dessus du désert. Mais, selon certaines rumeurs, si vous savez où regarder, vous pouvez distinguer des zones vertes, çà et là. »

« Des rumeurs ! Rien que des rumeurs ! Êtes-vous prêt à choisir dès à présent entre moi et les Fremen ? Nous sommes en sécurité. Notre sietch est taillé dans le roc et nous disposons de nos propres bassins abrités. Notre vie est celle des hommes civilisés. Les Fremen ne sont que quelques hordes errantes que *nous* utilisons pour trouver l'épice. »

« Mais ils peuvent tuer des Harkonnens. »

« Souhaitez-vous connaître le résultat ? En ce moment même on continue de les pourchasser, de les traquer comme des animaux, avec des lasers, parce qu'ils n'ont pas de boucliers. Ils vont être exterminés. Pourquoi ? Parce qu'ils ont tué des Harkonnens. »

« Était-ce bien des Harkonnens ? »

« Que voulez-vous dire ? »

« N'avez-vous pas entendu parler de la présence de Sardaukar aux côtés des Harkonnens ? »

« Encore des rumeurs. »

« Mais un pogrom... Cela ne ressemble pas aux Harkonnens. Un pogrom est du gaspillage. »

« Je crois ce que mes yeux voient, dit Tuek. Faites votre choix, soldat. Moi ou les Fremen. Je vous promets un abri et une chance d'obtenir un jour ce sang que vous et moi désirons. Soyez-en certain. Les Fremen, eux, ne vous offriront que l'existence d'un homme traqué. »

Halleck hésita. Il lisait de la sagesse et de la sympathie dans les paroles de Tuek, pourtant, pour quelque raison qu'il ignorait, il était troublé.

« Fiez-vous à vos capacités, reprit le contrebandier. Quelles décisions ont joué au cours de la bataille ? Les vôtres. Alors, décidez, maintenant. »

« Il doit en être ainsi, dit Halleck. Le Duc et son fils sont morts ? »

« Les Harkonnens le croient. Pour ce genre de chose, j'inclinerai à leur faire confiance. (Un sourire amer apparut sur le visage de Tuek.) Mais en cela seulement. »

« Alors il doit en être ainsi, répéta Halleck. (Il tendit la main droite, la paume vers le haut, le pouce replié selon le geste traditionnel.) Je vous donne mon épée. »

« Je l'accepte. »

« Souhaitez-vous que je persuade mes hommes de m'imiter ? »

« Les laisseriez-vous choisir par eux-mêmes ? »

« Ils m'ont suivi jusque-là, mais la plupart sont natifs de Caladan. Arrakis n'est pas ce qu'ils imaginaient. Ici, ils ont tout perdu si ce n'est leur vie. Je préférerais maintenant qu'ils décident seuls. »

« Le moment n'est pas venu de faillir à votre rôle. Ils vous ont suivi jusque-là. »

« Vous avez besoin d'eux, n'est-ce pas ? »

« Nous avons toujours besoin de combattants expérimentés... En ce moment plus que jamais. »

« Vous avez accepté mon épée. Vous souhaitez que je les persuade de rester ? »

« Je pense qu'ils vous suivront, Gurney Halleck. »

« Il faut l'espérer. »

« Oui. »

« C'est donc à moi de décider ? »

« Ce sera votre décision, oui. »

Halleck se leva. Ce simple mouvement l'obligeait à puiser dans ses réserves d'énergie.

« Pour l'instant, je vais me rendre à leurs quartiers pour voir s'ils sont bien installés », dit-il.

« Adressez-vous à mon intendant. Il se nomme Drisq. Dites-lui que je désire que tous les services possibles vous soient rendus. Je vous rejoindrai. Il me faut d'abord veiller à l'expédition de plusieurs cargaisons d'épice. »

« De tous côtés, la fortune passe », dit Halleck.

« De tous côtés. Les temps les plus troublés sont favorables à notre profession. »

Halleck acquiesça. Il entendit un faible chuintement et ressentit le souffle de l'air à l'instant où la porte du sas s'ouvrait. Il se retourna, franchit le seuil et quitta le bureau de Tuek.

Il se retrouva dans la salle de rassemblement où lui et ses hommes avaient été amenés par les adjoints de Tuek. Elle était longue, plutôt étroite et elle avait été taillée à même le roc, sans doute à l'aide de brûleurs à couterays, comme en témoignait le sol lisse. Le plafond était assez élevé pour maintenir l'assise naturelle du rocher et pour permettre la circulation des courants de convection. Au long des murailles étaient fixés des râteliers d'armes et des placards.

Avec une certaine fierté, Halleck remarqua que la plupart de ses hommes encore valides demeuraient debout. Nul repos dans la lassitude et la défaite, pour eux. Les médics des contrebandiers allaient d'un blessé à l'autre. Sur la gauche, on avait rassemblé des litières. Chaque blessé avait à côté de lui un compagnon.

Les Atréides. « *Nous veillons sur les nôtres !* » C'était en eux comme un noyau indestructible, se dit Halleck.

L'un de ses lieutenants s'avança. Il tenait la balisette à neuf cordes d'Halleck. Il salua et dit : « Chef, les médics disent qu'il n'y a plus d'espoir pour Mattai. Ils n'ont pas de banque d'organes ou d'os, ici. Seulement le nécessaire d'urgence. Mattai ne vivra pas, à ce qu'ils disent. Alors il a une requête à vous présenter. »

« Laquelle ? »

Le lieutenant tendit la balisette. « Il veut une chanson pour adoucir son départ, chef. Il dit que vous saurez trouver celle qui convient... il vous l'a assez souvent demandée, à ce qu'il dit. (Le lieutenant avala sa salive péniblement.) C'est celle qui s'appelle *Ma Femme,* chef... Si vous... »

« Je sais. » Halleck prit la balisette, sortit le multipic de son étui sur le manche, essaya une corde et comprit que quelqu'un avait déjà accordé l'instrument pour lui. Ses yeux étaient brûlants mais il chassa toute pensée tandis qu'il s'avançait, essayant ses accords et s'efforçant de sourire.

Plusieurs hommes et un médic des contrebandiers étaient penchés sur l'une des litières. Comme Halleck s'approchait, un homme se mit à chanter, prenant immédiatement le rythme avec l'aisance d'une longue habitude.

> « Douce à sa fenêtre,
> Dans le couchant rouge et doré.

Lignes souples sur le verre,
Ma femme se penche, les bras repliés...
Viens à moi,
Viens à moi, douce adorée,
Pour moi,
Pour moi, douce adorée. »

Le chanteur s'interrompit, tendit un bras pansé et ferma les paupières de l'homme sur la litière.

Halleck tira un dernier accord de la balisette et pensa : *Maintenant, nous ne sommes plus que soixante-treize.*

Pour bien des gens, il est difficile de comprendre la vie familiale de la Crèche Royale, mais je vais essayer de vous en donner une vision condensée. Mon père, je crois bien, n'avait qu'un seul véritable ami, le comte Hasimir Fenring, l'eunuque génétique qui était l'un des plus redoutables guerriers de l'Imperium. Le Comte, petit homme laid et sémillant, amena un jour une nouvelle esclave-concubine à mon père, et ma mère me dépêcha auprès de lui afin d'espionner. Tous, nous espionnions mon père pour nous protéger. Certes, une esclave-concubine accordée à mon père selon l'accord Bene Gesserit-Guilde ne pouvait porter de Successeur Royal, mais les intrigues se succédaient sans cesse et en toute similitude. Ma mère, mes sœurs et moi, nous avions pris l'habitude d'éviter les plus subtils instruments de mort. Cela semble terrible à dire, mais je ne suis pas certaine que mon père ne se trouvât pas à l'origine de plusieurs tentatives. Une Famille Royale ne peut ressembler aux autres familles. Donc, cette nouvelle esclave-concubine était là, souple, jolie et rousse comme mon père. Elle avait des muscles de danseuse et il était certain que la neuro-séduction faisait partie de son éducation. Elle était debout devant mon père, nue, et il la regarda longuement avant de déclarer : « Elle est trop belle. Nous la réserverons pour un cadeau. » Vous ne pouvez soupçonner la consternation qui succéda à cette décision, dans la Crèche Royale. La subtilité et le contrôle de soi n'étaient-ils point des qualités qui nous menaçaient toutes directement ?

Dans la Maison de Mon Père,
par la Princesse Irulan.

Dans l'après-midi finissant, Paul se tenait devant la tente-distille. La crevasse était envahie par l'ombre profonde. Par-delà le sable, Paul contemplait la lointaine falaise, se demandant s'il devait éveiller dès maintenant sa mère qui dormait encore.

Plis de sable sur plis de sable, les dunes roulaient sous le soleil déclinant qui dessinait des ombres denses comme la nuit.

Tout était plat.

Dans son esprit, il chercha quelque chose de vertical qu'il pût greffer sur ce paysage. Mais il n'y avait rien, rien d'un horizon à l'autre, sous l'air surchauffé. La brise n'agitait pas la moindre fleur, la moindre plante fragile. Les dunes... Et la falaise, là-bas, sous le ciel d'argent bleu.

Et si ce n'est pas l'une des stations abandonnées ? se demanda Paul. *S'il n'y a pas de Fremen, là-bas ? Si ces plantes ne sont qu'un accident ?*

Dans la tente, Jessica s'éveilla, se retourna et, par la paroi transparente, regarda son fils. Il lui tournait le dos et quelque chose, dans son attitude, lui rappela le Duc. Tout au fond d'elle, elle retrouva alors le puits noir de son chagrin et elle détourna le regard.

Elle ajusta son distille, but un peu de l'eau recueillie par la poche de la tente et sortit en s'étirant, chassant le sommeil de ses muscles.

« J'apprécie le calme de cet endroit », dit Paul sans se retourner.

Comme l'esprit se forme à l'environnement, songea-t-elle. Un axiome Bene Gesserit lui revint : « *Sous l'effet d'une tension, l'esprit va dans l'une ou l'autre direction : positive ou négative, dedans ou dehors. Concevez-le comme un spectre dont les extrêmes seraient l'inconscient, négatif, et l'hyper-conscient, positif. La façon dont l'esprit réagit sous la tension est fortement influencée par l'entraînement reçu.* »

« La vie pourrait être agréable, ici », dit Paul.

Jessica essaya de voir le désert avec les yeux de son fils, tentant de rassembler toutes les rigueurs qui étaient communes sur cette planète, s'interrogeant sur les avenirs possibles que Paul avait entrevus. *Ici*, pensa-t-elle, *on peut vivre seul sans se retourner, sans craindre le chasseur.*

Elle s'avança, dépassa Paul, leva les jumelles et régla les objectifs à huile. Puis elle observa l'escarpement rocheux, de l'autre côté du désert. Oui, c'était bien du saguaro, là-bas, dans les arroyos. Il y avait aussi d'autres épineux... et des plaques d'herbe courte, jaune-vert entre les ombres.

« Je vais lever le camp », dit Paul.

Elle hocha la tête et gagna l'extrémité de la fissure, d'où elle pouvait contempler toute l'étendue du désert. Elle braqua alors ses jumelles vers la gauche. Une plaque de sel scintillait, maculée d'ocre sur les bords, blanche pourtant, ici où la mort était blanche. Mais cette plaque de sel disait bien autre chose. Elle disait : *eau.* Il y avait eu un temps où l'eau avait coulé sur cette blancheur scintillante. Jessica abaissa ses jumelles, ajusta son burnous et, durant un instant, prêta l'oreille aux mouvements de Paul.

Le soleil descendit plus bas encore. Les ombres s'étendirent sur la plaque de sel. Des lignes de couleurs fulgurantes jaillirent sur l'horizon du couchant. Puis elles se fondirent en un flot d'ombre sur le sable. Des rivages charbonneux apparurent et puis, tout à coup, la nuit s'épaissit sur le désert.

Les étoiles !

Elle leva les yeux vers le ciel et sentit que Paul s'approchait, venait près d'elle. La nuit s'établissait sur tout le désert et les étoiles semblaient monter du sable. Le poids du jour glissait, disparaissait. Jessica sentit sur son visage la caresse fugace d'une brise.

« La première lune va bientôt se lever, dit Paul. Le paquet est prêt et j'ai planté le marteleur. »

Dans cet endroit infernal, songea-t-elle, *nous pourrions nous perdre à tout jamais. Sans que nul le sache*.

Le vent de la nuit se leva et des filets de sable effleurèrent sa peau, apportant une senteur de cannelle, une pluie de parfums dans l'ombre.

« Vous sentez cela ? » demanda Paul.

« Même au travers du filtre. Cela représente une grande richesse. Mais est-ce suffisant pour acheter de l'eau ? (Elle désigna le bassin de sable.) Je ne distingue pas de lumières artificielles. »

« Les Fremen se dissimuleraient dans un sietch, derrière ces rochers », dit-il.

Un disque d'argent surgit sur l'horizon, à leur droite : la première lune. Elle s'élevait lentement. La forme d'une main apparaissait nettement sur l'hémisphère visible. Le regard de Jessica se posa sur le sable baigné de clarté argentée.

« J'ai planté le marteleur au plus profond de la crevasse, dit Paul. Lorsque j'allumerai la mèche, nous disposerons d'environ trente minutes. »

« Trente minutes ? »

« Avant d'attirer... un ver. »

« Bien. Je suis prête. »

Il s'éloigna et elle entendit ses pas au long de la fissure.

La nuit est un tunnel, se dit-elle. *Un trou dans l'avenir... si nous avons encore un avenir*. Elle secoua la tête. *Pourquoi suis-je aussi morbide ? Où est donc mon éducation ?*

Paul revint vers elle. Il prit le paquet et la précéda en direction de la première dune. Là, il s'arrêta et prêta l'oreille tandis qu'elle le rejoignait. Il percevait ses pas et la chute froide des grains de sable solitaires. Le code du désert qui se protégeait.

« Il faut que nous marchions sans rythme », rappela-t-il, et le souvenir lui revint d'hommes cheminant dans le sable, souvenir vrai et souvenir prescient.

« Regardez-moi. C'est ainsi que les Fremen marchent dans le sable. »

52

Il s'avança sur la dune, du côté exposé au vent, suivit la courbe d'une démarche traînante.

Jessica l'observa durant dix pas, le suivit, l'imita. Elle comprenait : ils devaient émettre les mêmes bruits que le sable dans sa chute naturelle... sous l'effet du vent. Mais les muscles réagissaient contre cette démarche brisée, anormale : Un pas... Je glisse... Je glisse... Un pas... Un pas... J'attends... Je glisse... Un pas...

Le temps s'étirait tout autour d'eux. La falaise semblait ne jamais grandir. Et celle qu'ils avaient quittée se dressait toujours au-dessus de leurs têtes.

Foum ! Foum ! Foum ! Foum !

Le bruit de tambour s'élevait de la falaise, derrière eux.

« Le marteleur », souffla Paul.

Le bruit sourd et régulier, ils s'en rendaient compte, rendait plus difficile encore leur progression brisée.

« Foum ! Foum ! Foum ! Foum ! Foum ! »

Ils dévalèrent un creux baigné de lune, poursuivis par ce martèlement, de dune en dune, dans le sable en cascades : ... Je glisse... J'attends... Un pas...

Sur le sable aggloméré qui roulait sous leurs pas : Je glisse... J'attends... Un pas...

Et ils ne cessaient pas un seul instant de guetter le sifflement qu'ils connaissaient maintenant si bien.

Celui-ci, lorsqu'il vint enfin, fut si faible qu'ils ne le perçurent pas vraiment, tout d'abord sous le bruit de leurs pas. Puis il se fit plus net, plus fort... Vers l'ouest.

« Foum ! Foum ! Foum ! Foum ! » répétait le marteleur.

Le sifflement s'étendit, se répandit dans la nuit derrière eux. Ils se retournèrent sans s'arrêter et virent la dune mouvante du ver.

« Continuez, souffla Paul. Ne vous retournez pas ! »

Un bruit terrifiant, furieux, explosa dans les rochers qu'ils avaient quittés. Une assourdissante avalanche de fracas.

« Continuez ! Avancez ! » répéta Paul.

Il s'aperçut qu'ils avaient atteint la limite invisible qui marquait la mi-distance entre les falaises.

Et, derrière eux, à nouveau, il y eut ce tonnerre de rocs fracassés au cœur de la nuit.

Ils continuèrent, sans cesse... Leurs muscles atteignirent un degré de souffrance mécanique qui semblait ne devoir jamais finir. Et puis, Paul vit que la falaise, devant eux, avait grandi.

Jessica se déplaçait dans le vide, consciente que la seule force de sa volonté lui permettait de marcher encore. Sa bouche desséchée était une plaie mais ce qu'elle entendait derrière elle lui ôtait tout espoir de s'arrêter pour boire une gorgée d'eau de son distille.

« Foum ! Foum ! Foum ! »

A nouveau, derrière eux, la fureur se déchaîna, noyant l'appel du marteleur.

Et puis : le silence !

« Plus vite ! » souffla Paul.

Elle hocha la tête tout en sachant bien qu'il ne pouvait la voir. Mais elle avait besoin de cela pour exiger encore un peu plus de ses muscles qui avaient pourtant dépassé toute limite, épuisés par cette progression arythmique, anormale.

Le visage noir de la falaise s'érigea devant eux, occulta les étoiles. Près de la base, Paul distingua une surface de sable plane. Il s'avança encore, s'y aventura et trébucha sous l'effet de la fatigue. Il se redressa d'un mouvement instinctif.

Un bruit sourd s'éleva du sable.

Paul fit deux pas de côté.

« Boum ! Boum ! »

« Le sable-tambour ! » dit Jessica.

Il retrouva son équilibre. Du regard, il balaya le sable, tout autour d'eux. L'escarpement rocheux n'était plus qu'à deux cents mètres environ.

Derrière eux, il y avait le sifflement, pareil au vent, pareil à l'approche de la marée.

« Cours ! cria Jessica. Cours, Paul ! »

Ils coururent.

Le tambour battait toujours sous leurs pas. Puis ils le quittèrent et ils continuèrent leur course sur du gravier. Une course qui était comme un soulagement pour leurs muscles encore douloureux de cette marche étrange, irrégulière, dans le sable. Maintenant, ils retrouvaient l'habitude, le rythme. Mais le sable et le gravier ralentissaient la foulée. Et le sifflement du ver, derrière eux, s'élevait comme une tempête.

Jessica tomba sur les genoux. Elle ne pensait plus qu'à sa fatigue, au bruit terrifiant, à sa peur.

Paul la releva.

Ils coururent encore, main dans la main.

Un piquet se dressait dans le sable devant eux. Ils le dépassèrent et en virent un autre.

Après un instant, l'esprit de Jessica enregistra leur présence.

Plus loin, il y en avait un autre.

Et un autre encore, surgi du rocher.

Le rocher !

Maintenant, oui, elle le sentait sous ses pieds. Cette surface solide, dure, qui ne cédait pas, parut lui apporter une énergie nouvelle.

Une crevasse profonde projetait son ombre dans la falaise, droit devant eux. Ils coururent à toute allure dans cette direction, se pelotonnèrent dans l'obscurité.

Derrière eux, le bruit du ver s'interrompit.

Ils se retournèrent, fouillèrent le désert du regard.

Là où commençaient les dunes, à quelque cinquante mètres du rocher, un sillage argenté apparut sur le désert, projetant des cascades, des ruisseaux de sable alentour. De plus en plus haut, il se changea en une bouche gigantesque, une bouche qui cherchait. Un trou noir, brillant, dont le rebord luisait dans le clair de lune.

La bouche se dirigea vers l'étroite crevasse où s'étaient réfugiés Paul et Jessica. La senteur de cannelle emplissait leurs narines et la clarté lunaire était réverbérée par chaque croc de cristal.

La bouche se balança, d'avant en arrière.

Paul retint son souffle.

Jessica, accroupie, ne baissait pas les yeux.

Il lui fallait toute sa concentration Bene Gesserit pour

repousser les terreurs primaires, pour triompher de la peur atavique qui menaçait de submerger tout son esprit.

Paul éprouvait une sorte d'ivresse. Un instant auparavant, il avait franchi quelque barrière pour pénétrer dans un territoire qui lui était inconnu. Il percevait les ténèbres au-dessus de lui sans que son regard intérieur lui révélât rien. Comme si un seul pas avait suffi à l'engloutir dans un puits profond... ou dans une vague au sein de laquelle il ne pouvait plus discerner l'avenir. Le paysage tout entier avait été profondément bouleversé.

Loin de l'effrayer, cette impression d'obscurcissement du temps déclencha une hyper-accélération de ses autres sens. Et il se mit à enregistrer les plus infimes détails de la chose qui, derrière eux, sortait du sable, les cherchait... La bouche avait quelque quatre-vingts mètres de diamètre... Les dents courbes comme autant de couteaux krys scintillaient près du bord... et l'odeur de cannelle arrivait par bouffées... aldéhydes subtils, acides...

Le ver, en abordant les rochers au-dessus d'eux, occulta le clair de lune. Une pluie de cailloux et de sable s'abattit dans la crevasse.

Paul attira sa mère plus avant dans le refuge.

Cannelle !

Cette senteur recouvrait tout.

Quel rapport y a-t-il entre le ver et le Mélange ? se demanda-t-il. Et il se rappela que Liet-Kynes avait fait une référence voilée à quelque association entre le ver et l'épice.

« Baaououoummm... ! »

Ce fut comme un roulement de tonnerre particulièrement net quelque part sur leur droite.

Et puis, de nouveau : « Baaououoummm... ! »

Le ver se rejeta dans le sable et demeura là immobile, durant un instant, le clair de lune jouant dans le cristal de ses dents, jetant des éclairs.

« Foum ! Foum ! Foum ! Foum ! »

Un autre marteleur !

Le bruit se répéta sur leur droite.

Le ver eut comme un gigantesque frisson. Il commença de s'éloigner. Seul le monticule d'un anneau continua d'apparaître sur le désert, comme un tunnel mouvant franchissant dune après dune.

Et le sable crissait

Plus loin, de plus en plus loin, la créature plongea plus profond dans le sable. Il n'y eut plus qu'une crête, un sillage.

Paul quitta la crevasse et son regard suivit la trace du ver qui se dirigeait vers l'appel lointain du nouveau marteleur.

Jessica vint à ses côtés et, comme lui, elle écouta : « Foum ! Foum ! Foum ! Foum ! »

Cela cessa.

Paul prit le tube de son distille, aspira une gorgée d'eau. Jessica le regarda mais rien ne s'inscrivait dans son esprit encore figé de lassitude et de terreur.

« Est-il vraiment parti ? » demanda-t-elle.

« Quelqu'un l'a attiré, dit Paul. Les Fremen. »

« Il était si énorme ! »

« Pas autant que celui qui a englouti notre orni. »

« Es-tu certain que c'étaient les Fremen ? »

« Ils ont utilisé un marteleur. »

« Pourquoi viendraient-ils à notre secours ? »

« Peut-être ne l'ont-ils pas fait pour nous. Ils pouvaient simplement appeler un ver. »

« Pourquoi ? »

La réponse était là, au-delà de sa conscience, mais elle refusait de se formuler. Dans son esprit, il eut la vision de quelque chose qui était en rapport avec ces tiges barbées, dans le Fremkit — les « hameçons à faiseur ».

« Pourquoi appelleraient-ils un ver ? » demanda à nouveau Jessica.

Le souffle de la peur effleura l'esprit de Paul. Il fit un effort pour se détourner, pour lever les yeux vers la falaise.

« Nous ferions bien de trouver un passage avant le jour. (Il leva la main.) Ces piquets que nous avons rencontrés. Il y en a d'autres là-bas. »

Elle regarda. Les repères usés par le vent se dessinaient sur l'ombre d'une étroite corniche qui, loin au-dessus d'eux, plongeait dans une crevasse.

« Ils ont marqué un chemin sur la falaise », dit Paul. Il assura le paquet sur ses épaules et entama l'escalade.

Avant de le suivre, Jessica attendit un instant, rassemblant ses forces.

Ils suivirent les repères jusqu'à ce que la corniche se rétrécisse en une étroite lèvre rocheuse, au seuil d'une crevasse ténébreuse.

Paul baissa la tête pour sonder l'obscurité. Il avait conscience de la précarité de sa situation sur la mince bande de rocher, mais il fallait être prudent, agir lentement. A l'intérieur de la crevasse, il ne décelait que les ténèbres. Jusqu'aux étoiles, tout au sommet. Il écoutait aussi, mais ne percevait que des bruits normaux : chute de sable, vrombissement léger d'un insecte, grattement des pattes d'une minuscule bestiole. Il avança un pied, pesa sur le sol. Sous une mince couche de sable, c'était du rocher. Lentement, très lentement, il se pencha à l'angle de la crevasse et fit signe à Jessica de le suivre. Il tendit la main, saisit un pli de sa robe et l'attira jusqu'à lui.

Ils levèrent les yeux vers l'étroite bande d'étoiles qui courait entre les deux parois noires de la crevasse. Près de lui, Paul distinguait sa mère comme une forme grise, floue. « Si seulement nous pouvions utiliser une lampe », murmura-t-il.

« Nous disposons d'autres sens que notre vue », dit-elle.

Il avança d'un pas, assura son équilibre et tendit l'autre pied. Il rencontra un obstacle. Il le leva plus haut, sentit la marche dans le roc, se hissa vers le haut. Puis il se retourna, découvrit le bras de sa mère et, à nouveau, la tira par sa robe.

Un autre pas.

« Cela monte jusqu'au sommet », souffla-t-il.

Une crevasse, des marches, songea Jessica. *Sans aucun doute taillées par des hommes.*

Degré après degré, elle suivait la silhouette imprécise de son fils. Les murailles rocheuses se rétrécirent et elle finit par les frôler des épaules. Les marches s'achevèrent dans un étroit défilé d'environ vingt mètres de long qui débouchait sur un creux baigné de lune.

Paul s'arrêta au bord et murmura : « Quel merveilleux endroit ! »

Un pas derrière lui, Jessica ne répondit pas mais elle regardait, elle aussi.

Malgré sa fatigue, malgré l'irritation causée par les embouts de ses narines et les recycles, malgré le distille, la peur et une folle envie de se reposer, elle se sentait saisie par la beauté du lieu. Une beauté qui touchait tous ses sens, qui l'obligeait à demeurer là, immobile, pour admirer.

« Un pays de conte de fées », souffla Paul. Et elle acquiesça.

A gauche, la paroi du bassin était obscure mais, à droite, elle semblait couverte de givre. Au centre, un jardin de buissons, de cactées, de pousses rêches vibrait dans le clair de lune.

« Ce doit être un site fremen », dit Paul.

« Pour que toutes ces plantes survivent, il a fallu des hommes. » Jessica ouvrit le tube qui plongeait dans les poches de son distille et elle but une gorgée d'eau. C'était chaud, un peu âcre dans sa gorge. Pourtant, elle sentait que cela la rafraîchissait. En remettant l'obturateur du tube, elle sentit crisser des grains de sable.

Un mouvement attira le regard de Paul. Sur sa droite, près du fond du bassin, entre les buissons et les herbes, il aperçut une bande de sable. Là, quelque chose de petit sautillait. *Tip-top-tip-tip...*

« Des souris ! » dit-il.

Tip-top-tip... Elles sortaient et rentraient dans l'ombre, alternativement.

Puis quelque chose s'abattit silencieusement au milieu des souris. Il y eut un piaillement ténu, un battement d'ailes et un grand oiseau gris et fantomatique s'envola au-dessus du bassin, tenant une ombre minuscule entre ses serres.

Nous avions oublié cela, pensa Jessica.

Paul continuait d'observer le bassin. Il huma l'air de la nuit et perçut le contrepoint de la sauge entre tous les autres parfums. Cet oiseau de proie... Le désert était ainsi, songea-t-il. Le silence était maintenant devenu total. Il lui semblait presque qu'il entendait le lent ruissellement bleu du clair de lune sur les saguaro-sentinelles et les buissons-peinture épineux. La lumière, ici, était comme un murmure grave, une harmonie plus juste que toute autre dans l'univers.

« Nous ferions bien de trouver un endroit où planter la tente, dit-il. Demain, nous essaierons de trouver les Fremen qui... »

« La plupart des intrus regrettent de trouver les Fremen ! »

C'était une voix d'homme, lourde, tranchante, qui fendit le silence. Elle venait de la droite, au-dessus d'eux.

« Je vous en prie, intrus, ne courez pas ! reprit la voix comme Paul se retournait vers le défilé. Vous ne feriez que gâcher l'eau de vos corps. »

C'est ce qu'ils veulent, se dit Jessica. *L'eau de nos corps !*

Balayant sa fatigue, elle prépara ses muscles, les tendit au maximum sans trahir ce changement dans son attitude. Elle localisait maintenant l'origine de la voix. *Je ne l'ai pas entendu approcher !* se dit-elle. Celui qui venait de les interpeller avait réussi à progresser jusque-là en ne produisant que les bruits naturels du désert.

Une seconde voix s'éleva sur leur gauche, au bord du bassin.

« Fais vite, Stil. Prends leur eau et poursuivons notre route. Il nous reste peu de temps avant l'aube. »

Paul, moins entraîné que sa mère à réagir rapidement, regrettait d'avoir tenté de battre en retraite. Cet instant de panique avait amoindri ses facultés. A présent, il s'efforçait de mettre en pratique ce que Jessica lui avait appris : calme, puis semblant de calme, puis contrôle brusque des muscles, prêts à répondre dans n'importe quelle direction.

Pourtant, il ressentait toujours le frôlement de la peur et il en connaissait la raison. Ce moment était obscur. Il n'appartenait à aucun des avenirs qu'il avait vus... Sa mère et lui étaient à la merci de deux Fremen sauvages qui n'en voulaient qu'à l'eau que recelait la chair de deux corps vulnérables.

Cette religion fremen adaptée est donc la source de ce que nous reconnaissons maintenant comme « Les Piliers de l'Univers », dont les Qizara Tafwid sont les représentants parmi nous, avec les signes, les preuves et la prophétie. Ils nous apportent cette fusion mystique arrakeen dont la profonde beauté apparaît dans l'émouvante musique construite sur les formes anciennes mais marquée par cet éveil nouveau. Qui n'a entendu, sans être bouleversé, cet « Hymne du Vieil Homme » ?

J'ai foulé un désert
Dont les mirages flottants étaient les habitants.
Vorace de gloire, affamé de danger,
J'ai parcouru les horizons de al-Kulab,
J'ai regardé le temps niveler les montagnes
Dans sa quête et sa faim de moi.
Et j'ai vu surgir les moineaux,
Plus vifs que le loup en chasse.
Et dans l'arbre de ma jeunesse ils se sont dispersés.
Je les ai entendus dans mes branches
Et j'ai connu leurs pattes et leurs becs !

Extrait de L'Éveil d'Arrakis,
par la Princesse Irulan.

L'HOMME surgit en rampant au sommet d'une dune. Dans le soleil de midi, il se confondait avec le sable. Il n'était plus vêtu que de lambeaux de cape jubba et la chaleur mordait sa peau nue. Il avait perdu le capuchon de la cape mais, avec un bout de tissu, il s'était fait un turban sous lequel apparaissaient des mèches de cheveux couleur de sable. Sa barbe était clairsemée, ses sourcils épais. Sous ses yeux entièrement bleus, une tache sombre marquait ses joues. Entre la moustache et la barbe, un sillon de poils agglomérés révélait l'emplacement d'un tube de distille.

L'homme s'immobilisa au sommet de la dune, les bras étendus vers l'autre versant. Le sang s'était coagulé sur son dos, ses bras et ses jambes. Des croûtes de sable jaunâtre s'étaient formées sur ses plaies. Lentement, il prit appui sur ses mains et se releva en vacillant. Même en cet instant, il restait une certaine précision dans ses mouvements.

« Je suis Liet-Kynes, dit-il en s'adressant à l'horizon vide. (Et sa voix rauque n'était plus que la caricature de ce qu'elle avait été.) Je suis le Planétologiste de Sa Majesté Impériale. Écologiste planétaire d'Arrakis. Le serviteur de ce territoire. »

Il trébucha, tomba sur le côté dans la croûte de sable de la face exposée au vent. Ses mains brassèrent lentement le sable.

Je suis le serviteur de ce sable, pensa-t-il.

Il se rendait compte qu'il était au seuil du délire. Il lui fallait creuser, s'enfoncer dans le sable pour trouver la couche profonde qui conservait un peu de fraîcheur et s'y enfouir. Mais il percevait le parfum douceâtre, tenace, des esters d'une poche d'épice en formation, là, quelque part sous lui. Plus que tout autre Fremen, il savait le péril que cela représentait. S'il pouvait sentir la masse d'épice jeune, cela signifiait que les gaz sous pression approchaient du point d'explosion. Il lui fallait s'éloigner.

Faiblement, ses mains s'ancrèrent dans le sable de la dune.

Une pensée se forma dans son esprit, *claire, distincte : La véritable richesse d'une planète est dans ses paysages, dans le rôle que nous jouons dans cette source primordiale de civilisation : l'agriculture.*

Et il songea qu'il était bien étrange que l'esprit, habitué longtemps à suivre certain sillon, ne pût le quitter. Les Harkonnens l'avaient abandonné sans eau ni distille, croyant que, si le désert n'avait pas raison de lui, un ver s'en chargerait. Ils avaient trouvé cela amusant, de le laisser ainsi mourir lentement des mains impersonnelles de la planète.

Les Harkonnens ont toujours trouvé qu'il était difficile de tuer les Fremen, se dit-il. *Nous ne mourons pas facilement. Je devrais être mort, en ce moment... Je le serai bientôt... mais je ne peux m'empêcher d'être encore un écologiste...*

« La plus haute fonction de l'écologie est la compréhension des conséquences. »

Cette voix le bouleversa parce qu'il croyait que celui auquel elle appartenait était mort. C'était la voix de son père qui avait été planétologiste sur ce monde bien avant lui, son père mort depuis longtemps, tué dans l'effondrement du Bassin de Plâtre.

« Tu t'es fichu dans une drôle de situation, reprit son père. Tu aurais dû comprendre quelles seraient les conséquences de ton geste quand tu as aidé l'enfant de ce Duc. »

Je délire, se dit Kynes.

La voix semblait provenir de sa droite. Il tourna la tête dans cette direction, le sable griffant son visage et ne vit rien d'autre que les dunes rendues floues par la danse des innombrables démons torrides que faisait naître le soleil.

« Plus il y a de vie dans un système écologique, et plus il y a de refuges pour elle », dit encore son père. Maintenant, la voix venait de la gauche, un peu derrière lui.

Pourquoi bouge-t-il sans cesse ? se demanda Kynes. *Est-ce qu'il ne peut pas me voir ?*

« La vie augmente la capacité de l'environnement à susciter la vie, dit encore son père. La vie rend les agents nutritifs plus disponibles. Elle infuse plus d'énergie au système grâce aux formidables échanges chimiques entre organismes. »

Pourquoi ergote-t-il sans cesse sur le même sujet ? se demanda Kynes. *Je savais déjà tout ça à dix ans.*

Des faucons du désert, charognards comme la plupart des créatures sauvages de ce monde, commençaient à tourner au-dessus de lui. Kynes vit une ombre frôler sa main et s'efforça de rejeter la tête en arrière. Les oiseaux formaient une tache imprécise sur le fond d'argent bleuté du ciel.

« Nous sommes des généralistes, dit son père. Tu ne peux tracer des définitions nettes autour de problèmes planétaires. La planétologie est une science sur mesure. »

Qu'essaye-t-il donc de me dire ? se demanda Kynes. *Y a-t-il une conséquence que je n'aurais pas su voir ?*

Sa joue se posa sur le sable chaud et, au sein du parfum de la masse d'épice en formation, il discerna la senteur du rocher brûlé. Dans quelque recoin de son esprit demeuré logique, une pensée se forma : *Il y a des charognards au-dessus de moi. Peut-être certains de mes Fremen vont-ils les voir et venir...*

« Pour le planétologiste au travail, les êtres humains constituent l'outil le plus important, dit son père. Il faut cultiver la connaissance de l'écologie chez les gens. C'est pour cette raison que j'ai mis au point cette méthode de notation écologique totalement nouvelle. »

Il répète ce qu'il me disait quand j'étais enfant, songea Kynes.

Il commençait à avoir froid, mais cet îlot de logique qui subsistait dans son esprit lui disait : *Le soleil est à la verticale Tu n'as pas de distille et il fait chaud. Le soleil boit toute l'humidité de ton corps.*

Faiblement, ses ongles s'enfonçaient dans le sable.

Ils ne m'ont même pas laissé un distille !

« La présence d'humidité dans l'atmosphère, dit son père, empêche que celle du corps s'évapore trop rapidement. »

Pourquoi répète-t-il sans cesse des évidences ? se demandait Kynes.

Il s'efforça de penser à un air humide... de l'herbe sur la dune... de l'eau, quelque part derrière lui... un long qanat dans le désert, bordé d'arbres... Jamais il n'avait contemplé une étendue d'eau libre, sous le ciel, si ce n'était dans les illustrations des livres. De l'eau libre... Une irrigation.. Il fallait cinq mille mètres cubes d'eau pour irriguer un hectare de terrain à l'époque de la germination. Il se souvenait de cela.

« Notre premier objectif sur Arrakis, continuait son père, est de développer l'herbe. Nous commencerons avec une variété mutante pour terrain pauvre. Lorsque l'humidité se sera accumulée dans les zones d'herbe, nous pourrons développer les forêts en terrain élevé, puis créer quelques étendues d'eau. Peu importantes, dans les premiers temps, mais situées sur le parcours des vents dominants. Et nous mettrons en place, à différents intervalles, des pièges à vent munis de précipitateurs qui recueilleront une partie de l'humidité. Nous devrons créer un véritable sirocco, mais nous ne pourrons jamais nous passer de pièges à vent. »

Toujours la même leçon, songea Kynes. *Mais pourquoi ne se tait-il pas ? Est-ce qu'il ne voit pas que je suis en train de mourir ?*

« Toi aussi tu mourras, continua son père, si tu ne t'éloignes pas de la bulle qui gonfle, là, sous toi. Tu sais qu'elle est là. Tu sens les émanations de la masse d'épice en gestation. Et tu sais que les petits faiseurs commencent à perdre un peu de leur eau dans la masse. »

La pensée de toute cette eau, là, juste sous lui, était affolante. Il voyait la poche, au sein des strates de roche poreuse, attaquée par les pseudo-plantes coriaces, par les pseudo-animaux, les petits faiseurs. Et l'étroite brèche par laquelle se déversait un flot frais, clair, pur, liquide, bienfaisant, qui s'écoulait dans...

La masse d'épice en formation !

Il respira, huma la senteur douceâtre qui, autour de lui, était devenue plus intense encore.

Il se mit à genoux, entendit piailler un oiseau, un battement d'ailes.

Le désert à épice, pensait-il. *Les Fremen ne peuvent être loin, même durant le jour. Ils ont certainement vu les oiseaux. Ils vont venir.*

« Le mouvement au sein du territoire est une nécessité pour la vie animale, dit son père. C'est à elle qu'obéissent les populations nomades. Ce mouvement se fait selon des lignes correspondant aux besoins physiques en eau, en nourriture, en minéraux. Il nous faut contrôler ce mouvement, l'adapter à nos objectifs. »

« Tais-toi, le vieux », marmonna Kynes.

« Sur Arrakis, nous devons entreprendre ce qui n'a jamais encore été entrepris à l'échelle planétaire. Nous devons nous servir de l'homme comme d'une force écologique, injecter à ce monde une vie terraformée, adaptée. Une plante ici, un animal là, un homme. Pour transformer le cycle de l'eau et créer un territoire nouveau. »

« Tais-toi ! » coassa Kynes.

« Ce sont les lignes de mouvement qui nous ont fourni le premier indice de la relation qui existe entre les vers et l'épice », dit son père.

Un ver ! Kynes eut un sursaut d'espoir. *Lorsque la bulle explosera, un faiseur surviendra. Mais je n'ai pas d'hameçons. Comment pourrais-je monter un grand faiseur sans hameçons ?*

La frustration minait le peu d'énergie qui subsistait en lui.

L'eau était si proche. A une centaine de mètres sous lui. Et un ver allait venir, mais il n'avait aucun moyen de le capturer et de l'utiliser.

Il retomba dans le sable, dans le creux formé par son corps. Il ne perçut que vaguement le contact brûlant du sable contre sa joue gauche.

« L'environnement arrakeen s'est formé au gré du schéma d'évolution des formes de vie locales, continuait son père. Il est étrange de songer que bien peu de gens ont su détourner leur attention de l'épice pour s'interroger sur l'origine de l'équilibre presque idéal oxygène-azote-gaz carbonique qui règne sur ce monde en l'absence de vastes zones végétales. Cette sphère d'énergie de la planète, nous pouvons la voir, la comprendre. Le processus est lent, mais il existe néanmoins. Qu'une faille vienne à s'y former, quelque chose l'occupe immédiatement. La science est formée de tant de choses qui semblent évidentes lorsqu'elles ont été expliquées. Bien avant de le voir, je savais que le petit faiseur était là, dans le sable. »

« Je t'en prie, arrête ce sermon, Père », murmura Kynes.

Un faucon se posa sur le sable non loin de sa main tendue. Kynes le vit replier ses ailes, pencher la tête pour le regarder. Il rassembla toute son énergie pour émettre un grognement.

L'oiseau sautilla en arrière. deux fois, mais sans cesser de le regarder

« Depuis longtemps, les hommes et leurs œuvres ont été le fléau des planètes, disait son père. La nature tend à compenser l'effet des fléaux, à les repousser ou à les absorber pour les incorporer dans le système d'une façon qui lui est propre. »

Le faucon baissa la tête, déploya ses ailes, les replia. Toute son attention se portait maintenant sur la main tendue de Kynes.

Kynes se rendit compte qu'il n'avait plus assez de force pour former le moindre son.

« Ici, sur Arrakis, poursuivait son père, le système historique de pillage et d'extorsion mutuels ne joue pas. On ne peut continuer de voler sans cesse sans se préoccuper de ceux qui viendront après. Les particularités physiques d'un monde s'inscrivent dans son histoire économique et politique. Telle que nous la lisons, elle fait apparaître nos objectifs comme évidents. »

Il n'a jamais pu s'arrêter, se disait Kynes. *Il parle, il parle, il parle toujours...*

Le faucon fit un saut en avant vers la main de Kynes. Il pencha la tête d'un côté puis de l'autre, examinant cette chair offerte.

« Arrakis est la planète d'une seule récolte, disait son père Une seule récolte. La classe dominante qui s'y maintient vit comme ont toujours vécu les classes dominantes, écrasant une masse semi-humaine de semi-esclaves qui survivent sur les restes. Ce sont les masses et les restes qui appellent toute notre attention. Ils ont plus de valeur qu'on l'a jamais pensé. »

« Je ne t'écoute pas, Père, murmura Kynes. Va-t'en. »

Il pensa : *Mes Fremen. Il y en a certainement quelques-uns à proximité. Il est impossible qu'ils ne voient pas tous ces oiseaux qui tournent au-dessus de moi. Ils vont venir. Ils penseront qu'il y a de l'humidité.*

« Les gens d'Arrakis devront savoir que nous œuvrons pour qu'un jour cette terre soit gorgée d'eau, dit son père. La plupart, bien sûr, ne comprendront notre projet que d'une façon semi-mystique. Et ils seront nombreux à croire, ignorant tout du rapport de masses prohibitif, que nous allons amener l'eau depuis une planète qui en est riche Qu'ils pensent n'importe quoi, pour autant qu'ils croient en nous. »

Dans une minute, je vais me lever et lui dire un peu ce que je pense, songea Kynes. *Me faire la leçon alors qu'il devrait me porter secours..*

En sautillant, l'oiseau se rapprocha une fois encore de sa main. Deux de ses compagnons se posèrent sur le sable, non loin de là.

« La religion et la loi ne doivent être qu'une au sein des masses, continuait son père. Tout acte de désobéissance devra constituer un péché sanctionné de façon religieuse. Nous obtiendrons ainsi un double bénéfice : une plus grande obéissance, un plus grand courage. Nous ne dépendrons pas tant du courage individuel, vois-tu, que de celui de toute la population. »

Où est-elle, cette population, maintenant que j'ai tant besoin d'elle ? se dit Kynes. Il fit appel à ses ultimes forces et déplaça sa main de la longueur d'un doigt vers le faucon le plus proche. L'oiseau battit en retraite vers ses deux compagnons et tous se tinrent prêts à prendre leur vol.

« Notre calendrier de travail prendra la valeur d'un phéno-mène naturel, dit son père. La vie d'une planète est comme un immense tissu à la trame serrée. Tout d'abord, les modifications de la vie animale et végétale seront déterminées par les forces physiques brutes que nous manipulons. Cependant, comme ils deviendront permanents, ces changements que nous aurons suscités exerceront leurs influences propres avec lesquelles nous devrons également compter. Ne perds jamais de vue, pourtant, qu'il nous suffit de contrôler seulement trois pour cent de la surface d'énergie, *trois pour cent,* pour que la structure planétaire tout entière s'adapte à notre système autonome. »

Pourquoi ne m'aides-tu pas ? se demandait Kynes. *Toujours la même chose : c'est quand j'ai besoin de toi que tu te dérobes.* Il aurait voulu tourner la tête, regarder dans la direction de son père, essayer de l'intimider. Mais ses muscles refusaient de lui obéir

Il vit le faucon se remettre en mouvement, s'approcher prudemment de sa main tandis que ses compagnons attendaient, immobiles, avec une indifférence feinte. Le faucon s'arrêta tout près de sa main.

L'esprit de Kynes devint intensément clair. Il prenait soudain conscience d'une possibilité concernant Arrakis qui avait échappé à son père. Et toutes ses implications suivirent, l'envahirent.

« Ton peuple ne pourrait connaître plus terrible désastre que de tomber aux mains d'un Héros », dit son père.

Il lit dans mes pensées, songea Kynes. *Eh bien... qu'il lise donc. Les messages sont déjà partis vers mes sietch. Rien ne peut les arrêter. Si le fils du Duc est encore en vie, mes Fremen le trouveront. Ils le protégeront ainsi que je l'ai ordonné. Peut-être rejetteront-ils la femme, sa mère, mais l'enfant, ils le sauveront.*

Une fois encore, le faucon sautilla en avant et la main tendue de Kynes fut à portée de son bec. Il pencha la tête en ayant pour examiner la paume. Puis, soudain, il se redressa, son cou se raidit et, avec un glapissement, il s'éleva dans les airs, suivi de ses compagnons.

Les voilà, se dit Kynes. *Mes Fremen m'ont retrouvé !*

Et puis, il entendit gronder le sable.

Tous les Fremen connaissaient ce son. Ils savaient le distinguer des autres sons, ceux que produisait le ver ou la vie du désert. Quelque part, là, sous Kynes, la masse d'épice en formation avait accumulé suffisamment d'eau et de matières organiques grâce aux petits faiseurs. Elle avait maintenant atteint le stade critique de sa croissance sauvage. Dans les profondeurs du sable, une bulle énorme de gaz carbonique s'était formée et montait vers la surface, emportant en son centre un tourbillon de sable. Tout ce qui se trouvait à proximité, en surface, serait avalé, échangé contre ce qui venait du sol.

Les faucons tournaient au-dessus de Kynes, piaillant leur

frustration Ils savaient ce qui allait se produire. Comme n'importe quelle autre créature du désert.

Je suis une créature du désert, pensa Kynes. *Regarde-moi bien, Père Je suis une créature du désert.*

Il sentit la bulle le soulever, l'emporter, éclater. Le tourbillon de sable le prit, l'enveloppa, l'entraîna dans des ténèbres fraîches. Un instant, l'obscurité, l'humidité lui furent agréables. Puis, en cette seconde où sa planète le tuait, Kynes se dit que son père se trompait, comme les autres savants. Les principes permanents de l'univers demeuraient encore l'erreur, l'accident.

Les faucons eux-mêmes savaient cela.

Prophétie et prescience. Comment les soumettre à l'examen, face aux questions restées sans réponse ? Par exemple : Dans quelle mesure la « Vague » (l'image-vision, ainsi que la désignait Muad'Dib) constitue-t-elle une prédiction véritable et dans quelle mesure le prophète façonne-t-il l'avenir afin qu'il corresponde à la prophétie ? Et qu'en est-il des harmoniques inhérents à l'acte de prophétie ? Le prophète voit-il l'avenir ou seulement une ligne de rupture, une faille, un clivage dont il peut venir à bout par des mots, des décisions ainsi qu'un tailleur de diamant façonnant une gemme d'un coup de son outil ?

Réflexions personnelles sur Muad'Dib,
par la Princesse Irulan.

« PRENDS, leur eau », avait lancé l'homme dans la nuit. Et Paul, repoussant la peur, regarda sa mère. Ses yeux avertis lui apprirent qu'elle était prête au combat, que ses muscles attendaient le signal.

« Il serait regrettable que nous ayons à vous détruire de nos mains », dit la voix au-dessus d'eux.

C'est celui qui a parlé en premier, se dit Jessica. *Ils sont au moins deux. L'un est sur notre droite, l'autre sur notre gauche*

« Cignoro hrobosa sukares hin mange la pchagavas doi me kamavas na beslas lele pal hrobas ! »

71

C'était celui de droite. Il criait en direction du bassin.

Les mots, pour Paul, n'avaient aucun sens, mais l'éducation Bene Gesserit de Jessica lui fit reconnaître la langue. Du chakobsa. C'était l'une des anciennes langues de chasse et l'homme, au-dessus d'eux, venait de dire que, peut-être, c'était là les étrangers qu'ils cherchaient.

Dans le silence qui suivit l'appel, la deuxième lune se leva, comme un visage rond, d'ivoire pâle et bleu, penché sur le bassin entre les rochers, brillant, curieux.

Puis, entre les rochers, il y eut des bruits furtifs. Au-dessus, de toutes parts… Mouvements d'ombres dans le clair de lune. Silhouettes glissant hors de l'obscurité.

Une troupe entière ! se dit Paul, avec un serrement de cœur.

Un homme de haute taille, au burnous maculé, s'avança vers Jessica. Il avait rejeté le voile de son visage pour se faire entendre clairement. La lumière pâle de la lune révélait une barbe épaisse mais son visage et ses yeux demeuraient dissimulés dans l'ombre du capuchon.

« Qui êtes-vous, des djinns ou des humains ? » demanda-t-il.

Il raillait, se dit Jessica, elle le lisait dans sa voix, et elle éprouva un faible espoir. Cette voix était celle d'un chef, c'était la première qui s'était élevée dans la nuit.

« Des humains, je pense », dit l'homme.

Jessica sentait plus qu'elle ne la distinguait la lame cachée dans un repli de la robe. Un bref instant, elle eut le regret amer de leurs boucliers.

« Vous parlez peut-être ? » demanda l'homme.

Jessica rassembla toute l'arrogance royale dans son maintien et dans sa voix. Il était urgent de répondre à cet homme. Pourtant, elle ne l'avait pas encore assez entendu pour enregistrer ses connaissances, ses faiblesses.

« Qui a surgi de la nuit comme un assassin ? » demanda-t-elle.

La tête encapuchonnée pivota soudain, révélant la tension de l'homme. Puis il se détendit lentement et ce fut plus révélateur encore. Il se contrôlait.

Paul s'éloigna de sa mère afin d'offrir une cible distincte et de disposer d'un champ suffisant pour une éventuelle action

La tête encapuchonnée suivit son mouvement et le visage fut esquissé par le clair de lune. Jessica vit un nez acéré, un œil brillant (*sombre, pourtant, si sombre, sans le moindre blanc*), un sourcil lourd, une moustache relevée.

« Le jeune fauve est habile, dit l'homme. Il se peut, si vous fuyez les Harkonnens, que vous soyez les bienvenus parmi nous. Qu'en dis-tu, garçon ? »

Toutes les hypothèses possibles traversèrent l'esprit de Paul *Un piège ? La vérité ?* Il fallait se décider immédiatement

« Pourquoi accueilleriez-vous des fugitifs ? » demanda-t-il

« Un enfant qui parle et pense comme un homme. Eh bien, pour répondre à ta question, jeune wali, je suis celui qui ne paie pas le fai, le tribut d'eau aux Harkonnens. Pour cela, ceux qui les fuient peuvent être bienvenus. »

Il sait qui nous sommes, pensa Paul. *Il le cache. Je le sens dans sa voix.*

« Je suis Stilgar, le Fremen, reprit l'homme. Cela te délie-t-il la langue, garçon ? »

C'est bien la même voix, songea Paul. Il se souvint de cet homme qui était venu au Conseil réclamer le corps d'un ami tué par les Harkonnens.

« Je te connais, Stilgar, dit-il. J'étais avec mon père, au Conseil, lorsque tu es venu réclamer l'eau de ton ami. Tu as emmené avec toi Duncan Idaho, l'homme de mon père, en échange. »

« Et Idaho nous a abandonnés pour retourner auprès du Duc », dit Stilgar.

Jessica décela le dégoût dans la voix et elle se tint prête à l'attaque.

« Nous perdons notre temps, Stil », lança l'autre voix, dans les rochers.

« C'est le fils du Duc, répondit Stilgar. C'est certainement lui que Liet nous a demandé de retrouver. »

« Mais... c'est un enfant, Stil. »

« Le Duc était un homme et ce garçon s'est servi d'un

marteleur, dit Stilgar. Il a été brave en traversant ainsi dans le sillage de *shai-hulud*. »

Dans la voix de l'homme, Jessica lut que, déjà, il l'avait exclue de ses pensées. Avait-il prononcé la sentence ?

« Nous n'avons pas le temps d'en obtenir la preuve », protesta la voix dans les rochers.

« Pourtant, il pourrait être le Lisan al-Gaib », dit Stilgar.

Il cherche un signe ! se dit Jessica.

« Mais la femme... »

Jessica se prépara. Elle avait lu la mort dans ces paroles.

« Oui, la femme, dit Stilgar. Et son eau. »

« Tu connais la loi, dit la voix dans les rochers. Celui qui ne peut vivre avec le désert... »

« Silence, dit Stilgar. Les temps changent. »

« Liet a-t-il *ordonné* ceci ? »

« Tu as entendu la voix du cielago, Jamis. Pourquoi chercher à m'influencer ? »

Cielago ! songea Jessica. Cela lui ouvrait bien des chemins. Cette langue était celle de l'Ilm et du Fiqh. Cielago désignait un petit mammifère volant, une sorte de chauve-souris. *La voix du cielago :* les Fremen avaient reçu un message distrans leur ordonnant de les rechercher, Paul et elle.

« Je ne fais que te rappeler tes devoirs, ami Stilgar », reprit la voix au-dessus d'eux.

« Je n'ai qu'un devoir, dit Stilgar. Assurer la force de ma tribu. Je n'ai pas besoin que quiconque me le rappelle. L'enfant-homme m'intéresse. Sa chair est pleine. Il a vécu sans manquer d'eau. Loin du père soleil. Il n'a pas les yeux de l'ibad. Pourtant, il ne parle ni n'agit comme les débiles qui vivent dans les fonds. Non plus que son père. Pourquoi en est-il ainsi ?

« Nous ne pouvons rester ainsi toute la nuit à discuter, dit la voix dans les rochers. Si une patrouille... »

« Je ne te le redirai pas, Jamis : silence. »

La voix se tut mais Jessica perçut les mouvements de l'homme. Il franchissait une faille et descendait vers le fond du bassin.

« La voix du cielago laissait entendre que nous pouvions avoir quelque intérêt à vous sauver tous deux, dit Stilgar. La force de l'enfant-homme me laisse discerner des possibilités : il est jeune, il peut apprendre. Mais vous, femme ? » Il posa son regard sur Jessica.

Maintenant, se dit-elle, j'ai enregistré sa voix, son schéma. D'un mot, je pourrais le dominer, mais il est puissant... Pour nous, il est plus précieux ainsi, libre, intact... Il faut attendre.

« Je suis la mère de ce garçon, dit-elle. Sa force, que vous admirez, est en partie le résultat de l'éducation que je lui ai donnée. »

« La force d'une femme peut être sans limites, dit Stilgar. Il est certain qu'il en est ainsi pour une Révérende Mère. Êtes-vous une Révérende Mère ? »

Jessica parvint à rejeter les implications de cette question et répondit en toute franchise : « Non. »

« Connaissez-vous les usages du désert ? »

« Non, mais nombreux sont ceux qui considèrent mon éducation comme valable. »

« Nous avons nos propres jugements de valeur », dit Stilgar.

« Tout homme a droit à ses propres jugements. »

« Il est bon que vous compreniez la raison. Nous ne pouvons nous attarder ici afin de vous éprouver, femme. Comprenez-vous ? Nous ne pouvons nous embarrasser de votre ombre. Je vais prendre l'enfant-homme, votre fils, et je le protégerai, l'accueillerai dans ma tribu. Mais quant à vous, femme... Comprenez-vous qu'il n'y a rien de personnel en ceci ? Mais c'est la règle, Istislah, dans l'intérêt de tous. N'est-ce pas suffisant ? »

Paul esquissa un pas en avant. « De quoi parlez-vous ? »

Stilgar lui accorda un bref coup d'œil, sans détourner son attention de Jessica.

« A moins que vous n'ayez été longuement entraînée depuis votre enfance à notre existence, vous risqueriez de provoquer la destruction de toute une tribu. C'est la loi, nous ne pouvons accepter... »

Le mouvement de Jessica fut tout d'abord comme un faux pas, une chute. Ce n'était pas surprenant de la part d'une malheureuse étrangère affaiblie. C'était là une chose normale, propre à ralentir les réactions de l'adversaire. Il faut un certain temps pour interpréter une chose connue lorsque celle-ci est présentée comme inconnue. Jessica entra en action à l'instant où elle vit l'épaule droite de Stilgar s'abaisser. D'entre les plis de sa robe, il ramena une arme qu'il brandit dans sa direction. Un pivotement, un coup du tranchant de la main, un tourbillon de robes et Jessica se retrouva appuyée au rocher, maintenant l'homme sans défense devant elle.

Au premier mouvement de sa mère, Paul avait reculé de deux pas. A l'instant de son attaque, il avait plongé vers l'ombre. Un homme barbu se dressait sur son chemin, levait une arme. D'un coup direct de sa main raidie, Paul l'atteignit au sternum, se déroba, frappa de nouveau à la base du cou et saisit l'arme au vol.

Il se hissa entre les rochers, dans l'obscurité, glissant l'arme dans sa ceinture. En dépit de sa forme bizarre, il l'avait déjà identifiée comme une arme à projectiles. Ce qui lui apprenait bien des choses sur cet endroit et sur l'inutilité des boucliers.

Ils vont concentrer leurs forces sur Jessica et sur Stilgar. Elle peut le neutraliser. Il faut que je me mette en position pour pouvoir les attaquer et lui donner le temps de fuir.

Dans le bassin, il y eut les déclics multiples de ressorts qui se détendaient. Les projectiles miaulèrent sur les rochers alentour et l'un d'eux troua la robe de Paul. Il plongea derrière un angle et se glissa dans une étroite fente verticale. Puis il s'éleva, lentement, aussi silencieusement que possible, s'aidant du dos et des pieds.

La voix de Stilgar gronda, éveillant des échos : « En arrière, tas de poux ! Si vous approchez encore, elle va me rompre le cou ! »

« Le garçon s'est enfui, Stil, dit une voix dans le bassin. Qu'allons-nous... »

« Évidemment qu'il s'est enfui, tête de sable !... Aahh ! Du calme, femme ! »

76

« Dites-leur de cesser de poursuivre mon fils ! » dit Jessica

« Ils se sont arrêtés, femme. Il s'est enfui, comme vous le vouliez. Grands dieux des profondeurs ! Pourquoi n'avez-vous pas dit que vous étiez une magique et une guerrière ? »

« Dites à vos hommes de se replier. Dites-leur de s'avancer au fond du bassin pour que je puisse les voir… et il vaut mieux que vous sachiez que je connais leur nombre. »

C'est le moment délicat, pensa-t-elle. *Mais s'il est aussi subtil que je le crois, nous avons une chance.*

Lentement, Paul continuait de monter. Il rencontra un entablement étroit où il lui était possible de se reposer tout en découvrant le bassin. La voix de Stilgar lui parvint de nouveau.

« Et si je refuse ? Comment pouvez-vous… Aaahh ! Arrêtez, femme ! Nous ne vous toucherons plus, maintenant. Grands dieux ! Si vous êtes capable de venir ainsi à bout du plus puissant d'entre nous, vous valez dix fois l'eau de votre corps. »

A présent, l'épreuve de la raison, songea Jessica, et elle dit : « Vous cherchez le Lisan-al-Gaib. »

« Vous pourriez être ceux de la légende, dit Stilgar, mais je ne le croirai que lorsque j'en aurai la preuve. Tout ce que je sais c'est que vous êtes venus ici avec ce Duc stupide qui. Aahh ! Femme ! Peu m'importe que vous me tuiez ! Il était honorable et brave, mais il a été stupide de se mettre ainsi entre les mains des Harkonnens ! »

Silence.

« Il n'avait pas le choix, dit Jessica, mais nous n'en discuterons pas maintenant. Dites à cet homme derrière le buisson, là-bas, de cesser immédiatement de me mettre en joue, ou je débarrasse l'univers de votre présence avant de m'occuper de lui. »

« Toi, là-bas ! lança Stilgar. Fais ce qu'elle dit ! »

« Mais… Stil… »

« Fais ce qu'elle dit, face de ver, tête de sable, merde de lézard rampant ! Fais-le ou je l'aiderai à te découper en morceaux ! Tu ne vois pas à qui tu as affaire ? »

L'homme dans le buisson se releva et abaissa son arme.
« Il a obéi », dit Stilgar.

« A présent, dit Jessica, expliquez clairement à vos gens ce que vous attendez de moi. Je ne veux pas qu'une jeune tête brûlée tente n'importe quelle folie. »

« Quand nous nous glissons dans les cités et les villages, dit Stilgar, nous devons dissimuler notre origine et nous mêler aux gens des sillons et des bassins. Nous ne portons pas d'arme, car le krys est sacré. Mais vous, femme, vous connaissez l'art étrange du combat. Nous en avions seulement entendu parler et nombreux étaient ceux qui en doutaient, mais on ne peut plus douter de ce que l'on a vu de ses propres yeux. Vous avez maîtrisé un Fremen armé. Un tel pouvoir, nul ne peut le deviner... »

Comme s'élevaient les paroles de Stilgar, des mouvements naissaient dans l'ombre.

« Et si j'accepte de vous enseigner... cet art étrange ? »

« Comme votre fils, vous aurez mon soutien. »

« Comment pouvons-nous être certains que vous dites vrai ? »

Une trace de sécheresse apparut dans la voix de Stilgar, jusque-là subtilement teintée d'assurance.

« Ici, femme, nous n'avons ni contrats ni papiers. Nos promesses du soir ne sont pas oubliées à l'aube. Le contrat, c'est ce que déclare un homme. Je suis le chef de mon peuple. Il est lié à ma parole. Enseignez-nous cet art étrange du combat et vous pourrez demeurer parmi nous aussi longtemps que vous le désirerez. Votre eau sera mêlée à la nôtre. »

« Pouvez-vous parler pour tous les Fremen ? »

« Avec le temps, il en sera peut-être ainsi. Mais seul mon frère Liet peut parler pour tous. Moi, je ne puis que vous promettre le secret. Mon peuple ne parlera de vous à aucun autre sietch. Les Harkonnens sont revenus en force sur Dune et notre Duc est mort. On raconte que vous-même avez trouvé la mort dans une Mère tempête. Le chasseur ne poursuit plus la proie morte. »

C'est une protection, songea Jessica. *Mais ces gens disposent de bons moyens de communication et il est toujours possible d'expédier un message.*

« Je suppose, dit-elle, qu'une prime était offerte à qui nous retrouverait. »

Stilgar demeura silencieux. Elle sentait frémir ses muscles sous ses mains et il lui semblait qu'elle pouvait voir tourbillonner ses pensées.

« Je le dis à nouveau : Je vous ai donné la parole de la tribu. Mes gens connaissent maintenant votre valeur. Que pourraient donc nous offrir les Harkonnens ? Notre liberté ? Ah... Non, vous êtes le taqwa qui peut nous apporter plus que toute l'épice des coffres des Harkonnens. »

« Alors, je vous enseignerai ma façon de combattre », dit Jessica, et elle perçut l'intensité rituelle qu'elle mettait inconsciemment dans ces paroles.

« A présent, allez-vous me libérer ? »

« Qu'il en soit ainsi », dit Jessica. Elle relâcha son étreinte et fit un pas de côté, s'offrant à la vue des hommes dans le bassin. *C'est le test ultime,* se dit-elle. *Mais Paul doit savoir ce qu'il en est de ces hommes, même si j'en meurs.*

Dans le silence, il se hissa un peu plus haut pour mieux voir sa mère. Au-dessus de lui, dans la faille verticale, il entendit soudain un souffle lourd, aussitôt interrompu. Il entrevit une ombre qui se dessinait sur les étoiles.

« Toi, là-haut ! lança la voix de Stilgar. Cesse de traquer le garçon ! Il va descendre, maintenant ! »

Dans les ténèbres, la voix d'un jeune garçon ou d'une jeune fille répondit : « Mais, Still, il ne peut être loin de... »

« J'ai dit de le laisser, Chani ! Chasseur de lézards ! »

Paul perçut un juron murmuré. Puis une voix basse qui marmonnait : « *Moi !* Me traiter de chasseur de lézards ! » L'ombre disparut.

Paul reporta son attention sur le bassin. Stilgar était une ombre grise aux côtés de sa mère.

« Venez tous ! cria Stilgar. (Il se tourna vers Jessica.) Maintenant, c'est à moi de vous demander comment nous pouvons être certains que *vous* allez remplir *votre* part du marché ? C'est vous qui viviez avec des papiers et des contrats vides tels que... »

« Nous autres Bene Gesserit ne trahissons pas plus que vous notre parole », dit-elle.

Il y eut un silence tendu, puis des murmures. « Une sorcière Bene Gesserit ! »

Paul saisit l'arme à sa ceinture et la braqua sur la silhouette imprécise de Stilgar. Mais l'homme demeurait aussi immobile que ses compagnons. Il regardait Jessica.

« C'est la légende », dit une voix.

« La Shadout Mapes avait dit cela de vous, fit Stilgar, mais une chose de cette importance doit être vérifiée. Si vous êtes vraiment la Bene Gesserit de la légende dont le fils doit nous conduire au paradis... » Il haussa les épaules.

Jessica soupira et pensa : *Ainsi notre Missionaria Protectiva est parvenue à implanter des soupapes de sûreté religieuses dans cet enfer. Eh bien... elles vont nous servir. Tel est leur rôle.*

« La voyante qui vous a apporté la légende, dit-elle, l'a fait par le karama et l'ijaz, le miracle et l'immuabilité de la prophétie. Je sais cela. Voulez-vous un signe ? »

Stilgar redressa la tête dans le clair de lune. « Nous ne pouvons nous attarder aux rites », murmura-t-il.

Jessica se souvint d'une carte que Kynes lui avait montrée alors qu'il leur préparait le chemin pour fuir. Elle avait lu le nom de « Stilgar » à proximité d'un lieu nommé « Sietch Tabr ».

« Peut-être en aurons-nous le temps quand nous serons au Sietch Tabr », dit-elle.

Elle vit qu'elle avait touché juste et songea : *S'il connaissait nos ruses ! Elle devait être habile, cette Bene Gesserit de la Missionaria Protectiva. Ces Fremen sont magnifiquement prêts à nous croire.*

Stilgar s'agita d'un air gêné. « Nous devons partir, maintenant. »

Elle acquiesça afin qu'il comprît qu'ils ne se mettaient en route qu'avec sa permission.

Stilgar se retourna et son regard se porta vers la falaise,

presque directement sur la corniche où Paul demeurait accroupi.

« Tu peux descendre, maintenant, garçon ! » dit-il. Il regarda de nouveau Jessica et ajouta sur un ton d'excuse : « Votre fils a fait un bruit incroyable dans ces rochers. Il lui faudra encore beaucoup apprendre s'il ne veut pas nous mettre en danger. Mais il est jeune. »

« Il ne fait pas de doute que nous ayons beaucoup à nous enseigner mutuellement. Mais peut-être devriez-vous voir ce qu'il en est de votre compagnon, là-bas. Mon bruyant fils l'a désarmé plutôt brutalement. »

Stilgar pivota dans un froissement de capuchon. « Où ? »

Elle tendit la main. « Derrière ces buissons. »

Il désigna deux de ses hommes. « Allez voir. » Son regard courut entre ses hommes et il ajouta : « Jamis est manquant. » Puis il se tourna à nouveau vers Jessica : « Même le petit connaît l'art étrange. »

« Et vous remarquerez qu'il n'a pas bougé, contrairement à ce que vous aviez ordonné », dit Jessica.

Les deux hommes envoyés par Stilgar revenaient, soutenant leur compagnon haletant et trébuchant. Stilgar ne leur accorda qu'un bref regard. « Le fils n'obéira qu'à vos ordres, n'est-ce pas ? C'est bien. Il connaît la discipline. »

« Paul, tu peux descendre maintenant », dit Jessica.

Il se redressa dans le clair de lune et glissa l'arme dans sa ceinture. Comme il se retournait, une silhouette se leva entre les rochers et lui fit face. Une mince silhouette en robe fremen qui braquait sur lui le museau d'une arme à projectiles. Sous le capuchon, le visage était à peine distinct dans le reflet de lune sur la roche grise.

« Je suis Chani, fille de Liet. »

La voix était mélodieuse, colorée d'un rire léger.

« Je ne t'aurais pas permis de frapper mes compagnons », dit-elle encore.

Paul déglutit avec peine. Sous la lune, le visage bougea et il entrevit des traits de lutin, des yeux noirs et profonds. Un visage familier, qui avait habité combien de ses visions prescientes et qui, en cet instant, le troublait et le rendait muet. Il se souvint avec quelle bravoure pleine de fureur il avait une fois décrit ce visage de ses rêves à la Révérende Mère Gaius Helen Mohiam. « Je la connaîtrai », avait-il dit.

Et ce visage était là, devant lui. Mais cette rencontre, il ne l'avait pas rêvée.

« Tu étais aussi bruyant que le shai-hulud en fureur. Et tu avais pris le chemin le plus difficile. Suis-moi. Je vais te guider pour redescendre. »

Il suivit le tournoiement de sa robe entre les rochers. Elle se déplaçait en dansant, comme une gazelle. Il sentit le sang affluer à son visage et rendit grâce à l'obscurité de la nuit.

Cette fille ! Elle était comme un attouchement du destin. Il lui semblait être emporté sur une vague, en accord avec un mouvement qui soulevait ses pensées.

Ils se retrouvèrent au fond du bassin, entre les Fremen.

Jessica adressa un pâle sourire à son fils avant de déclarer à Stilgar : « L'échange d'enseignements sera bénéfique. J'espère que ni vous ni vos gens ne ressentez plus de colère à l'égard de nos violences. Cela semblait... nécessaire. Vous étiez sur le point de... faire une erreur. »

« Sauvez quelqu'un de l'erreur est comme un cadeau du paradis », dit Stilgar. Sa main gauche vint toucher ses lèvres tandis que, de la main droite, il prenait l'arme à la ceinture de Paul et la jetait à un compagnon.

« Tu auras ton propre pistolet maula quand tu l'auras mérité, garçon. »

Paul fut sur le point de répliquer, hésita et se souvint des leçons de sa mère : « *Les débuts sont des moments délicats.* »

« Mon fils a toutes les armes dont il a besoin », intervint Jessica. Elle affronta le regard de Stilgar, l'obligeant à se remémorer la façon dont Paul s'était approprié le pistolet.

Stilgar reporta son attention sur Jamis, l'Homme auquel Paul avait dérobé son arme et qui se tenait à l'écart, baissant la tête, le souffle court.

« Vous êtes une femme difficile. (Il leva la main gauche et claqua des doigts.) Kushti bakka te. »

Du chakobsa, encore, songea Jessica.

Un homme tendit à Stilgar deux carrés de gaze. Il les prit, les roula entre ses doigts et noua le premier autour du cou de Jessica, sous le capuchon du distille. Il répéta l'opération sur Paul.

« A présent, dit-il, vous portez le mouchoir du bakka. Si nous venons à être séparés, on reconnaîtra que vous apparte-nez au sietch de Stilgar. Nous reparlerons des armes une autre fois. »

Il s'avança entre ses hommes, les inspecta et remit à l'un d'eux le Fremkit de Paul.

Le bakka, pensa Jessica. Elle connaissait ce terme religieux. *Le bakka... Celui qui pleure.* Maintenant, elle comprenait le symbolisme qui les unissait. *Mais pourquoi les larmes ?*

Stilgar s'approcha de la jeune fille qui avait provoqué le trouble de Paul et dit : « Chani, prends l'enfant-homme sous ton aile. Veille sur lui. »

Elle posa la main sur le bras de Paul. « Viens, enfant-homme. »

Il réprima sa colère. « Mon nom est Paul. Il serait bon que vous... »

« Nous te donnerons un nom, petit homme, dit Stilgar, quand viendra le moment de la mihna, au cours de l'épreuve de l'aql. »

L'épreuve de raison, traduisit Jessica. Et soudain, le désir d'affirmer la supériorité de Paul balaya en elle toute autre considération. Elle lança : « Mon fils a été soumis au gom jabbar ! »

Dans le silence qui suivit, elle comprit qu'elle venait de les toucher au plus profond d'eux-mêmes.

« Il y a bien des choses que nous ignorons les uns et les autres, dit Stilgar. Mais nous nous attardons trop. Le soleil du jour ne doit point nous trouver à découvert. (Il avança vers l'homme que Paul avait terrassé.) Jamis, pourras-tu marcher ? »

L'homme grommela : « C'était un accident. Il m'a surpris. Oui, je peux marcher. »

« Ce n'était pas un accident. Tu partageras avec Chani la responsabilité du garçon, Jamis. Ces gens sont sous ma protection. »

Jessica regarda Jamis. Elle avait reconnu la voix qui, dans les rochers, avait répondu à Stilgar. Une voix qui recelait la mort. Stilgar avait senti la nécessité de renforcer son autorité sur Jamis.

Le regard de Stilgar courut entre ses hommes. Il tendit la main : « Larrus et Farrukh, vous suivrez et effacerez nos traces. Soigneusement. Ceux qui sont maintenant avec nous n'ont pas été éduqués. (Il se détourna, levant la main au-dessus du bassin.) En formation. Des gardes sur nos flancs. Il faut que nous soyons à la Caverne des Chaînes avant l'aube. »

Jessica lui emboîta le pas. Elle comptait les têtes. Quarante Fremen. Quarante-deux avec elle et Paul. *Ils marchent comme des militaires*, pensa-t-elle. *Même la fille, Chani.*

Paul se plaça derrière Chani. L'impression pénible qu'il avait ressentie à être surpris par la jeune fille s'effaçait maintenant devant les souvenirs qu'avaient réveillés les mots de sa mère. « Mon fils a été soumis au gom jabbar ! » Dans sa main, la souffrance revenait.

« Regarde où tu marches, souffla Chani. Ne frôle pas un seul buisson qui puisse laisser un indice de notre passage. »

Il acquiesça en silence.

Jessica prêtait l'oreille au bruit de leurs pas, s'émerveillant de la façon dont les Fremen progressaient. Ils étaient quarante à traverser le bassin et les bruits qui s'élevaient dans la nuit étaient naturels. Leurs robes, flottant entre les ombres, semblaient des voiles fantomatiques. Ils marchaient vers le Sietch Tabr, le sietch de Stilgar.

Elle tourna et retourna le mot dans son esprit : sietch. Un terme Chakobsa qui avait traversé des siècles innombrables et demeurait inchangé, tel qu'on l'employait dans l'ancien langage de chasse. Sietch : le lieu où l'on se réunit en période de danger. Les implications profondes de ce mot, de ce langage. commençaient seulement de s'imprimer en elle, après la tension de cette rencontre.

« Nous progressons vite, dit Stilgar. Avec l'aide du Shai-hulud, nous atteindrons la Caverne des Chaînes avant l'aube. »

Jessica hocha la tête, économisant ses forces, consciente de la lassitude qu'elle ne repoussait que par sa volonté et, il lui fallait l'admettre, par une sorte d'ivresse. Elle concentra son esprit sur la valeur que représentait cette troupe, sur ce qui lui était révélé de la culture fremen.

Tous, songea-t-elle, *ils forment une société militaire. Une puissance inestimable pour un Duc hors-la-loi !*

> Les Fremen avaient au degré suprême cette
> qualité que les anciens appelaient le « spannungs-
> bogen » et qui est le délai que l'on s'impose soi-
> même entre le désir que l'on éprouve pour une
> chose et le geste que l'on fait pour se l'approprier.
>
> *Extrait de* La Sagesse de Muad'Dib,
> *par la Princesse Irulan.*

QUAND l'aube pointa, ils approchaient de la Caverne des Chaînes, franchissant la muraille du bassin par une faille si étroite qu'ils devaient s'y glisser de côté. Aux premières lueurs du jour, Stilgar détacha des hommes en éclaireurs et Jessica les vit se lancer dans l'escalade de la falaise. Paul, tout en marchant, levait les yeux vers le mince ruban de ciel gris-bleu.

Chani tira sur sa robe et dit : « Plus vite. Il fera bientôt jour. »

« Ces hommes, là-haut, où vont-ils ? » murmura Paul.

« Ils prennent la première garde du jour. Allons, vite ! »

Des gardes à l'extérieur, pensa-t-il. *C'est habile. Mais il eût été encore plus habile de nous approcher en groupes séparés. Il y aurait ainsi moins de risques de voir toute la troupe anéantie.* Il interrompit le cours de ses pensées, prenant conscience, soudain, qu'il réfléchissait en termes de guérilla, et il se souvint que c'était là ce que son père avait craint : voir la maison des Atréides devenir une Maison de guérilla.

« Plus vite ! » souffla Chani.

Il força l'allure et perçut le froissement des robes derrière lui. Il pensa alors aux paroles du sirat qu'il avait lues dans la minuscule Bible Catholique Orange de Yueh : « *Le paradis sur ma droite, l'Enfer sur ma gauche et l'Ange de la Mort derrière moi* », et il se les répéta plusieurs fois.

Ils franchirent un tournant et le passage se fit plus large. Stilgar leur désignait une ouverture basse, aux angles droits.

« Vite ! souffla-t-il. Si une patrouille nous surprend ici, nous serons comme des lapins pris au piège ! »

Paul se courba et suivit Chani dans la pénombre grise. Quelque part au-dessus de leurs têtes, il y avait une faible clarté.

« Tu peux te redresser », dit Chani.

Il se releva et découvrit une salle profonde et vaste dont le plafond voûté était juste hors de portée d'une main tendue. Les Fremen s'étaient dispersés dans l'ombre. Il vit sa mère qui s'avançait et examinait leurs compagnons et remarqua qu'elle évitait de se mêler aux Fremen, bien que sa tenue fût identique à la leur. Il y avait toujours la même grâce, la même force dans sa démarche.

« Trouve un endroit où te reposer et tiens-toi à l'écart, enfant-homme, dit Chani. Voici de la nourriture. » Elle mit dans sa main deux tablettes enveloppées de feuilles et qui sentaient fortement l'épice.

Stilgar apparut derrière Jessica et lança un ordre en direction d'un groupe d'hommes, sur la gauche. « Mettez le sceau en place et occupez-vous de l'humidité. (Il se tourna vers un Fremen isolé.) Lemil, les brilleurs. (Puis il prit le bras de Jessica et déclara :) Je veux vous montrer quelque chose, femme étrange. » Il l'entraîna, au-delà d'un pan de rocher, vers la source de lumière.

Et Jessica, par une large ouverture, haut dans la falaise rocheuse, découvrit un autre bassin, large de quelque vingt kilomètres, entouré d'immenses murailles, parsemé de plantes. Il était encore plongé dans l'aube grise mais, sous les yeux de Jessica, le soleil apparut au-dessus des falaises, donnant au paysage de rocs et de sable des tons de biscuits. Le soleil montait vite, remarqua Jessica. Comme s'il bondissait au-dessus de l'horizon.

C'est parce que nous voudrions le retenir, songea-t-elle. *La nuit est moins hostile que le jour.* Elle se prit alors à rêver d'un arc-en-ciel en ce lieu qui jamais ne connaîtrait la pluie. Et, aussitôt, elle se le reprocha. *Il ne faut plus que j'aie de tels regrets. C'est une faiblesse. Et je ne puis plus me permettre d'être faible.*

Stilgar lui prit le bras, désigna le bassin et lui dit : « Là-bas ! Regardez ! Les véritables Druses ! »

Elle suivit son doigt tendu et distingua des silhouettes en déplacement sur le fond du bassin, fuyant la clarté du jour pour les ombres qui subsistaient près de la falaise opposée. En dépit de la distance, la vision était très nette dans l'air limpide. Jessica prit ses jumelles sous sa robe, régla les lentilles à huile et observa les lointaines silhouettes. Des mouchoirs flottaient comme autant de papillons multicolores.

« Nous serons là-bas cette nuit. Chez nous, dit Stilgar. (Tout en contemplant le bassin, il tirait sur sa moustache.) Mon peuple a travaillé plus longtemps que de coutume. Cela signifie qu'il n'y a pas de patrouille à proximité. Quand je les aurai avertis, ils se prépareront à nous recevoir. »

« Votre peuple semble bien discipliné », dit-elle. Elle baissa ses jumelles et vit que Stilgar les regardait.

« Ils obéissent aux lois de sécurité de la tribu, dit-il. C'est ainsi que nous choisissons nos chefs. Le chef est le plus fort, celui qui procure l'eau et la sécurité. » Il leva les yeux sur son visage. Elle soutint son regard, examinant les pupilles ternies dans ces yeux sans blanc, la barbe et la moustache poudrées de poussière, le tube qui sortait de ses narines.

« Ai-je compromis votre position de chef en vous maîtrisant, Stilgar ? » demanda-t-elle.

« Vous ne m'avez pas défié », dit-il.

« Il est important pour un chef de garder le respect de ses hommes. »

« Je peux venir à bout de chacun de ces poux de sable. En me maîtrisant, vous nous avez tous maîtrisés. Maintenant, ils espèrent apprendre de vous... l'art étrange... et certains sont curieux de voir si vous allez me défier. »

Elle supputa les implications. « En combat ? »

Il acquiesça. « Je ne vous le conseillerai pas car ils ne vous suivraient pas. Vous n'êtes pas du sable. Ils ont pu le voir durant notre marche de la nuit. »

« Des gens pratiques », dit-elle.

« C'est vrai. (Il porta de nouveau son regard vers le bassin.) Nous connaissons nos besoins. Mais les pensées ne sont plus aussi profondes, si près de notre demeure. Nous avons mis trop longtemps à livrer notre quota d'épice aux commerçants de la maudite Guilde... Que leurs visages demeurent à jamais noirs ! »

Jessica se retourna brusquement. « La Guilde ? Qu'a-t-elle à voir avec l'épice ? »

« Liet l'a ordonné, dit Stilgar. Nous savons pour quelle raison mais cela n'en a pas moins un goût aigre pour nous. Nous payons à la Guilde une somme monstrueuse en épice pour qu'aucun satellite ne puisse nous espionner depuis le ciel et voir ce que nous faisons sur la face d'Arrakis. »

Elle pesa ses mots, se rappelant ce que Paul avait dit sur l'absence de satellites autour d'Arrakis.

« Et qu'est-ce donc que vous faites sur la face d'Arrakis qui ne doit pas être vue ? »

« Nous la changeons... lentement, mais sûrement.. pour qu'elle accepte la vie humaine. Notre génération ne verra pas la fin de cette tâche, ni nos enfants, ni les enfants des enfants de nos enfants.. mais elle viendra. (Son regard absent flotta sur le bassin.) L'eau libre, de grandes plantes vertes et des hommes allant sans distilles. »

Tel est donc le rêve de ce Liet-Kynes, songea-t-elle. Et elle dit : « Le prix de la corruption a un danger. Il tend à augmenter, de plus en plus. »

« Il augmente, dit Stilgar. Mais la manière la plus lente est la plus sûre. »

Elle se détourna, contemplant le bassin, essayant de le voir comme Stilgar le voyait dans son imagination. Mais l'image des rochers ocre et gris ne changea pas. Dans le ciel, au-dessus des falaises, il y eut soudain comme un mouvement.

« Aahh », fit Stilgar.

Tout d'abord, elle pensa à un véhicule de patrouille, puis elle comprit que c'était un mirage, un autre paysage flottant au-dessus du sable du désert, un frémissement lointain de verdure et, un peu plus proche, un immense ver cheminant en surface avec sur le dos ce qui semblait être des robes fremen flottant au vent.

Le mirage s'évanouit.

« Ce serait mieux, dit Stilgar, mais nous ne pouvons pas admettre un faiseur dans ce bassin. Nous devrons donc marcher à nouveau, cette nuit. »

Faiseur... leur mot pour le ver, pensa Jessica.

Elle mesurait l'importance des paroles de Stilgar. Ils ne pouvaient pas *admettre* un ver dans ce bassin. Elle savait maintenant ce qu'elle avait vu dans le mirage. Des Fremen chevauchant un ver géant. Il lui fallut exercer un contrôle sévère sur elle-même pour ne pas trahir le choc qu'elle éprouvait devant ce que cela impliquait.

« Il nous faut retourner auprès des autres, reprit Stilgar Autrement, mes gens pourraient croire que je vous séduis. Déjà, certains sont jaloux de ce que mes mains aient goûté à votre beauté cette nuit, quand nous avons lutté dans le bassin de Tuono. »

« Cela suffit ! » s'exclama Jessica.

« N'y voyez pas d'offense, dit Stilgar, et sa voix était douce. Chez nous, nous ne prenons pas les femmes contre leur volonté... et avec vous... (Il haussa les épaules.) Même cette convention est inutile. »

« N'oubliez pas que j'étais l'épouse d'un duc », dit-elle encore, mais d'une voix plus calme.

« Comme vous le désirerez, dit-il. Mais il est temps de

sceller cette ouverture, afin de relâcher la discipline du distille. Mes gens ont besoin de se reposer dans le confort, aujourd'hui. Demain, leurs familles ne leur accorderont que peu de répit. »

Le silence s'établit entre eux.

Le regard de Jessica revint au paysage dans le soleil. Dans la voix de Stilgar, elle avait lu plus que l'offre d'une protection. Avait-il besoin d'une femme ? Elle pourrait remplir ce rôle. Ce serait une façon de résoudre le conflit pour l'autorité, la femelle s'alignant sur le mâle.

Mais Paul, en ce cas ? Qui pouvait savoir quelles étaient les règles de parenté qui prévalaient ici ? Et qu'en serait-il de cette fille qu'elle portait en elle depuis des semaines ? De cette fille d'un Duc défunt ? Il lui fallait admettre la signification véritable de cette conception qu'elle acceptait. Elle la connaissait. Elle avait succombé à cette pulsion profonde qui est commune à toutes les créatures placées devant la mort, cette pulsion qui vise l'immortalité par la procréation. La pulsion de fertilité des espèces avait triomphé d'eux.

Elle regarda Stilgar et vit qu'il attendait, qu'il l'étudiait. *Une fille née ici d'une femme mariée à un tel homme... Quel serait son sort ? L'homme tenterait-il de contrarier les obligations auxquelles toute Bene Gesserit est promise ?*

Stilgar s'éclaircit la gorge. « Ce qui importe pour un chef, c'est ce qui fait de lui un chef. Ce sont les besoins de son peuple. Si vous m'enseignez vos pouvoirs, un jour viendra où l'un de nous devra défier l'autre. Je préférerais une autre solution. »

« Il en existe ? » demanda-t-elle.

« La Sayyadina, Notre Révérende Mère, est vieille. »

Leur Révérende Mère !

Avant qu'elle ait pu réfléchir, il ajouta : « Je ne me propose pas nécessairement comme compagnon. Ce n'est nullement personnel, car vous êtes belle et désirable. Mais si vous deviez faire partie de mes femmes, cela pourrait amener certains de mes plus jeunes hommes à penser que je me préoccupe par trop des plaisirs de la chair et pas assez des besoins de la tribu. En ce moment même, ils nous écoutent et nous épient. »

Voilà un homme qui pèse ses décisions et qui pense aux conséquences, se dit-elle.

« Parmi mes jeunes gens, il en est qui ont atteint l'âge des pensées sauvages. Il faut les calmer durant cette période. Je ne dois pas leur laisser de raisons valables pour me défier. Parce que, alors, il me faudrait frapper et tuer. Pour un chef, s'il peut l'éviter dans l'honneur, ce n'est pas une façon raisonnable d'agir. Un chef, voyez-vous, est ce qui fait la différence entre un troupeau et un peuple. C'est le chef qui maintient le statut des individus. Trop peu d'individus, et le peuple redevient un troupeau. »

Ces paroles, la profonde compréhension qu'elles révélaient, en plus du fait qu'il parlait aussi bien pour ceux qui écoutaient, contraignirent Jessica à le reconsidérer.

Il est digne de sa position, pensa-t-elle. *Où a-t-il acquis cet équilibre intérieur ?*

« La loi qui engendre une telle façon de choisir un chef est une loi juste, dit Stilgar. Mais il ne s'ensuit pas qu'une justice est ce dont un peuple a constamment besoin. Ce dont nous avons vraiment besoin maintenant, c'est de croître et de prospérer afin de couvrir un plus vaste territoire. »

Quels sont ses ancêtres ? se demanda-t-elle. *Comment obtient-on semblable race ?*

« Stilgar, dit-elle, je vous ai sous-estimé. »

« Je le soupçonnais. »

« Apparemment, chacun de nous a sous-estimé l'autre. »

« J'aimerais mettre un terme à cela, dit-il. J'aimerais que l'amitié existe entre nous... avec la confiance. J'aimerais que naisse ce respect mutuel qui croît dans la poitrine sans exiger le mélange des sexes. »

« Je comprends. »

« Avez-vous confiance en moi ? »

« Je perçois votre sincérité. »

« Parmi nous, les Sayyadina, lorsqu'elles ne représentent pas l'autorité consacrée, conservent une place d'honneur.

Elles enseignent. Elles maintiennent la puissance de Dieu en nous. » Il toucha sa poitrine.

C'est le moment d'éclaircir ce mystère de la Révérende Mère, se dit Jessica. Et elle déclara . « Vous parliez de votre Révérende Mère... Et j'ai entendu des allusions à une légende, à une prophétie. »

« Il est dit qu'une Bene Gesserit et son enfant détiennent la clé de notre avenir. »

« Croyez-vous que je sois cette Bene Gesserit ? »

Et elle observa son visage, songeant : *La jeune pousse meurt si facilement. Les débuts sont toujours des moments de grand péril.*

« Nous ne le savons pas », dit Stilgar.

Elle hocha la tête. *C'est un homme honorable. Il veut un signe mais il n'influencera pas le destin en me le révélant.*

Elle tourna la tête et regarda les ombres dorées, les ombres violettes, là-bas, dans le bassin, le frémissement de l'air chargé de poussière devant l'ouverture. Tout soudain, il y avait en son esprit une prudence de félin. Elle connaissait la phrase clé de la Missionaria Protectiva, elle savait comment adapter les techniques de la légende et de la peur à ses exigences immédiates, mais elle percevait des modifications profondes... Comme si quelqu'un était venu parmi les Fremen et avait joué sur l'empreinte laissée par la Missionaria Protectiva.

Stilgar toussota. Elle comprit qu'il était impatient, que le jour s'avançait et que les hommes attendaient que cette ouverture fût scellée. Le moment était venu de faire preuve d'audace et elle eut conscience de ce qui lui manquait . quelque al-hikman, quelque école de traduction qui lui eût donné...

« Adab », murmura-t-elle.

Et il lui sembla que son esprit s'était soudain roulé sur lui-même. Elle reconnut la sensation et son pouls s'accéléra. Dans l'éducation Bene Gesserit, rien ne s'accompagnait d'un tel signe si ce n'était l'adab, la mémoire qui se déversait en vous d'elle-même. Elle s'y abandonna et laissa les mots s'échapper d'elle

« Ibn qirtaiba, dit-elle, aussi loin que le lieu où finit la poussière. (Elle éleva un bras et vit s'agrandir les yeux de Stilgar, entendit le froissement des robes, plus loin.) Je vois un... Fremen avec le livre des exemples. Il le lit à al-Lat, le soleil qu'il défie et domine. Il le lit au Sadus du Jugement et voici ce qu'il lit :

« Mes ennemis sont comme feuilles vertes et dévorées,
Croissant sur le chemin de la tempête.
N'avez-vous point vu ce qu'a fait notre Seigneur ?
Il a, sur nous, lancé la pestilence,
Qui répand ses complots.
Comme des oiseaux par le chasseur dispersés,
Comme des mets de poison imprégnés
Que chaque bouche rejette. »

Elle fut envahie d'un tremblement. Elle baissa les bras.

Derrière elle, du plus profond des ombres de la caverne, des voix chuchotèrent en réponse : « Leurs œuvres ont été défaites. »

« Le feu de Dieu monte en son cœur, reprit Jessica. Et elle songea : *Maintenant, c'est le cours qui convient.*

« Le feu de Dieu répand la lumière », répondirent les voix.

Elle acquiesça. « Ses ennemis tomberont. »

« Bi-la-kaifa. »

Dans le silence soudain, Stilgar s'inclina vers elle. « Sayyadina, dit-il. Si le Shai-hulud accepte, alors vous pourrez passer Révérende Mère. »

Passer, pensa-t-elle. *Étrange façon de s'exprimer. Mais le reste correspond assez bien au plan.* Elle éprouvait une amertume cynique pour ce qu'elle venait de faire. *Notre Missionaria Protectiva échoue rarement. En ce monde désolé, un refuge a été préparé pour nous. Creusé par la prière du salat. A présent... Il me faut jouer le rôle d'Auliya, l'Amie de Dieu... La Sayyadina de ces gens farouches qui ont été tant imprégnés de nos dits Bene Gesserit qu'ils vont jusqu'à nommer Révérendes Mères leurs prêtresses.*

Dans l'ombre de la caverne, Paul se tenait à côté de Chani. Il avait encore le goût de la nourriture qu'elle lui avait offerte : chair d'oiseau et céréale liées de miel d'épice et enveloppées dans une feuille. En mangeant cela, il avait pris conscience que jamais encore il n'avait absorbé autant d'épice concentrée et il en avait éprouvé de la frayeur, pendant un instant. Il savait ce que cette essence pouvait provoquer en lui. L'épice avait la capacité de lui procurer des visions prescientes.

« Bi-la-kaifa », murmura Chani.

Il la regarda et vit l'émotion que ressentaient les Fremen en écoutant sa mère. Seul l'homme du nom de Jamis paraissait se tenir à l'écart de la cérémonie, les bras croisés sur la poitrine.

« Duy yakha hin mange, murmura encore Chani. Duy punra hin mange. J'ai deux yeux. J'ai deux pieds. »

Elle posa sur Paul un regard plein de surprise.

Il prit une profonde inspiration, essayant de réprimer cette tempête qui se levait en lui. Les paroles de sa mère venaient de déclencher l'effet de l'essence d'épice. Sa voix s'était élevée en lui comme l'ombre projetée par un grand feu. Il y avait lu le cynisme (Il la connaissait si bien) mais pourtant, rien ne pouvait interrompre cette transformation déclenchée par quelques bouchées de nourriture.

Le but terrible !

Il le percevait. Cette conscience raciale à laquelle il ne pouvait se soustraire. L'afflux de la connaissance ; la perception précise, froide et claire. Il se laissa aller sur le sol, le dos contre le rocher, abandonnant toute résistance. Et il fut dans cette strate hors du temps où il pouvait voir le temps, reconnaître les chemins ouverts devant lui, prendre les vents de l'avenir... et ceux du passé, visions borgnes du passé, du présent et de l'avenir formant une image triple qui lui permettait d'observer le temps devenant espace.

Il existait un danger, il le savait. Il pouvait aller trop loin. Il lui fallait se maintenir dans la perception du présent, sentir la déflexion floue de l'expérience, le flux du moment, la continuelle solidification du ce-qui-est dans le perpétuel-était.

Pour la première fois, en s'agrippant au présent, il décelait la monumentale régularité du mouvement du temps, compliqué de courants changeants, de vagues, de houles, comme la mer contre les récifs. Cela lui faisait mieux comprendre ce qu'était sa prescience et il vit la source des moments aveugles d'où pouvait découler l'erreur et ressentit l'immédiat contact de la peur.

Il comprit que sa prescience était une illumination qui recouvrait les limites de ce qu'elle lui révélait. Tout à la fois source de précision et d'erreur significative. Une sorte de principe d'incertitude d'Heisenberg intervenait ici : la dépense d'énergie qui lui révélait ce qu'il voyait le modifiait en même temps.

Et ce qu'il voyait était le nexus temporel de cette caverne, un bouillonnement de possibilités au sein duquel la plus infime action (clignement de paupière, mot irréfléchi, grain de sable mal placé) était répercutée sur un levier gigantesque qui agissait sur tout l'univers connu. La violence était présente dans un tel nombre de variables que le moindre mouvement suscitait d'immenses modifications du schéma.

Ce qu'il voyait l'incitait à se figer en une immobilité totale, mais ceci, également, était une action avec ses conséquences.

D'innombrables conséquences, d'innombrables lignes tracées à partir de cette caverne et dont beaucoup menaient à l'image de son cadavre, de son sang répandu par un couteau.

Mon père, l'Empereur Padishah, avait soixante-douze ans mais n'en paraissait pas plus de trente-six lorsqu'il décida la mort du duc Leto et la restitution d'Arrakis aux Harkonnens. Lorsqu'il paraissait en public, il portait rarement autre chose qu'un uniforme de Sardaukar et un casque noir de Burseg avec le lion d'or impérial en cimier. L'uniforme rappelait à tous quel était le principal instrument de son pouvoir. Mais il ne se montrait pas toujours aussi désagréable. Lorsqu'il le voulait, il pouvait faire preuve de charme et de sincérité mais, les derniers temps, j'en vins à me demander si quoi que ce fût dans sa personne correspondait aux apparences. A présent, je pense que c'était un homme qui luttait constamment contre les barreaux d'une cage invisible. Il ne faut pas oublier qu'il était empereur, qu'il représentait une dynastie dont les origines se perdaient dans le temps. Mais nous lui interdisions d'avoir un fils légal. N'est-ce pas là la plus terrible défaite que subît jamais un chef ? Ma mère a obéi à ses Sœurs Supérieures au contraire de Dame Jessica. Laquelle s'est montrée la plus forte ? L'Histoire, déjà, a répondu.

Extrait de Dans la Maison de Mon Père, *par la Princesse Irulan.*

J ESSICA s'éveilla dans l'obscurité et perçut les mouvements des Fremen autour d'elle en même temps que l'odeur âcre des distilles. Son sens du temps lui apprit que la nuit approchait, au-dehors. Mais la caverne demeurait plongée dans les ténèbres, isolée du désert par les plaques de plastique qui retenaient l'humidité des corps.

Elle s'était abandonnée au sommeil total après sa grande fatigue, ce qui semblait suggérer qu'elle acceptait inconsciemment la sécurité au sein de la troupe de Stilgar. Elle se retourna dans le hamac qui avait été adapté à sa robe, se laissa glisser jusqu'au sol et chaussa ses bottes de sable.

Il ne faut pas que j'oublie de desserrer l'attache de mes bottes afin de faciliter la fonction de pompe de mon distille, songea-t-elle. *Il y a tant de choses que je ne dois pas oublier.*

Elle avait encore dans la bouche le goût du repas du matin, cette chair d'oiseau mêlée de céréale et de miel d'épice et roulée dans une feuille. Le repas du matin. Le temps, ici, était inversé. Le jour correspondait au repos. La nuit à l'activité.

La nuit cache ; la nuit est plus sûre.

Elle se rendit dans un renfoncement du rocher pour détacher sa robe des crochets de fixation du hamac. Elle se démena dans le noir jusqu'à ce qu'elle eût trouvé le haut du vêtement.

Elle se demandait comment faire parvenir un message aux Bene Gesserit. Comment informer le sanctuaire d'Arrakeen de leur sort.

Plus loin dans la caverne, des brilleurs furent allumés. Entre les silhouettes en mouvement, Jessica aperçut Paul. Il était déjà habillé. Son capuchon rejeté en arrière révélait le profil aquilin des Atréides.

Il s'était comporté de façon étrange, songea-t-elle. Il avait été *absent,* comme surgi d'entre les morts, à peine conscient de son retour, les yeux mi-clos, vagues. Cela lui avait rappelé ce qu'il lui avait dit à propos de leur régime saturé d'épice, qu'il provoquait l'accoutumance.

Cela aurait-il d'autres effets ? se demanda-t-elle. *Il a dit que cela avait quelque rapport avec ses facultés de prescience, mais il est resté étrangement silencieux quant à ses visions.*

Stilgar surgit de l'ombre à sa droite et s'avança vers les

brilleurs. Elle remarqua sa démarche prudente, féline, et la façon dont ses doigts couraient dans sa barbe.

Puis la peur jaillit en elle à l'instant même où ses sens lui révélaient les tensions qui entouraient Paul, les gestes raides des hommes, les positions rituelles.

« Ils ont mon soutien ! » gronda Stilgar.

Jessica reconnut celui qu'il affrontait : Jamis ! Les épaules de l'homme étaient roides. Il était plein de fureur.

Jamis, celui que Paul a terrassé ! songea-t-elle.

« Tu connais la règle, Stilgar », dit Jamis.

« Qui la connaît mieux que moi ? » rétorqua Stilgar, et elle lut l'apaisement dans sa voix, le désir de calmer.

« Je choisis le combat », gronda Jamis.

Jessica s'élança dans la caverne et agrippa le bras de Stilgar.

« Qu'y a-t-il ? »

« C'est la règle de l'amtal. Jamis exige la preuve que vous êtes ceux de la légende. »

« Elle doit être défiée, dit Jamis. Si son champion triomphe, alors c'est la vérité. Mais il est dit (son regard courut sur ceux qui se pressaient autour de lui) qu'elle ne choisira pas de champion parmi les Fremen... C'est donc qu'il l'accompagne ! »

Il veut un combat singulier avec Paul ! se dit-elle.

Elle lâcha le bras de Stilgar et esquissa un pas en avant.

« Je suis mon propre champion, dit-elle. Le sens est assez simple pour... »

« Vous ne nous dicterez pas nos règles ! lança Jamis. Si vous ne donnez pas d'autre preuve que celle que j'ai vue. Ce matin, Stilgar a très bien pu vous souffler ce qu'il fallait dire. Il a pu mettre dans votre esprit les paroles qui devaient nous tromper et vous n'avez eu qu'à les répéter. »

Je peux me défendre, songea-t-elle, *mais cela s'opposerait à leur interprétation de la légende.* Et, de nouveau, elle se demanda de quelle manière on avait pu déformer l'œuvre de la Missionaria Protectiva sur cette planète.

Stilgar la regardait. Lorsqu'il parla, ce fut d'une voix basse mais assez forte, cependant, pour qu'elle fût perçue de ceux qui les entouraient

« Jamis est homme à nourrir une rancune, Sayyadina. Votre fils l'a terrassé et.. »

« C'était un accident ! rugit Jamis. La sorcellerie jouait son rôle dans le Bassin de Tuono. Je vais le prouver maintenant ! »

«   et je l'ai terrassé moi aussi, poursuivit Stilgar. Par ce défi tahaddi, il cherche aussi bien à prendre sa revanche sur moi. Il y a en lui trop de violence pour qu'il soit jamais un bon chef, trop de ghafla, d'instabilité. Il prête sa bouche aux règles mais son cœur est au sarfa, à l'éloignement. Non, jamais il ne fera un chef de valeur. Je l'ai épargné jusque-là parce qu'il est un bon combattant, mais cette colère qui le creuse le rend dangereux pour les siens. »

« Stilgaarrr ! » gronda Jamis.

Et Jessica comprit ce que faisait Stilgar. Il essayait de provoquer la fureur de Jamis, de détourner sa colère.

Il se retourna vers Jamis et, de nouveau, elle perçut cette volonté de calme dans sa voix rude. « Jamis ! Ce n'est qu'un enfant. Il... »

« Tu l'as traité d'homme. Et sa mère a dit qu'il avait affronté le gom jabbar. Sa chair est ferme et gorgée d'eau. L'homme qui a porté leurs bagages a dit qu'ils recelaient des jolitres d'eau. Des jolitres ! Et nous continuons de boire l'eau de nos poches pendant que la rosée se forme sur leur peau »

Stilgar se tourna vers Jessica. « Est-ce vrai ? Y a-t-il de l'eau dans vos bagages ? »

« Oui. »

« Des jolitres ? »

« Deux. »

« Qu'entendiez-vous faire avec une telle richesse ? »

Une richesse ? pensa-t-elle. Elle secoua la tête, consciente du froid soudain dans la voix de Stilgar.

« Là où je suis née, l'eau tombe du ciel et court sur la terre en rivières, dit-elle. Là où je suis née, les océans sont si vastes que l'on ne peut, d'un rivage apercevoir l'autre. Je n'ai pas été éduquée dans votre discipline de l'eau. Jamais je n'ai dû penser ainsi »

Tout autour d'eux, il y eut comme un soupir : « L'eau tombe du ciel... elle *court sur la terre.* »

« Saviez-vous que, parmi nous, il en est qui ont perdu l'eau de leurs poches par accident et qui seront en péril avant que nous atteignions Tabr cette nuit ? »

« Comment aurais-je pu le savoir ? dit-elle. S'ils en ont besoin, donnez-leur l'eau que nous avons. »

« Est-ce là ce que vous entendiez faire avec cette richesse ? »

« J'entendais sauver la vie. »

« Alors, nous acceptons votre bénédiction, Sayyadina. »

« Vous ne nous achèterez pas avec votre eau, dit Jamis. Pas plus que tu ne détourneras ma fureur sur toi, Stilgar. Je comprends : Tu veux que je te défie avant même d'avoir prouvé mes dires. »

Stilgar lui fit face. « Es-tu décidé à proposer ce combat à un enfant, Jamis ? » Sa voix, soudain, s'était chargée de venin

« Elle doit être défiée. »

« Même si elle a mon soutien ? »

« J'invoque la règle de l'amtal. C'est mon droit. »

Stilgar acquiesça. « En ce cas, si le garçon ne t'abat point, c'est mon couteau que tu rencontreras ensuite. Et, cette fois, je ne l'abaisserai point ainsi que je l'ai fait auparavant. »

« Vous ne pouvez faire cela, dit Jessica, Paul n'est que... »

« Vous ne pouvez intervenir, Sayyadina, dit Stilgar. Oh, je sais que vous pouvez me vaincre comme n'importe lequel d'entre nous, mais vous ne pouvez venir à bout de tous à la fois. Et il doit en être ainsi. C'est la règle de l'amtal. »

Elle demeura silencieuse, le regardant à la lueur verte des brilleurs, découvrant la raideur démoniaque qui avait tout à coup envahi ses traits. Puis ses yeux se portèrent sur Jamis, sur le froncement de ses sourcils et elle songea : *J'aurais dû voir cela avant. Il est du genre silencieux, il rumine. Il travaille au plus profond de lui-même. J'aurais dû être prête.*

« Si vous frappez mon fils, dit-elle, vous devrez m'affronter. Je vous défie dès maintenant. Je vous abattrai dans un... »

« Mère ! (Paul s'avança, posa la main sur son bras.) Si je m'expliquais avec Jamis... »

« S'expliquer ! » lança Jamis.

Paul se tut. Il se détourna et le regarda. Il ne ressentait pas la moindre peur. Jamis lui semblait maladroit dans le moindre de ses mouvements et, la nuit précédente, il était tombé si vite. Mais Paul percevait encore le bouillonnement du nexus de la caverne, il se souvenait encore de sa propre image, du couteau planté dans son corps. Les chemins de fuite, de part et d'autre de cette vision, avaient été si rares...

« Sayyadina, dit Stilgar, il faut que vous reculiez vers... »

« Cesse de l'appeler Sayyadina ! s'écria Jamis. Cela reste encore à prouver. Elle connaît la prière ? Et alors ? Parmi nous, n'importe quel enfant la connaît, non ? »

Il en a assez dit, songea Jessica. *Je connais la clé. D'un mot, je pourrais l'immobiliser.* Elle hésita. *Mais je ne pourrais les immobiliser tous.*

« Alors tu vas me répondre », dit-elle, et elle mit un gémissement dans sa voix et un appel au dernier mot. Jamis la regarda avec crainte.

« Je vais t'apprendre la souffrance, reprit-elle sur le même ton. Souviens-toi de cela quand tu combattras. Ta souffrance sera telle que le gom jabbar, en comparaison, sera comme une joie. Tu te débattras de tous tes... »

« Elle essaye de m'ensorceler ! s'écria Jamis. (Il porta le poing droit derrière son oreille.) J'invoque le silence sur elle ! »

« Qu'il en soit donc ainsi, dit Stilgar. (Il lança à Jessica un regard impératif.) Si vous parlez à nouveau, Sayyadina, nous saurons que votre sorcellerie agit et nous vous rejetterons. » Et, d'un signe de tête, il lui fit signe de se retirer.

Des mains la prirent, la poussèrent sans douceur. Elle vit Paul séparé des autres et Chani au visage d'elfe qui chuchotait à son oreille tout en montrant Jamis de la tête.

Le cercle se forma. De nouveaux brilleurs furent amenés qui, tous, irradiaient une clarté jaune.

Jamis s'avança à l'intérieur du cercle. Il ôta sa robe et la tendit à un homme, dans l'assistance. Il n'était plus vêtu que de son distille, taché par endroits. Il pencha la tête vers son épaule, but au tube puis se redressa et entreprit de défaire également son distille. Il le tendit avec précaution à la foule. Puis il attendit. Il n'avait plus que ses sous-vêtements. Ses pieds étaient étroitement enveloppés de tissu. Il tenait son krys dans la main droite.

Jessica observait Chani, la femme-enfant, qui aidait Paul et lui tendait un krys. Il prit l'arme, en apprécia le poids, l'équilibre. Jessica songea qu'il avait été éduqué dans le prana et le bindu, le nerf et la fibre. Que le combat lui avait été enseigné à une école mortelle, par des hommes tels que Ducan Idaho et Gurney Halleck, des hommes qui étaient devenus des légendes de leur vivant. Il connaissait les ruses Bene Gesserit et semblait confiant, assuré.

Mais il n'a que quinze ans, se dit-elle. *Et il n'a pas de bouclier. Il faut que j'arrête ça. Il doit y avoir un moyen...* Elle leva les yeux et rencontra le regard de Stilgar.

« Vous ne pouvez rien arrêter, dit-il. Vous ne pouvez pas parler. »

Elle posa la main sur sa bouche et songea : *J'ai instillé la peur dans l'esprit de Jamis. Peut-être cela va-t-il le ralentir... Si seulement je pouvais prier... prier vraiment...*

Maintenant, Paul était seul à l'intérieur du cercle. Il portait la tenue de combat qu'il avait gardée sous son distille et tenait le krys dans sa main droite. Ses pieds étaient nus sur le sol sableux. Idaho lui avait répété tant et tant de fois : « *Quand tu doutes du sol, reste pieds nus.* » Et il entendait encore les paroles de Chani : « *Après une parade, Jamis se porte sur sa droite. C'est une habitude que nous avons tous remarquée. Et il visera tes yeux pour te désorienter avant de frapper. Il se bat des deux mains. Prends garde lorsqu'il passe son couteau de l'une à l'autre.* »

Mais si intense avait été son entraînement, jour après jour, heure après heure, qu'il lui semblait sentir par tout son corps le mécanisme de réaction instinctive que l'on avait imprimé en lui.

Et il se souvenait des recommandations de Gurney Halleck : « *Le bon combattant au couteau doit penser simultanément à la pointe, à la lame et à sa garde. La pointe peut trancher ; la lame peut percer et la garde peut aussi bien prendre au piège la lame de l'adversaire.* »

Il regarda le krys. Pas de garde. Rien que l'anneau du manche pour protéger la main. Et il prit conscience, soudain, qu'il ignorait la résistance de la lame. Il ne savait même pas s'il était possible de la briser.

Jamis s'avança sur la droite, suivant le cercle.

Paul s'accroupit. Il pensait qu'il n'avait pas de bouclier. Alors que tout son entraînement au combat reposait sur la présence de cet invisible champ autour de lui qui exigeait la plus grande rapidité en défense et une lenteur subtilement calculée pour l'attaque. En dépit des avertissements constants de ceux qui l'avaient éduqué, il se rendait compte à présent que le bouclier faisait intimement partie de ses réactions.

Jamis lança le défi rituel : « Puisse le couteau trancher et briser ! »

Alors, la lame doit se casser, pensa Paul.

Jamis, lui non plus, n'avait pas de bouclier. Mais il n'y avait pas été habitué.

Paul regarda son adversaire. Son corps paraissait fait de cuir tendu sur un squelette desséché. Dans la lumière des brilleurs, son krys jetait des reflets laiteux.

La peur monta en lui. Tout à coup, il lui semblait être seul et nu dans la clarté jaune, au milieu de ce cercle de Fremen. La prescience l'avait empli d'innombrables visions, elle lui avait fait entrevoir les grands courants de l'avenir, les ressorts des décisions, mais ceci était maintenant. La mort était présente dans un nombre infini de probabilités. En cet instant, n'importe quoi pouvait modifier l'avenir. Il suffisait que quelqu'un tousse, que son attention soit détournée... Par un changement de lumière, une ombre...

J'ai peur, se dit Paul.

Et il se mit à se déplacer en même temps que Jamis, autour du cercle se répétant la litanie Bene Gesserit contre la peur : « *La peur tue l'esprit...* » Ce fut comme une eau fraîche. Il sentit ses muscles se dénouer. Il était calme, prêt.

« Je vais baigner mon couteau dans ton sang », dit Jamis. Et, dans l'instant où il prononçait le dernier mot, il bondit.

Jessica réprima un cri.

Mais, là où l'homme avait frappé, il n'y avait plus rien. Paul était maintenant derrière Jamis qui offrait son dos à sa lame.

Frappe, Paul ! Maintenant ! hurla-t-elle dans son esprit.

Il frappa. Avec une lenteur calculée, en un geste merveilleusement fluide, si lentement que cela donna à Jamis la marge dont il avait besoin pour esquiver, reculer et se porter sur sa droite.

Paul battit en retraite, presque accroupi. « Il faut d'abord que tu trouves mon sang », dit-il.

Jessica avait décelé l'influence du bouclier dans les manœuvres de son fils et elle comprenait soudain le danger que recelait cette arme à double tranchant. Les réactions de Paul avaient la vivacité de la jeunesse et elles étaient le résultat d'un entraînement poussé à un degré inconnu des Fremen. Et cet entraînement se lisait dans les attaques, faites pour percer la barrière du bouclier qui repoussait les coups rapides, qui exigeait de la ruse et un total contrôle.

Paul l'a-t-il compris ? Il le faut !

Jamis attaqua de nouveau. Ses yeux avaient un éclat sombre. Un instant, son corps ne fut qu'une trace jaune dans la clarté des brilleurs.

Encore une fois, Paul se déroba et riposta trop lentement.

Et encore.

Et encore.

Et encore.

Chaque fois, le coup arrivait avec une fraction de seconde de retard.

Jessica s'aperçut alors d'une chose et elle espéra que Jamis, lui, ne l'avait pas vue. La défense de Paul était d'une terrible rapidité mais, à chaque parade, il prenait exactement la position qui lui aurait permis de dévier en partie le coup de son adversaire sur son bouclier.

« Votre fils jouerait-il avec ce pauvre fou ? » demanda Stilgar. Puis il leva la main avant que Jessica ait pu répondre et ajouta : « Excusez-moi. Il faut que vous gardiez le silence. »

Maintenant, les deux adversaires faisaient le tour du cercle, l'un en face de l'autre. Jamis pointait son couteau, le bras presque tendu. Paul, à demi accroupi, baissait le sien.

Une fois encore, Jamis bondit, attaquant sur la droite, là où Paul esquivait.

Au lieu de se dérober, Paul leva sa lame et l'utilisa pour contrer le coup de Jamis. Puis il s'effaça en pirouettant sur sa gauche avec une pensée reconnaissante pour l'avertissement de Chani.

Jamis rompit vers le centre du cercle en frottant sa main où perlait le sang. Ses yeux agrandis étaient comme deux puits noirs et, dans la pâle clarté, ils se posèrent sur Paul avec une méfiance nouvelle.

« Ah, celui-là a fait mal », murmura Stilgar.

Paul s'accroupit, en garde et, ainsi qu'on lui avait enseigné, interpella son adversaire blessé : « Abandonnes-tu ? »

« Aahh ! » gronda Jamis.

Un murmure de colère monta de l'assistance.

« Du calme ! lança Stilgar. Le garçon ignore nos règles ! (Puis, s'adressant à Paul.) Nul ne peut abandonner dans le tahaddi. La mort est sa seule conclusion. »

Jessica vit son fils se raidir. Et elle songea : *Il n'a jamais tué un homme ainsi... dans un combat au couteau. Pourra-t-il le faire ?*

Lentement, suivant le mouvement de Jamis, Paul se déplaça sur la droite. Le souvenir des variables qu'il avait entrevues dans le bouillonnement du temps revenait le troubler, maintenant. Sa perception nouvelle lui révélait que ce combat comportait trop de décisions en un court laps de temps pour qu'un chemin se dessine plus clairement entre tous ceux qui étaient probables.

106

Les variables se multipliaient. C'était pour cela que la caverne semblait un nexus flou dans le cours du temps. C'était comme un rocher géant dressé dans le flot, créant de nouveaux courants, des tourbillons.

« Finis-en, garçon, grommela Stilgar. Ne joue pas avec lui. »

Paul s'avança à l'intérieur du cercle, confiant en sa rapidité.

Et Jamis battit en retraite. Il comprenait soudain qu'il n'avait pas en face de lui un étranger vulnérable pris au piège du tahaddi, une proie facile pour le krys.

Jessica lut l'ombre du désespoir sur les traits du Fremen. *C'est maintenant que le danger est le plus grand,* se dit-elle. *Le désespoir peut l'inciter à n'importe quoi. Il vient de découvrir que ce n'est pas un enfant qu'il affronte mais une machine de combat entraînée depuis ses premiers jours. Maintenant, la peur que je lui ai instillée doit produire son effet.*

Et, tout au fond d'elle-même, elle éprouva de la pitié pour Jamis, une pitié dominée par la conscience du danger que courait son fils.

Jamis peut faire n'importe quoi... Un geste inattendu. Et elle se demanda si Paul avait entrevu cet avenir, s'il revivait une vision. Mais, dans ses mouvements, dans les gouttes de sueur qui perlaient à son front et sur ses épaules, dans la tension de ses muscles, elle lut pour la première fois l'incertitude dont était marqué le pouvoir de son fils.

Paul cherchait le combat, maintenant. Mais il continuait de se déplacer sans attaquer. Il avait décelé la peur chez son adversaire. La voix de Duncan Idaho s'éleva dans sa mémoire : « *Lorsque ton adversaire a peur de toi, laisse les rênes libres à sa peur pour qu'elle fasse son œuvre. Qu'elle devienne terreur. L'homme qui a peur lutte avec lui-même. A la fin, il attaque par désespoir. C'est l'instant le plus dangereux mais, en général, l'homme terrifié commet une erreur fatale. Tu as été éduqué pour déceler ce genre d'erreur et en profiter.* »

Une rumeur monta de l'assistance.

Ils croient que Paul joue avec Jamis, se dit Jessica. *Ils pensent qu'il est inutilement cruel.*

Mais elle sentait aussi le courant d'excitation qui circulait parmi les Fremen, leur joie devant le spectacle. Et la pression qui montait en Jamis. Elle sentit le moment précis où cette pression se fit trop forte... comme Jamis lui-même... ou Paul.

Jamis bondit, feinta et frappa de la main droite. Mais sa main était vide. Le couteau était passé dans l'autre main.

Jessica se figea.

Mais Paul avait été averti par Chani : « *Il se bat des deux mains.* » Ce détail s'était gravé en lui. « *Pense au couteau et non à la main qui le tient,* lui avait souvent répété Gurney Halleck. *Le couteau est plus dangereux que la main et il peut être aussi bien dans l'une ou dans l'autre.* »

Et il avait vu l'erreur de Jamis, le déséquilibre qui le retarderait le temps d'un battement de cœur, après ce bond qui ne visait qu'à le désorienter et à dissimuler le changement de main du couteau.

Tout se passait comme dans la salle d'entraînement, si l'on oubliait l'éclat jaune des brilleurs et la multitude des yeux noirs, tout autour. Les boucliers ne comptaient plus quand les propres mouvements du corps pouvaient être utilisés contre lui. Paul passa son couteau d'une main à l'autre en un éclair, se jeta de côté et frappa à l'endroit précis où allait se trouver la poitrine de son adversaire. Il recula pour le voir s'effondrer.

Jamis tomba la face contre terre. Il émit un râle, essaya de tourner son visage vers Paul puis demeura immobile. Ses yeux morts étaient deux perles sombres.

« *Tuer avec la pointe n'est pas très artistique,* avait dit Idaho, une fois, *mais que cette considération ne freine pas ta main quand l'occasion se présentera.* »

Les Fremen se précipitèrent dans le cercle, bousculant Paul, se pressant autour du corps de Jamis dans une activité frénétique. Puis un groupe repartit vers les profondeurs de la caverne, emportant un fardeau enveloppé dans une robe.

Sur le sol, il n'y avait plus rien.

Jessica s'élança vers son fils au sein d'une mer de robes, de dos à l'âcre odeur, une mer étrangement silencieuse.

Voici le moment terrible, se dit-elle. *Il a tué un homme grâce à la supériorité évidente de ses muscles et de son esprit. Il ne faut pas qu'il grandisse en s'en réjouissant.*

Elle se fraya un chemin jusqu'à l'étroit espace où deux Fremen aidaient Paul à remettre son distille.

Elle regarda son fils. Il avait les yeux brillants, le souffle court. Il semblait accepter l'aide des Fremen avec indifférence.

« Il s'est battu avec Jamis et il n'a pas une marque », dit l'un d'eux.

Chani se tenait à l'écart, les yeux fixés sur Paul, et Jessica devina son excitation et vit l'admiration sur son visage d'elfe.

Il faut faire vite, songea-t-elle.

Elle mit tout le mépris possible dans sa voix et son attitude et demanda : « Eh bien... Quelle impression ressent le tueur ? »

Paul se raidit comme si elle venait de le frapper. Il affronta le regard froid de sa mère et le sang afflua à son visage. Involontairement, il tourna les yeux vers l'endroit où s'était effondré Jamis.

Stilgar surgit à côté de Jessica. Il revenait des profondeurs de la caverne où l'on avait emmené le corps de Jamis. Il s'adressa à Paul sur un ton mesuré, froid : « Lorsque le moment viendra où tu me défieras et tenteras de prendre ma burda, n'espère pas jouer avec moi ainsi que tu l'as fait avec Jamis. »

Jessica vit que les paroles de Stilgar, après les siennes, s'imprimaient en Paul, accomplissaient leur œuvre. L'erreur que commettaient ces gens devenait utile, à présent. Tout comme son fils, Jessica observa les visages qui les entouraient et elle vit ce qu'il voyait. De l'admiration, bien sûr, et de la peur... mais aussi... du dégoût. Elle regarda Stilgar et comprit la raison de son fatalisme, la façon dont il avait assisté au combat.

« Vous savez ce qu'il en était », dit Paul en regardant sa mère.

Elle perçut dans sa voix le remords, le retour à la raison et promena son regard sur ceux qui les entouraient en déclarant

« Paul n'avait jamais encore tué un homme avec une arme blanche. »

Stilgar lui fit face, incrédule.

« Je ne jouais pas avec lui, dit Paul. (Il s'avança devant sa mère, ajusta sa robe et regarda la marque sombre du sang de Jamis sur le sol de la caverne.) Je ne voulais pas le tuer. »

Jessica sentit que, lentement, Stilgar acceptait la vérité. Il porta une main aux veines saillantes à sa barbe et il y avait du soulagement dans ce geste. Des murmures coururent parmi les Fremen.

« C'est pour cela que tu l'as invité à abandonner, dit Stilgar. Je vois. Nos coutumes sont différentes et tu en comprendras la raison. Je pensais que nous avions accepté un scorpion parmi nous... (Il hésita et ajouta :) Je ne t'appellerai plus garçon. »

Une voix lança : « Il lui faut un nom, Stil. »

Stilgar acquiesça. « Je discerne la puissance en toi... une puissance semblable à celle d'un pilier. (A nouveau, il hésita avant de poursuivre.) Nous te connaîtrons sous le nom d'Usul, la base de pilier. Ce sera ton nom secret, ton nom de soldat. Nous seuls du Sietch Tabr pourrons l'employer... Usul. »

Des voix murmurèrent : « Bien choisi... Cette force... elle nous portera chance. » Et Jessica comprit qu'ils acceptaient son fils et que, en même temps, ils l'acceptaient elle aussi. Elle était vraiment la Sayyadina.

« A présent, dit encore Stilgar, quel nom d'homme veux-tu que nous choisissions devant tous ? »

Paul jeta un coup d'œil à sa mère, puis regarda de nouveau Stilgar. Des fragments de cet instant correspondaient à sa *mémoire* presciente, mais les différences lui semblaient physiques. C'était comme une pression puissante qui le forçait à franchir l'étroite porte du présent.

« Quel nom donnez-vous à la petite souris, celle qui saute ? » demanda-t-il, se souvenant des petits bruits de pattes dans le Bassin de Tuono et mimant de la main.

Des rires s'élevèrent parmi les Fremen.

« Nous l'appelons muad'dib », dit Stilgar.

Jessica se raidit. Paul lui avait dit ce nom, déjà. C'était ainsi, selon lui, que les Fremen l'accepteraient et l'appelleraient. Tout soudain, elle eut à la fois peur de lui et peur pour lui.

Paul sentait qu'il jouait en cet instant un rôle qu'il avait joué d'innombrables fois dans son esprit... Pourtant... il y avait des différences. Il était sur un sommet vacillant, riche d'expérience, de connaissance, mais tout, autour de lui, n'était qu'abysses.

Il y eut à nouveau la vision des légions fanatiques suivant la bannière noire et verte des Atréides, laissant dans l'univers un sillage d'incendies et de pillages au nom de leur prophète, Muad'Dib.

Cela ne doit pas être, se dit-il.

« Est-ce le nom que tu souhaites, Muad'Dib ? » demanda Stilgar.

« Je suis un Atréides, dit-il, très bas, avant d'ajouter d'une voix forte : Il n'est pas juste que j'abandonne entièrement le nom que m'a donné mon père. Pourrais-je porter parmi vous le nom de Paul-Muad'Dib ? »

« Tu es Paul-Muad'Dib », fit Stilgar.

Ce n'était dans aucune de mes visions, pensa Paul. *J'ai agi différemment.*

Mais, autour de lui, les abysses demeuraient.

A nouveau, il y eut des murmures dans la foule. « La sagesse et la puissance... On ne peut demander plus... C'est certainement la légende... Lisan al-Gaib... Lisan al-Gaib... »

« Je vais te dire une chose à propos de ton nouveau nom, dit Stilgar. Ton choix nous plaît. Muad'Dib a la sagesse du désert. Muad'Dib crée elle-même son eau. Muad'Dib se cache du soleil et voyage dans la fraîcheur de la nuit. Muad'Dib est féconde et se multiplie à la face de la terre. Muad'Dib est le nom de « ceux qui instruisent les enfants ». Voilà une base solide sur laquelle construire ta vie, Paul-Muad'Dib, Usul parmi nous. Nous te souhaitons la bienvenue. »

Il toucha le front de Paul de la paume de sa main, le prit entre ses bras et murmura : « Usul. » Puis il se retira et ce fut le tour d'un autre Fremen d'étreindre Paul en prononçant son nom : « Usul. » Et d'un autre encore. Tour à tour, tous les

hommes répétèrent le geste, le nom. « Usul. Usul… Usul. »
Paul prit conscience que, déjà, il pouvait en reconnaître
certains et se rappeler leur nom. Et puis, Chani pressa sa joue
contre la sienne et, à son tour, dit son nom.

Puis il se retrouva face à Stilgar qui déclara : « A présent, tu
appartiens à l'Ichwan Bedwine, notre frère. (Son visage se
durcit et sa voix se fit impérative.) Maintenant, Paul-Muad-
'Dib, tu vas resserrer ce distille. (Il se tourna vers Chani.)
Chani ! Les filtres de ses narines sont aussi mal mis que
possible ! Je croyais t'avoir ordonné de veiller sur lui ! »

« Je n'avais pas d'embouts, Stil. Et il y avait Jamis. . »

« Ça suffit ! »

« Je vais lui donner un des miens, dit-elle. Je pourrai me
débrouiller avec un seul jusqu'à… »

« Non. Je sais que nous avons des pièces de rechange. Où
sont-elles ? Sommes-nous une troupe ou une horde de sauvages ? »

Des mains se tendirent. Stilgar choisit quatre objets durs,
d'aspect fibreux, et les remit à Chani. « Occupe-toi d'Usul et
de la Sayyadina. »

« Et l'eau, Stil ? demanda une voix dans la troupe. Ils en ont
des jolitres dans leurs bagages. »

« Je connais tes besoins, Farok », dit Stilgar. Il regarda
Jessica qui acquiesça.

« Prenez-en un pour ceux qui en ont besoin, reprit Stilgar.
Maître d'eau… Où y a-t-il un maître d'eau ? Ah, Shimoom.
veille à mesurer la quantité nécessaire, et rien de plus. Cette
eau est la propriété de la Sayyadina et lui sera remboursée au
sietch au taux du désert, droits d'emballage déduits. »

« Qu'est-ce que le remboursement au taux du désert ? »
demanda Jessica.

« Dix pour un », dit Stilgar.

« Mais… »

« C'est une règle sage. Vous le comprendrez. »

Dans un froissement de robes, des hommes allèrent chercher l'eau.

Stilgar leva la main et le silence s'établit. « Quant à Jamis, dit-il, la cérémonie sera pleinement célébrée. Il était notre compagnon et frère de l'Ichwan Bedwine. Nous ne nous détournerons pas sans le respect dû à celui qui a mis notre chance à l'épreuve par son tahaddi. Le rite aura lieu... au crépuscule, quand l'ombre le recouvrira. »

Paul, en entendant ces mots, sentit qu'il plongeait une fois encore dans les abysses... Un moment aveugle. Dans son esprit, il n'y avait nul passé pour cet avenir... si ce n'est... Oui, il pouvait encore distinguer la bannière verte et noire des Atréides flottant... quelque part au-devant de la route... les mots sanglants du jihad et les légions fanatiques.

Cela ne sera pas, se dit-il. *Je ne peux le permettre.*

Dieu a créé Arrakis pour éprouver les fidèles.

Extrait de La Sagesse de Muad'Dib,
par la Princesse Irulan.

DANS l'obscurité de la caverne, Jessica entendit crisser le sable sous les pas de ceux qui s'avançaient en même temps qu'elle percevait les lointains cris d'oiseaux qui, avait dit Stilgar, étaient les appels des sentinelles.

Les sceaux de plastique furent ôtés des ouvertures et Jessica aperçut les ombres du soir qui, au-dehors, glissaient sur le rocher depuis le bassin. Elle sentit le retrait du jour dans la chaleur sèche et les ombres. Bientôt, elle le savait, ses perceptions aiguisées lui permettraient, comme les Fremen, de déceler le plus infime changement d'humidité dans l'air.

Elle se souvint avec quelle hâte ils avaient ajusté leurs distilles au moment de l'ouverture.

Loin dans la caverne, une voix entonna :

« Ima trava okolo !
I korenka okolo ! »

Elle traduisit : « *Voici les cendres ! Et voici les racines !* »
La cérémonie funèbre commençait.

114

Le regard de Jessica se posa sur le couchant, sur les strates de couleurs déployées dans le ciel. Les ombres qui, là-bas, s'étendaient sur les dunes et les rochers étaient celles de la nuit.

Pourtant, la chaleur ne mourait pas.

La chaleur la forçait à penser à l'eau et à ces gens qui avaient été entraînés à n'avoir soif qu'à des moments précis.

La soif.

Elle se souvenait des vagues sous le clair de lune de Caladan, de la robe blanche de l'écume sur les récifs, du vent chargé d'embruns. A présent, la brise qui venait du désert desséchait la peau nue de ses joues et de son menton. Les nouveaux embouts, dans ses narines, l'irritaient et elle avait une conscience aiguë de la présence du tube qui plongeait dans le distille et récupérait l'humidité de sa respiration.

Le distille lui-même était une étuve.

« *Votre vêtement sera plus confortable lorsque votre corps aura moins d'eau* », avait dit Stilgar.

Elle savait qu'il avait raison mais elle ne se sentait pas pour autant à l'aise en ce moment précis. Inconsciemment, l'eau la préoccupait et cela pesait sur son esprit. *Non,* corrigea-t-elle aussitôt. *C'est* L'HUMIDITÉ *qui me préoccupe.*

Et c'était là un problème plus profond et plus subtil.

Elle entendit des pas qui s'approchaient et se retourna pour voir Paul surgir des profondeurs de la caverne, suivi de Chani.

Autre chose encore, songea-t-elle. *Il faut que je l'avertisse quant à leurs femmes. Ce n'est pas parmi elles qu'il peut trouver une épouse digne d'un Duc. Une concubine, oui, mais pas une épouse.*

Puis elle pensa à elle-même. *M'a-t-il gagné à ses projets ?* Elle avait été si bien conditionnée. *Je peux penser aux nécessités matrimoniales de la royauté sans évoquer mon propre concubinage. Pourtant... j'étais plus qu'une concubine.*

« Mère. »

Paul était devant elle, Chani à ses côtés.

« Mère, savez-vous ce qu'ils font là-bas ? »

Elle leva les yeux et rencontra son regard sombre sous le capuchon.

« Je crois le savoir. »

« Chani m'a montré... parce que je suis censé assister à cela et donner mon... accord pour la mesure de l'eau. »

Jessica regarda Chani.

« Ils récupèrent l'eau de Jamis, dit Chani. Sa voix aiguë était rendue nasillarde par les embouts de ses narines. Telle est la règle. La chair d'un homme lui appartient, mais son eau revient à sa tribu, sauf dans le combat. »

« Ils disent que cette eau est à moi », dit Paul.

Jessica se demanda pourquoi cela éveillait soudain sa méfiance.

« L'eau du combat appartient au vainqueur, reprit Chani. Parce qu'il faut se battre sans distille. Le vainqueur a le droit de récupérer l'eau qu'il a perdue durant le combat. »

« Je ne veux pas de cette eau », grommela Paul. Il sentait qu'il appartenait à de multiples images qui se déplaçaient simultanément de façon heurtée, déconcertante pour la vision intérieure. Il n'était pas sûr de ce qu'il ferait mais il avait une certitude : il ne voulait pas de l'eau distillée à partir du corps de Jamis.

« Mais, dit Chani, c'est... de l'eau. »

Jessica s'émerveilla du ton qu'elle avait employé pour prononcer ce simple mot. « *Eau.* » Elle y avait mis tant de significations. Il existait un axiome Bene Gesserit qui disait : « *La survie est la capacité de nager en des eaux étranges.* » Et Jessica songea : *En ces eaux étranges, Paul et moi nous devons trouver les courants favorables... si nous voulons survivre.*

« Accepte cette eau », dit-elle.

Il reconnut ce ton. Elle l'avait déjà employé avec son père lorsqu'elle lui avait dit d'accepter la somme importante qu'on lui offrait en échange de sa participation à une entreprise risquée, simplement parce que l'argent maintenait la puissance des Atréides.

Sur Arrakis, l'eau était de l'argent. Elle l'avait compris.

Paul demeura silencieux. Il savait qu'il ferait ce qu'elle lui avait dit de faire, non parce que c'était un ordre mais parce que le ton qu'elle avait employé le forçait à réfléchir. Refuser l'eau serait refuser les pratiques fremen.

Il retrouva les mots du Kalima 467 de la Bible Catholique Orange de Yueh et dit : « De l'eau vient toute vie. »

Jessica le regarda. *Où a-t-il appris cela ?* se demanda-t-elle. *Il n'a jamais étudié les mystères.*

« Ainsi est-il dit, fit Chani. Giuduchar mantene : Il est écrit dans le Shah-Nama que l'eau fut la première chose créée. »

Jessica eut un frisson soudain dont elle ignorait la raison et ceci, plus que sa réaction, l'inquiétait. Elle se détourna pour dissimuler son trouble à l'instant même où se couchait le soleil. Un orage de couleurs s'enfla dans le ciel.

« C'est le moment ! lança la voix de Stilgar de la caverne. L'arme de Jamis a été tuée. Jamis a été appelé par Lui, le Shaihulud qui a ordonné les phases des lunes qui chaque jour passent pour n'être plus à la fin que des brindilles desséchées. (Stilgar baissa la voix.) Ainsi en est-il de Jamis. »

Le silence s'établit dans la caverne.

Dans l'ombre, Jessica distinguait Stilgar comme une fantomatique silhouette grise. A nouveau, son regard revint sur le bassin. Elle sentit monter la fraîcheur vers son visage.

« Les amis de Jamis vont approcher », dit Stilgar.

Derrière Jessica, des hommes se mirent en mouvement, tendirent un rideau devant l'entrée. Un unique brilleur fut allumé au fond de la caverne. Sa clarté jaune esquissa les contours des visages. Jessica prêta l'oreille au lent froissement des robes.

Chani fit un pas en avant, comme attirée par la lumière.

Jessica se pencha vers Paul et murmura à son oreille, dans le code familial : « Suis-les. Fais ce qu'ils font. Ce ne sera qu'une simple cérémonie pour l'apaisement de l'âme de Jamis. »

Ce sera plus que cela, songea Paul. Il éprouvait une sensation de torsion, comme s'il essayait au fond de sa conscience de saisir quelque chose qui bougeait pour l'immobiliser.

117

Chani se glissa à côté de Jessica et lui prit la main. « Venez, Sayyadina. Nous devons prendre place à l'écart. »

Paul les regarda disparaître entre les ombres, le laissant seul. Il se sentit abandonné.

Les hommes qui avaient mis le rideau en place l'encadrèrent.

« Viens, Usul. »

Il les laissa le guider, le pousser à l'intérieur du cercle qui s'était formé autour de Stilgar, immobile sous le brilleur, auprès d'un amas aux formes anguleuses que recouvrait une robe.

Sur un geste de Stilgar, l'assistance s'accroupit dans un bruissement de robes. Paul fit de même, sans quitter Stilgar des yeux. Sous le brilleur, ses yeux devenaient deux puits noirs. Près de son cou, l'étoffe verte brillait. Puis, Paul baissa le regard sur ce qui se trouvait aux pieds de Stilgar et il reconnut le manche d'une balisette.

« L'esprit quitte l'eau du corps lorsque se lève la première lune, dit Stilgar. Ainsi est-il dit. Lorsque se lèvera la première lune, cette nuit, qui appellera-t-elle ? »

« Jamis », psalmodia l'assistance.

Stilgar pivota sur un talon et son regard glissa de visage en visage. « J'étais un ami de Jamis, dit-il. Au Trou-dans-le Rocher, lorsque l'avion-faucon a fondu sur nous, c'est Jamis qui m'a poussé à l'abri. »

Il se baissa, souleva la robe qui recouvrait l'amas et dit : « En tant qu'ami de Jamis, je prends cette robe. C'est le droit du chef. » Il se redressa, mit le vêtement sur son épaule.

A présent, Paul découvrait tous les objets entassés là. L'éclat gris d'un distille, un jolitre usé, un mouchoir et un petit livre, un manche de krys, un fourreau vide, un paquet enveloppé de tissu, un paracompas, un distrans, un marteleur, une pile d'hameçons métalliques gros comme le poing, des petits rochers dans un fragment d'étoffe, des plumes liées ensemble, la balisette, posée à côté...

Ainsi, Jamis jouait de la balisette, songea-t-il. Et il se souvint de Gurney Halleck, de tout ce qu'il avait perdu. L'avenir qu'il

118

avait entrevu lui avait révélé certaines lignes de probabilités conduisant à une rencontre avec Gurney, mais ces lignes étaient rares et, chaque fois, l'image de la rencontre avait été sombre, brumeuse. Cela le troublait. Il restait perplexe devant le facteur d'incertitude qui habitait son pouvoir. *Cela signifie-t-il que je ferai quelque chose... que je pourrais faire quelque chose... qui amènera... amènerait... la fin de Gurney... ou son retour à la vie... ou...*

Il secoua la tête.

A nouveau, Stilgar se pencha sur l'amas d'objets.

« Pour la femme de Jamis et pour les gardes », dit-il en choisissant les petits rochers et le livre.

« Le droit du chef », répondit la foule.

« Le marqueur du service à café de Jamis, reprit Stilgar en prenant un petit disque de métal vert. A notre retour au sietch, il sera offert à Usul durant la cérémonie qui sied. »

« Le droit du chef. »

Enfin, Stilgar saisit le manche de krys et dit : « Pour la plaine funèbre. »

« Pour la plaine funèbre », firent les voix en écho.

Debout dans le cercle, en face de son fils, Jessica hocha la tête. Elle reconnaissait la source ancienne du rite. *La rencontre entre l'ignorance et la connaissance... Entre la brutalité et la culture... Tout est dans la dignité avec laquelle nous traitons nos morts.* Elle regarda Paul. *Comprend-il cela ? Sait-il ce qu'il faut faire ?*

« Nous sommes les amis de Jamis, reprit Stilgar. Nous ne pleurons pas nos morts comme une bande de garvarg. »

A gauche de Paul, un homme à la barbe grise se leva. « J'étais un ami de Jamis, dit-il. (Il s'avança vers la pile d'objets et prit le distrans.) Lorsque notre eau vint à manquer au siège des Deux Oiseaux, Jamis sut partager. » Et il regagna sa place dans le cercle.

Suis-je censé dire que j'étais un ami de Jamis ? se demanda Paul. *Attendent-ils que je choisisse quelque chose ?* Il vit les visages qui se tournaient vers lui, furtivement. *Est-ce cela qu'ils attendent ?*

De l'autre côté du cercle, un second homme se leva et alla prendre le paracompas. « J'étais un ami de Jamis, dit-il. Lorsque la patrouille nous surprit à l'Anse de la Colline et que je fus blessé, c'est Jamis, en détournant l'attention sur lui, qui permit de sauver tous ceux qui avaient été blessés. » Tout comme le premier, il regagna sa place.

A nouveau, Paul vit des visages se tourner vers lui. Il y lut l'attente et baissa les yeux. Un coude le toucha et une voix lui souffla : « Amènerais-tu la destruction sur nous ? »

Comment dire que j'étais son ami ? se dit-il.

Une nouvelle silhouette se dressa, s'avança dans la lumière et, sous le capuchon, Paul vit le visage de sa mère. Elle prit un mouchoir dans l'amas d'objets et dit : « J'étais une amie de Jamis. Lorsque l'esprit des esprits qui était en lui vit le besoin de vérité, cet esprit se retira de lui et épargna mon fils. » Elle reprit sa place dans le cercle.

Et Paul se souvint du mépris qu'il y avait eu dans sa voix lorsque, après le combat, elle lui avait dit : « *Quelle impression ressent le tueur ?* »

Une fois encore, les visages se tournèrent vers lui, une fois encore, il décela la peur, la colère. Il se souvint soudain d'une bobine que lui avait projetée sa mère. *Le Culte des Morts.* Maintenant, il savait ce qu'il devait faire.

Lentement, il se leva.

Un soupir courut dans le cercle.

Comme il s'avançait vers le centre, il eut l'impression que son *moi* s'effaçait progressivement. C'était comme s'il eût perdu un fragment de lui-même qu'il devait retrouver ici. Il se pencha sur l'entassement d'objets, prit la balisette. Une corde résonna doucement.

« J'étais un ami de Jamis », murmura Paul. Il sentit alors les larmes qui brûlaient ses yeux et sa voix se fit plus forte. « Jamis m'a appris que... lorsque l'on tue... on paie le prix... J'aurais aimé mieux le connaître. »

Sans rien voir, il retourna vers le cercle et se laissa aller sur le sol.

Une voix souffla : « Il a versé des larmes ! »

Et le murmure courut : « Usul a donné de l'humidité au mort ! »

Des doigts effleurèrent ses joues. Il entendit des exclamations étouffées.

Jessica percevait les origines profondes de ces réactions, les terribles inhibitions qui s'attachaient aux pleurs versés. Elle se répéta les mots qu'elle venait d'entendre : « *Il a donné de l'humidité au mort !* » C'était un cadeau au royaume des ombres. Des larmes qui seraient sacrées.

Rien, sur ce monde, ne lui avait encore donné à ce point le sens de la valeur suprême que représentait l'eau.

C'était plus que les marchands d'eau, plus que les peaux desséchées, les distilles, le rationnement. C'était la vie elle-même, avec son symbolisme et ses rites.

C'était l'eau.

« J'ai touché sa joue, murmura une voix. J'ai senti le don. »

Dans le premier instant, ces doigts qui effleuraient son visage éveillaient de la crainte en Paul. Ses doigts s'étaient roidis sur le manche de la balisette et il éprouvait contre sa paume la froide morsure des cordes. Puis il vit les visages, par-delà les mains qui se tendaient, les yeux qui interrogeaient.

Les mains se retirèrent alors. La cérémonie funèbre reprenait son cours. Pourtant, à présent, il y avait autour de Paul un espace nouveau. Il se trouvait isolé et c'était là le témoignage du respect de l'assistance.

Un chant profond s'éleva :

> « Regarde Shai-hulud,
> Celui qu'appelle la pleine lune ;
> Rouge est la nuit, le jour qui fuit,
> Couleur du sang qu'il répandit.
> Nous prions à la lune pleine,
> Pour que sur nous la chance vienne
> Et que nous touchions enfin au terme
> De notre quête en terre ferme. »

Aux pieds de Stilgar, maintenant, il ne restait plus qu'un sac

ventru. Il s'accroupit et plaça les paumes dessus. Quelqu'un
vint le rejoindre et Paul, sous l'ombre de son capuchon,
reconnut le visage de Chani.

« Jamis portait trente-trois litres, sept drachmes et trois
secondes trente de l'eau de la tribu, dit-elle. Je la bénis
maintenant en présence de la Sayyadina. Ekkeriakairi, voici
l'eau, fillissin-follasy, de Paul-Muad'Dib ! Kivi a-kavi, jamais
plus, nakalas ! nakelas ! que ce qui doit être mesuré et compté,
ukair-an ! par les battements du cœur jan-jan-jan de notre
ami... Jamis. »

Dans le brusque et profond silence, Chani se retourna et
regarda Paul en déclarant : « Où je suis flamme, que tu sois
brandon. Où je suis rosée, que tu sois eau ! »

« Bi-lal kaifa », psalmodia la troupe tout entière.

« A Paul-Muad'Dib va cette part, reprit Chani. Puisse-t-il la
garder pour la tribu et la préserver d'un insouciant usage.
Puisse-t-il être généreux dans les moments de besoin. Puisse-t-
il la transmettre en son temps pour le bien de la tribu. »

« Bi-lal kaifa. »

Il faut que j'accepte cette eau, se dit Paul. Lentement, il se
leva et s'approcha de Chani. Stilgar se redressa et recula pour
lui laisser sa place tout en lui prenant doucement la balisette.

« A genoux », dit Chani.

Paul obéit.

Elle guida ses mains jusqu'au sac à eau, les lui posa sur la
surface élastique. « Par cette eau, que la tribu t'accepte, dit-
elle. Jamis l'a quittée. Prends-la en paix. » Elle se releva,
l'entraînant à sa suite.

Stilgar rendit la balisette à Paul et présenta dans sa main
ouverte des anneaux de métal. Paul remarqua qu'ils étaient de
différentes tailles. Ils scintillaient sous la clarté du brilleur.

Chani prit le plus grand et le passa à un doigt. « Trente
litres, dit-elle. (Puis, un par un, elle prit les autres, en les
présentant chaque fois à Paul.) Deux litres ; un litre ; sept
mesures d'une drachme ; une mesure de trois secondes trente.
En tout : trente-trois litres, sept drachmes et trois secondes
trente. »

Elle présenta l'ensemble des anneaux passés à son doigt.

« Les acceptes-tu ? » demanda Stilgar.

Paul acquiesça. « Oui ».

« Plus tard, dit Chani, je te montrerai comment les mettre dans un mouchoir sans qu'ils tintent lorsque le silence est nécessaire. » Elle tendit la main.

« Peux-tu... les conserver pour moi ? demanda Paul.

Surprise, elle regarda Stilgar.

Celui-ci sourit. « Paul Muad'Dib, qui est Usul, ne connaît pas encore nos coutumes, Chani. Garde ses mesures d'eau jusqu'à ce que soit venu le moment de lui montrer comment les porter. »

Elle hocha la tête, prit un fragment d'étoffe sous sa robe et le passa dans les anneaux selon un nœud complexe avant de les glisser sous sa ceinture.

Quelque chose m'a échappé, songea Paul. Il percevait l'ironie autour de lui. Un souvenir de ses visions lui revint à l'esprit. *Les mesures d'eau offertes à une femme... Le rituel de cour...*

« Maîtres d'eau ! » appela Stilgar.

Dans le bruissement des robes, la troupe se leva. Deux hommes s'avancèrent et prirent le sac. Stilgar abaissa le brilleur et le prit pour ouvrir la marche dans l'ombre.

Paul se retrouva derrière Chani. Autour d'eux, des reflets jaunes jouaient sur les murailles, des ombres dansaient. Il sentait que tous semblaient attendre quelque chose.

Jessica, ballottée entre les corps qui se pressaient, entraînée par des mains fermes, lutta un instant contre la panique. Elle avait reconnu certaines phases du rite, les traces de Chakobsa et de Bhotani-jib dans les paroles qui avaient été prononcées et elle savait quelle sauvage violence pouvait naître tout à coup de ces moments apparemment tranquilles.

Jan-jan-jan, pensa-t-elle. *En avant !*

C'était comme un jeu d'enfant débarrassé de toute inhibition entre des mains adultes.

Stilgar s'arrêta devant un rocher jaune. Il appuya sur une

protubérance et, silencieusement, la muraille s'effaça, démasquant une crevasse irrégulière. Stilgar s'y engagea le premier, franchissant un panneau sombre et garni d'alvéoles. En le suivant, Paul sentit la caresse d'un souffle d'air frais sur son visage. Il tourna vers Chani un visage interrogateur et lui toucha le bras.

« Cet air est humide. »

« Cchhh », fit-elle en réponse.

Mais, derrière eux, une voix dit : « Il y a beaucoup d'humidité dans le piège, cette nuit. Jamis nous fait savoir ainsi qu'il est satisfait. »

Jessica entendit la muraille se refermer derrière eux. Elle remarqua la façon dont les Fremen ralentissaient le pas au moment où ils passaient devant le panneau alvéolé et, à son tour, ressentit le souffle d'air humide.

Un piège à vent ! Ils ont caché un piège à vent quelque part en surface de façon que l'air parvienne dans ces régions plus fraîches et que l'humidité se condense.

Une autre porte, un autre panneau. La porte se referma derrière eux. Le courant d'air était maintenant nettement humide.

Paul vit le brilleur de Stilgar s'abaisser tout à coup et, sous ses pas, il sentit des marches. L'escalier s'inclinait sur la gauche, en spirale. La lumière jaune dansa sur les têtes encapuchonnées et le frisson des robes.

Autour d'elle, sur ses nerfs, Jessica perçut la tension qui habitait le silence.

Les marches prirent fin et la troupe franchit une nouvelle porte pour aboutir dans un vaste espace où la clarté du brilleur parut se diluer. Le plafond était haut et voûté.

Sur son bras, Paul sentit le contact de la main de Chani. Dans l'air froid, il entendit le bruit de gouttes qui tombaient. Dans cette cathédrale créée par la présence de l'eau, les Fremen étaient soudain encore plus silencieux.

J'ai vu cet endroit en rêve, pensa Paul.

C'était à la fois rassurant et frustrant. Quelque part dans l'avenir, les hordes fanatiques suivaient leur chemin sinistre, ravageant l'univers en son nom. La bannière noire et verte des Atréides flottait, symbole de terreur, devant les légions sauvages qui chargeaient en hurlant leur cri de bataille : « Muad'Dib ! »

Cela ne sera pas, pensa-t-il. *Je ne peux le permettre.*

Mais il pouvait en cet instant ressentir en lui l'exigeante conscience raciale, le but terrible qui était le sien, et il sut qu'il serait difficile de détourner le fléau. Il prenait de la force, de la vitesse. Même si lui, Paul, mourait ici même, en cette seconde, cela se poursuivrait au travers de sa mère, de sa sœur encore à naître. Rien ne pouvait arrêter cela, rien si ce n'était la mort de toute la troupe, de tous ses membres, y compris lui et sa mère.

Il regarda autour de lui. Les Fremen se déployaient sur une seule ligne et le poussaient vers une barrière basse taillée à même le rocher. Au-delà, à la clarté du brilleur de Stilgar, il distingua la surface sombre d'une étendue d'eau qui se perdait dans l'ombre. La muraille opposée était à peine visible, peut-être à plus de cent mètres de là.

Dans l'air humide, Jessica sentit sa peau se détendre sur ses joues et son front. L'eau était profonde. Elle pouvait sentir cela et elle lutta contre le désir d'aller y plonger les mains.

Il y eut un bruit d'éclaboussement sur la gauche. Par-delà la ligne noire des Fremen, elle voyait Stilgar et Paul à ses côtés. Auprès d'eux, les maîtres d'eau déversaient leur fardeau sous le contrôle d'un compteur. L'appareil était visible comme un œil gris sur le fond noir de l'eau. L'aiguille de repère était lumineuse et Jessica la vit, comme l'eau s'écoulait, atteindre le chiffre précis de trente-trois litres, sept drachmes et trois secondes trente.

Magnifique précision, songea Jessica. Elle remarqua que les parois du compteur ne conservaient aucune trace d'humidité après le passage de l'eau. L'effet de tension du liquide avait été annulé. Ce simple fait était un indice éloquent de l'état de la technologie des Fremen. Ils apparaissaient comme des perfectionnistes. Elle se fraya facilement un chemin jusqu'auprès de Stilgar. En s'approchant, elle remarqua le regard absent de Paul. Mais le mystère de cette surface d'eau sombre emplissait toutes ses pensées.

Stilgar la regarda. « Certains, parmi nous, avaient besoin d'eau, dit-il. Pourtant, ils peuvent venir ici et ne pas y toucher. Savez-vous cela ? »

« Je le crois », dit-elle.

Il tourna son regard vers l'eau. « Ici, nous avons plus de trente-huit millions de décalitres d'eau, dit-il. Isolée des petits faiseurs, bien dissimulée, à l'abri. »

« Un trésor », dit-elle.

Il éleva le brilleur et regarda droit dans ses yeux : « Plus qu'un trésor. Et nous avons des milliers de réserves semblables. Seuls quelques-uns d'entre nous les connaissent toutes. (Il pencha la tête. La lumière jaune accentuait ses traits, le dessin noir de sa barbe.) Vous entendez cela ? »

Ils prêtèrent l'oreille.

Le bruit de l'eau qui s'écoulait goutte à goutte du piège à vent parut emplir toute la salle. La troupe demeurait immobile, fascinée. Seul Paul restait détaché.

Pour lui, chaque goutte qui tombait était un moment qui mourait. Il sentait le temps s'écouler en lui. Les instants qui passaient, jamais il ne les retrouverait. Il lui fallait prendre une décision, mais il n'avait pas la force de se mettre en mouvement.

« Tout a été calculé avec précision, reprit Stilgar, dans un chuchotement. A un million de décalitres près, nous savons quels sont nos besoins. Lorsque nous aurons atteint la quantité suffisante, nous serons en mesure de changer le visage d'Arrakis. »

La réponse monta dans un chuchotement de la troupe sombre : « Bi-lal kaifa. »

« Nous prendrons les dunes au piège entre des plantations d'herbe, dit Stilgar d'une voix plus forte. Nous maintiendrons l'eau dans le sol par des arbres et des réseaux de racines. »

« Bi-lal kaifa », psalmodia la troupe.

« Chaque année, la glace polaire recule. »

« Bi-lal kaifa. »

126

« Nous referons d'Arrakis un monde habitable, avec des lacs dans les zones tempérées, avec des lentilles pour fondre les glaces aux pôles, avec le désert profond pour le seul faiseur et son épice. »

« Bi-lal kaifa. »

Jessica décela le sens rituel des mots et prit conscience d'avoir répondu elle-même. Et elle songea : *Ils ont conclu une alliance avec l'avenir. Il leur faut escalader leur montagne. C'est le rêve scientifique... Il domine ces gens simples, ces paysans.*

Ses pensées se tournèrent alors vers Liet-Kynes, l'écologiste planétaire de l'Empereur, l'homme qui avait fini par devenir un indigène. Ce rêve était propre à capturer les esprits des hommes et elle pouvait sentir en cela la main de l'écologiste. Pour un tel rêve, les hommes étaient prêts à mourir. C'était là, elle le sentait, un autre des éléments essentiels dont Paul avait besoin : un peuple avec un but. Il serait facile de faire naître de la ferveur, du fanatisme au sein d'un tel peuple. Ces gens pourraient être façonnés, affûtés comme une épée et, comme une épée, redonner à Paul son pouvoir.

« Nous devons partir, maintenant, dit Stilgar, et attendre le lever de la lune. Quand Jamis sera sur la bonne route, nous nous mettrons en marche. »

Avec des murmures de réticence, les hommes lui emboîtèrent le pas, s'éloignant de l'eau.

Paul, en suivant Chani, sentit qu'un moment vital pour lui venait de s'enfuir, qu'il avait manqué l'occasion d'une décision essentielle et qu'il était pris désormais dans son propre mythe. Il savait qu'il avait déjà vu cet endroit dans un rêve prescient, sur la lointaine Caladan. Mais à présent, de nouveaux détails étaient survenus qu'il n'avait jamais connus. A nouveau, il était troublé par les limitations de son pouvoir. C'était comme s'il descendait le cours du temps en passant du creux d'une vague à une crête. Parfois les vagues voisines lui révélaient ce qu'elles portaient, parfois, comme il descendait, elles le lui cachaient.

Mais sans cesse, le sauvage jihad courait loin devant, dans la violence, le massacre, dominant le courant comme un récif.

Par la dernière porte, la troupe regagna la caverne principale. L'entrée fut de nouveau masquée. Quand le brilleur s'éteignit et que les orifices furent ouverts sur le désert, ils virent la nuit et les étoiles.

Jessica s'avança sur le rebord desséché, au-delà du seuil de la caverne et leva les yeux vers les étoiles. Elles étaient brillantes, nettes et proches. Derrière elle, elle percevait les pas des Fremen. Puis un accord de balisette résonna et Paul chantonna. Elle perçut dans sa voix une mélancolie qu'elle n'aimait pas.

« Parle-moi des eaux de ton monde natal, Paul Muad-'Dib », dit la voix d'enfant de Chani, quelque part dans l'ombre de la caverne.

« Une autre fois, Chani, je te le promets », répondit Paul. *Sa voix était si triste.*

« C'est une bonne balisette », reprit Chani.

« Très bonne, dit Paul. Tu crois que Jamis m'en voudrait d'en jouer ? »

Il parle du mort comme d'un homme vivant, songea Jessica. Ce que cela impliquait la troublait profondément.

« Jamis aimait la musique à cette heure », intervint une voix d'homme.

« Alors chante-moi une de tes chansons », demanda Chani.

Il y a tant de féminité dans la voix de cette enfant, se dit Jessica. *Il faut que je mette Paul en garde... très vite.*

« C'est une chanson que chantait un ami, dit Paul. Je crois qu'il est mort, maintenant, Gurney. Il l'appelait la chanson du soir. »

Le silence se fit comme la douce voix de Paul s'élevait sur les accords de la balisette :

> « En ce moment criblé de cendres,
> Un soleil d'or se perd à la plage du soir.
> Quels sens fous, quel parfum de désespoir
> Sont compagnons du souvenir... »

128

Dans sa poitrine, Jessica ressentit la musique des mots, païenne, chargée de sons qui, soudain, lui faisaient prendre conscience d'elle-même intensément, de son corps, de ses désirs. Elle écoutait en un silence tendu.

> « Les perles pâles du requiem de la nuit
> Sont pour nous..
> Quelle joie, alors, s'allume et luit
> Dans tes yeux..
> Quelles amours striées de fleurs
> Attirent nos cœurs...
> Quelles amours striées de fleurs
> Apaisent nos désirs. »

Après la dernière note, le silence se prolongea. *Pourquoi mon fils a-t-il chanté une chanson d'amour à cette enfant ?* se demanda Jessica. Elle ressentit une peur brutale. *La vie ruisselait tout autour d'elle et il lui était impossible de la retenir. Pourquoi a-t-il chanté cela ? Parfois, les instincts sont vrais. Pourquoi a-t-il fait cela ?*

Dans l'ombre, Paul demeurait silencieux, immobile, avec une unique pensée. *Ma mère est mon ennemie. Elle ne le sait pas, mais elle l'est vraiment. Elle a le jihad en elle. Elle m'a porté, m'a entraîné. Elle est mon ennemie.*

Le concept de progrès agit comme un mécanisme
de protection destiné à nous isoler des terreurs de
l'avenir.

Extrait de **Les Dits de Muad'Dib,**
par la Princesse Irulan.

AUX jeux familiaux, pour son dix-septième anniversaire,
Feyd-Rautha Harkonnen tua son centième esclave-gladiateur.
Les observateurs de la Cour impériale, le Comte et Dame
Fenring, se trouvaient alors sur Giedi Prime, le monde des
Harkonnens, et ils avaient pris place avec la famille de Feyd-
Rautha dans la loge dorée, au-dessus de l'arène triangulaire.

Pour l'anniversaire du na-Baron et afin de rappeler à tous
les Harkonnens et à leurs sujets que Feyd-Rautha était
l'héritier du nom, ce jour avait été décidé vacant. Le vieux
Baron avait décrété que d'un méridien à l'autre le labeur
cesserait et, dans la cité familiale d'Harko, on avait fait des
efforts pour donner l'illusion de la gaieté. Des drapeaux
flottaient sur les édifices et, au long de la Grand-Rue, les murs
avaient été repeints.

Mais, entre les demeures, le comte Fenring et sa dame
remarquaient les tas de détritus, les murs brunâtres qui se
reflétaient dans les mares d'eau sale, les démarches furtives
des gens.

130

Entre les murs bleus de la retraite du Baron, régnaient la perfection et la crainte, mais le Comte et sa Dame devinèrent le prix que cela supposait : il y avait des gardes de toutes parts et les armes avaient cet éclat particulier qui disait à l'œil averti qu'elles étaient régulièrement utilisées. Dans la demeure, les postes de contrôle se succédaient. La démarche des serviteurs révélait leur formation militaire autant que le port de leurs épaules et leur regard vigilant qui, sans cesse, fouillait, fouillait...

« La pression monte, murmura le Comte à sa dame dans leur langage secret. Le Baron commence seulement à comprendre vraiment le prix qu'il doit payer pour s'être débarrassé du duc Leto. »

« Il faudra que je vous raconte une fois la légende du phénix », dit-elle.

Ils se trouvaient dans le hall de réception de la demeure, attendant de se rendre aux jeux familiaux. Le hall n'était pas très grand. (Il faisait peut-être quarante mètres de long sur vingt de large.) Mais les faux piliers, sur les côtés, avaient un angle abrupt qui, s'ajoutant à l'arche subtile du plafond, donnait une illusion d'espace.

« Aahh, voici venir le Baron », dit le Comte.

Le Baron s'avançait au long du hall avec cette allure flottante qui s'expliquait par les suspenseurs qu'il devait guider tout en marchant. Ses bajoues tressautaient et, sous sa robe orange, les suspenseurs allaient et venaient en cadence. Des bagues scintillaient à ses doigts et les opaflammes brasillaient sur sa robe.

Auprès de lui s'avançait Feyd-Rautha. Ses cheveux sombres étaient peignés en bouclettes serrées. Cette coiffure gaie offrait un contraste incongru avec ses yeux tristes. Il portait une tunique noire et ajustée et des pantalons étroits légèrement évasés dans le bas. Ses petits pieds étaient chaussés de pantoufles.

Dame Fenring remarqua le port du jeune homme et la fermeté des muscles qui jouaient sous sa tunique et elle pensa : *Celui-ci ne se laissera pas grossir.*

131

Le Baron s'arrêta devant ses visiteurs, saisit le bras de Feyd-Rautha en un geste possessif et dit : « Mon neveu, le na-Baron Feyd-Rautha Harkonnen. (Et, tournant son visage de gros bébé vers Feyd-Rautha, il ajouta :) Le Comte et Dame Fenring dont je t'ai parlé. »

Feyd-Rautha inclina la tête comme le voulait l'usage. Il regarda Dame Fenring. Sa silhouette parfaite était rehaussée par une simple robe de toile sans aucun ornement. Ses cheveux dorés et légers étaient comme une pluie figée. Ses yeux gris-vert répondirent au regard du jeune homme. Il y avait en elle ce calme et cette sûreté Bene Gesserit qui troublaient vaguement Feyd-Rautha.

« Hummmmm, fit le Comte en posant les yeux sur Feyd-Rautha. C'est... Mmmm... ce jeune homme-là... Mmm... Ma chère ? (Il regarda le Baron.) Mon cher Baron, vous disiez que vous aviez parlé de nous à ce jeune homme ? Que lui avez-vous donc dit ? »

« J'ai fait part à mon neveu de la grande estime en laquelle vous tenait l'Empereur, Comte Fenring », dit le Baron. Et il pensa : *Repère-le bien, Feyd ! C'est un tueur avec des façons de lapin... L'espèce la plus dangereuse.*

« Bien sûr », dit le Comte, et il sourit à sa dame.

L'attitude et les paroles de cet homme semblaient presque insultantes à Feyd-Rautha. Elles restaient juste en deçà de la limite de l'affront. Le jeune homme concentra toute son attention sur le Comte : le petit homme avait une allure fragile. Ses yeux sombres étaient trop grands dans son visage de fouine. Des cheveux gris apparaissaient à ses tempes. Quant à ses gestes... Il bougeait la main, tournait la tête d'une façon... Et parlait d'une autre. Il était difficile de le suivre.

« Vous... Mmm... êtes rarement aussi précis, dit le Comte comme s'il s'adressait à l'épaule du Baron. Je vous... Mmm... félicite pour la... Mmmm... perfection de votre neveu. Il profite de... Mmmm... la lumière des aînés, peut-on dire. »

« Vous êtes trop bon », dit le Baron en s'inclinant. Mais Feyd-Rautha n'avait pas lu la moindre courtoisie dans le regard de son oncle.

« Lorsque vous, Mmmm... êtes ironique.. Cela laisse à croire que vous Mmmm... nourrissez des pensées plus profondes », dit le Comte

Il recommence, songea Feyd-Rautha. *Il s'exprime de façon insultante sans nous offrir la satisfaction de pouvoir le défier.*

En écoutant le Comte, il lui semblait qu'on lui enfonçait la tête dans de la bouillie... *Mmmmmm...* Il reporta son attention sur Dame Fenring.

« Je crois que nous retenons par trop ce jeune homme, dit-elle. Je sais qu'il doit paraître dans l'arène aujourd'hui. »

Par toutes les houris du harem impérial, se dit Feyd-Rautha. *Mais elle est adorable !*

« Aujourd'hui, Ma Dame, dit-il, je tuerai pour vous. Avec votre permission, je le proclamerai dans l'arène. »

Elle le regarda avec sérénité mais sa voix était comme la lanière d'un fouet quand elle répondit : « Vous n'avez pas ma permission ! »

« Feyd ! » s'exclama le Baron. Et il songea : *Jeune démon ! Est-ce qu'il veut que le Comte le défie ?*

Mais le Comte se contenta de sourire : « Hhmmmm. »

« Tu dois te préparer pour l'arène, maintenant, reprit le Baron. Il faut te reposer et ne pas prendre de risques. »

Feyd-Rautha s'inclina. Le ressentiment assombrissait ses traits.

« Je suis certain qu'il en sera selon vos désirs, Oncle », dit-il. Il s'inclina devant le Comte : « Monsieur ! » Puis devant sa dame : « Ma Dame. » Et il s'éloigna, accordant à peine un regard aux membres des familles des Maisons Mineures rassemblés près de la double porte.

« Il est si jeune », soupira le Baron.

« Hhmmm, oui, mmm », fit le Comte.

Et sa dame pensa : *Est-ce lui que désignait la Révérende Mère ? Est-ce donc vraiment cette lignée qu'il nous faut préserver ?*

« Il nous reste encore plus d'une heure avant de nous rendre à l'arène, dit le Baron. Peut-être pourrions-nous avoir ce petit entretien dès maintenant, Comte Fenring ? (Il pencha son énorme tête sur la droite.) Il nous faut discuter encore de bien des points »

Il songeait . *Voyons donc comment s'y prendra le valet de l'Empereur pour me faire part de la teneur d'un message sans pousser la grossièreté jusqu'à me la répéter à haute voix.*

Le Comte se tourna vers sa dame. « Hhmm... Ma chère... nous excuserez-vous ? »

« Chaque jour, et parfois chaque heure, apporte son changement, dit-elle. Mmmm. » Et, avec un gracieux sourire à l'adresse du Baron, elle se détourna et s'éloigna vers l'extrémité du hall dans le bruissement de ses longues jupes. Elle se tenait très droite et sa démarche était royale.

Le Baron remarqua que, à son approche, les conversations se tarissaient dans le groupe des Maisons Mineures et que tous les yeux la suivaient. *Les Bene Gesserit !* se dit-il. *L'univers ferait mieux de s'en débarrasser !*

« Entre ces deux piliers, là-bas, à gauche, il y a un cône de silence, dit le Baron. Nous pourrons discuter sans craindre d'être entendus. » Il précéda le Comte de sa démarche ballottante et pénétra dans le champ isolant. Les bruits du hall devinrent étouffés, lointains.

Le Comte vint se placer à côté de lui et ils firent face au mur afin que nul ne pût lire sur leurs lèvres.

« La façon dont vous avez chassé les Sardaukar d'Arrakis ne nous satisfait pas », dit le Comte.

Tout net ! songea le Baron.

« Les Sardaukar ne pouvaient rester plus longtemps sans que nous courions le risque que d'autres découvrent de quelle façon l'Empereur m'avait apporté son aide », dit le Baron.

« Mais votre neveu Rabban ne semble pas se diriger assez vite vers une solution du problème fremen. »

« Que souhaite donc l'Empereur ? demanda le Baron. Il ne doit guère rester plus d'une poignée de Fremen sur Arrakis. Le désert du Sud est inhabitable et nos patrouilles fouillent sans cesse ceux du Nord. »

« Qui a dit que le désert du Sud était inhabitable ? »

« Votre propre planétologiste, mon cher Comte. »

« Mais le docteur Kynes est mort. »

« Oui, c'est vrai... C'est bien regrettable. »

« Les territoires du Sud ont été survolés, dit le Comte. Il a été prouvé que la vie végétale y existe. »

« La Guilde a-t-elle reçu l'autorisation d'observer Arrakis depuis l'espace ? »

« Vous savez bien que non, Baron. L'Empereur ne peut légalement faire surveiller Arrakis. »

« Et moi non plus, dit le Baron. Qui a donc effectué cette observation ? »

« Un... un contrebandier. »

« Quelqu'un vous aura menti, Comte, dit le Baron. Les contrebandiers, pas plus que les hommes de Rabban, ne peuvent explorer les régions du Sud. Il y a des tempêtes, des orages de sable... Les repères de navigation sont détruits plus vite qu'ils ne sont installés. »

« Nous discuterons une autre fois des différents types de tempêtes. »

Aahaa, songea le Baron. « Auriez-vous relevé quelque erreur dans ce que j'ai dit ? » demanda-t-il.

« Si vous imaginez des erreurs, je ne puis me défendre », dit le Comte.

Il essaye délibérément d'éveiller ma colère, pensa le Baron. Afin de se calmer, il prit deux profondes inspirations. Il sentit sa propre sueur et les harnais de ses suspenseurs, sous sa robe, le gênaient, le grattaient.

« L'Empereur ne peut prendre ombrage de la mort de la concubine et du garçon, dit-il. Ils se sont enfuis dans le désert. Il y avait une tempête. »

« Oui, il y a eu bien des accidents opportuns », dit le Comte.

« Je n'aime pas votre ton. »

« La colère est une chose, la violence en est une autre, dit le Comte. Laissez-moi vous donner un avertissement : si un accident malheureux m'arrivait ici, toutes les Grandes Maisons apprendraient ce que vous avez fait sur Arrakis. Il y a bien longtemps qu'elles soupçonnent les méthodes dont vous usez. »

« La seule dont je puisse me souvenir, dit le Baron, consistait à transporter sur Arrakis des légions de Sardaukar. »

« Croyez-vous vraiment que vous pourriez menacer l'Empereur avec cela ? »

« J'y songerai ! »

Le Comte eut un sourire. « Nous trouverions toujours des commandants de Sardaukar prêts à avouer qu'ils ont agi sans ordre parce qu'ils désiraient affronter votre racaille fremen. »

« Nombreux seraient ceux qui pourraient douter d'un tel aveu », dit le Baron. Mais cette menace l'avait ébranlé. *Les Sardaukar sont-ils vraiment aussi disciplinés ?* se demandait-il.

« L'Empereur, dit le Comte, aimerait prendre connaissance de vos livres. »

« Quand il le voudra. »

« Vous... Euh... n'avez aucune objection ? »

« Aucune. Mon administration dans la CHOM résisterait à l'examen le plus poussé. » Il pensa : *Laissons-le porter une fausse accusation à mon encontre. Qu'il la révèle au grand jour. Pour ma part, je pourrai proclamer à tous que je suis victime d'une erreur. Alors qu'il vienne donc ensuite m'accuser une seconde fois, même à juste titre. Jamais les Grandes Maisons ne le croiront après sa fausse accusation.*

« Il ne fait aucun doute que vos livres résistent à un examen attentif », murmura le Baron.

« Pourquoi l'Empereur tient-il tant à exterminer les Fremen ? » demanda le Baron.

« Vous désirez changer de sujet, n'est-ce pas ? (Le Comte haussa les épaules.) Les Sardaukar le désirent, non l'Empereur. Ils aiment tuer et détestent laisser une tâche inachevée. »

Essaye-t-il de m'effrayer en me rappelant qu'il a de son côté ces tueurs assoiffés de sang ? se demanda le Baron.

« Le meurtre a toujours fait partie des affaires dans une certaine mesure, dit-il, mais il faut bien fixer une limite quelque part. Quelqu'un doit s'occuper de l'épice. »

Le Comte eut un rire bref, sec. « Croyez-vous pouvoir venir à bout des Fremen ? »

« Ils n'ont jamais été assez nombreux pour cela. Mais le massacre a mis le reste de la population mal à l'aise. C'est au point, mon cher Fenring, que j'en viens à considérer une autre solution au problème arrakeen. Et je dois avouer que c'est à l'Empereur que je dois cette inspiration qui m'est venue »

« Ah ? »

« Voyez-vous, Comte, je dispose de la planète-prison de l'Empereur, Salusa Secundus, pour m'inspirer. »

Le Comte fixa sur lui des yeux brillants. « Quel rapport peut-il y avoir entre Salusa Secundus et Arrakis ? »

Le Baron décela l'inquiétude dans le regard de son interlocuteur et dit : « Aucun, encore. »

« Encore ? »

« Vous admettrez avec moi que le fait d'utiliser Arrakis comme planète-prison permettrait de développer le travail de façon substantielle. »

« Vous vous attendez à une augmentation du nombre des prisonniers ? »

« Il y avait de l'agitation. Il m'a fallu prendre des mesures plutôt sévères, Fenring. Après tout, vous connaissez le prix que j'ai dû payer à cette maudite Guilde pour le transport de nos forces communes. Il faut bien que je prenne cette somme *quelque part.* »

« Je vous suggère de ne pas utiliser Arrakis comme planète-prison sans la permission de l'Empereur, Baron. »

« Bien sûr que non », dit le Baron, et il se demanda pourquoi il y avait eu ce frisson soudain dans la voix de Fenring.

« Autre question, reprit le Comte. Nous avons appris que le Mentat du Duc Leto, Thufir Hawat, n'était pas mort mais qu'il vous servait. »

« Je n'ai pu me résoudre à le supprimer. »

« Lorsque vous avez dit à notre commandant des Sardaukar qu'il était mort, vous mentiez donc. »

« Pour la bonne cause, mon cher Comte. Je n'étais pas d'humeur à me disputer avec cet homme. »

« Hawat était-il réellement le traître ? »

« Oh, Dieu, non ! C'était le faux docteur. (Le Baron porta la main à son cou, effaça les traînées de transpiration.) Il faut me comprendre, Fenring. Je n'avais plus de Mentat. Vous le savez bien. Jamais cela ne m'était arrivé. J'étais tout à fait désemparé.

« Comment avez-vous pu amener Hawat à changer d'allégeance ? »

« Son Duc était mort. (Le Baron s'efforça de sourire.) Il n'y avait rien à craindre de Hawat, mon cher Comte. Sa chair de Mentat a été imprégnée d'un poison lent. L'antidote lui est administré dans sa nourriture. Sans lui, il mourrait en quelques jours. »

« Cessez de le lui administrer », dit le Comte.

« Mais il m'est utile ! »

« Il sait trop de choses qu'aucun homme vivant ne doit savoir. »

« Vous m'avez dit que l'Empereur ne craignait pas les révélations. »

« Ne jouez pas à ce jeu avec moi, Baron ! »

« Lorsqu'un tel ordre me sera présenté sous le sceau impérial, j'obéirai, dit le Baron. Mais je refuse de me soumettre à votre caprice. »

« Vous prenez cela pour un caprice ? »

« Qu'est-ce que cela peut être d'autre ? L'Empereur, lui aussi, a des obligations envers moi, Fenring. Je l'ai débarrassé de cet encombrant duc Leto. »

« Avec l'aide de quelques Sardaukar. »

« Où l'Empereur aurait-il trouvé une Maison pour lui fournir les uniformes nécessaires au déguisement de ses hommes afin que son rôle demeure secret ? »

« Il s'est posé la même question, Baron, mais d'une façon légèrement différente. »

Le regard du Baron se riva sur son interlocuteur. Il

remarqua la raideur des muscles, le contrôle vigilant de l'homme.

« L'Empereur ne croit pas pouvoir m'attaquer dans le secret absolu, non ? »

« Il espère que ce ne sera pas nécessaire. »

« L'Empereur ne peut penser que je le menace ! » s'exclama le Baron, en se laissant aller à exprimer la colère et l'amertume dans sa voix, tout en songeant : *Qu'il me prenne donc en défaut sur ce point ! Je pourrais monter sur le trône sans cesser un seul instant de protester de mon innocence !*

La voix du Comte se fit sèche et distante. « L'Empereur croit ce que lui disent ses sens. »

« Oserait-il m'accuser de trahison devant le Conseil du Landsraad au complet ? » Le Baron retint son souffle, plein d'espoir.

« L'Empereur n'a pas à *oser*. »

Le Baron se détourna dans le flottement de ses suspenseurs pour dissimuler son expression. *Cela pourrait être !* pensa-t-il. *Empereur ! Qu'il m'accuse donc ! Ensuite, il suffira de la coercition, de la corruption. Les Grandes Maisons se rallieront. Elles se rangeront sous ma bannière comme un troupeau de paysans cherchant un abri. Ce qu'elles redoutent par-dessus tout, ce sont les Sardaukar s'attaquant à elles l'une après l'autre.*

« L'Empereur espère sincèrement n'avoir jamais à vous accuser de trahison », dit le Comte.

Le Baron s'efforça d'effacer toute trace d'ironie de sa voix pour n'exprimer que la tristesse. « J'ai été un loyal sujet. Ces paroles me blessent plus que je ne puis le dire. »

« Humnmmmmmm », fit le Comte.

Le Baron lui tourna le dos, hochant la tête. « Il est temps de nous rendre à l'arène », dit-il.

« Mais certainement. »

Ils quittèrent le cône de silence et, côte à côte, s'avancèrent vers les gens des Familles Mineures, à l'autre bout du hall. Quelque part, une cloche tinta lentement, annonçant qu'il ne restait plus que vingt minutes avant les jeux.

« Les Maisons Mineures attendent que vous les guidiez »,
dit le Comte en inclinant la tête.

Double sens... Double sens, pensa le Baron.

Il regarda les nouveaux trophées qui décoraient l'entrée du
hall : la tête de taureau et le portrait à l'huile du vieux Duc
Atréides, le père de Leto. Cette vision l'emplit d'un bizarre
sentiment d'appréhension et il se demanda ce qu'avait pu
éprouver le Duc Leto en contemplant ces mêmes trophées
dans les halls de Caladan, puis dans ceux d'Arrakis. La tête du
père et celle du taureau qui l'avait tué.

« L'humanité, mm, n'a, mmm... qu'une science », dit le
Comte tandis qu'ils quittaient le hall, précédant le groupe de
leurs suivants pour accéder à la salle d'attente, espace étroit
dominé par d'étroites fenêtres et dont le sol était recouvert de
tuiles noires et blanches.

« Et quelle est-elle ? » demanda le Baron.

« C'est, mmm, la science du, mmm, mécontentement. »

Derrière eux, les gens des Maisons Mineures aux faces
dociles de moutons, rirent comme il convenait mais, lorsque
les pages déclenchèrent les moteurs d'ouverture des portes
extérieures, cela fit comme une fausse note. Au-dehors, les
véhicules attendaient, leurs fanions claquant à la brise.

Le Baron éleva la voix pour dominer le bruit : « J'espère
que les performances de mon neveu ne vous décevront point,
Comte Fenring. »

« J'attends, mmm, beaucoup de cette, mmm, circonstance,
dit le Comte. Dans un, mmm, procès-verbal, il faut toujours,
mmm, tenir compte du rôle des antécédents. »

En trébuchant sur la première marche, le Baron réussit à
dissimuler sa surprise. *Procès-verbal ! Un rapport de crime
contre l'Imperium !*

Mais le Comte, comme s'il s'agissait d'une plaisanterie,
tapota le bras du Baron en riant.

Tout au long du chemin, cependant, bien enfoncé dans les
coussins du véhicule blindé, le Baron ne cessa pas de lancer
des coups d'œil furtifs au Comte assis à côté de lui. Il se
demandait pourquoi ce valet de l'Empereur avait jugé oppor-

tun de se livrer à une telle plaisanterie devant les Maisons Mineures. Il était bien évident que Fenring faisait rarement quelque chose d'inutile, de même qu'il n'employait jamais deux mots quand un seul suffisait ou ne se contentait d'un seul sens pour une seule phrase.

Il ne découvrit la réponse que lorsqu'ils eurent pris place dans la loge dorée au-dessus du triangle de l'arène, entre les gradins grouillants de monde et le frémissement des fanions.

« Mon cher Baron, dit le Comte en se penchant pour lui parler à l'oreille, vous savez, bien entendu, que l'Empereur n'a pas encore officiellement sanctionné le choix de votre héritier ? »

Le Baron eut la sensation de se trouver soudain dans un cône de silence créé par le choc qu'il avait éprouvé. Il regarda Fenring et vit à peine sa dame surgir d'entre les gardes pour prendre sa place dans la loge.

« C'est en vérité la raison de ma présence, reprit le Comte. L'Empereur désire savoir si vous avez fait choix d'un successeur valable. Et il n'y a rien de tel que l'arène pour révéler la vérité sous le masque, n'est-ce pas ? »

« L'Empereur m'avait promis le libre choix de mon héritier ! » gronda le Baron.

« Nous verrons », dit Fenring, et il se détourna pour accueillir sa dame. Elle s'assit, adressa un sourire au Baron, puis son attention se porta sur le sable de l'arène où Feyd-Rautha venait d'apparaître, en collant et gilet, gant noir et long couteau à la main droite, gant blanc et lame courte à la main gauche.

« Le blanc pour le poison, le noir pour la pureté, dit Dame Fenring. Curieux usage, n'est-ce pas, mon amour ? »

« Mmmm », fit le Comte.

Des acclamations s'élevèrent des gradins familiaux et Feyd-Rautha s'arrêta pour y répondre, levant les yeux vers les visages mêlés de ses cousins et demi-frères, concubines et hors-freyn autant de bouches roses qui vociféraient dans un frisson multicolore de drapeaux et d'étoffes.

Il se dit alors que ces visages reflétaient la même avidité en contemplant son sang répandu ou celui de l'esclave-gladiateur. Bien sûr, il n'y avait pas de doute quant à l'issue de ce combat. Ce n'était là que l'apparence du danger sans sa substance, pourtant...

Feyd-Rautha leva son couteau dans le soleil et salua les trois angles de l'arène à la façon ancienne. La lame courte dans son gant blanc (blanc, le signe du poison) regagna la première son étui. Puis ce fut la longue lame dans sa main gantée de noir, la lame pure maintenant impure, l'arme secrète qui ferait de ce jour une victoire personnelle : il y avait du poison sur la lame noire.

Il ne lui fallut qu'un instant pour régler son bouclier corporel. Il s'arrêta pour sentir la peau se tendre sur son front, lui confirmant qu'il était paré.

C'était là un spectacle et Feyd-Rautha se mit à orchestrer les émotions de main de maître. Il fit signe à ses manipulateurs et distracteurs, vérifiant d'un coup d'œil leur équipement, les fers avec leurs pointes acérées et brillantes, les crochets et les barbes dont flottaient les banderoles bleues. Puis il leva la main à l'adresse des musiciens.

La marche lente, aux accents anciens, s'éleva dans l'arène et Feyd-Rautha, à la tête de sa troupe, s'avança vers la loge de son oncle. Il saisit la clé de la cérémonie qu'on lui lança.

La musique se tut.

Dans le silence soudain, il prit deux pas de recul, leva la clé et cria : « Je dédie cette vérité à... » Il s'interrompit, devinant les pensées de son oncle : *Ce jeune fou va dédier la vérité à Dame Fenring, envers et contre tout et provoquer un scandale !*

« ... à mon oncle et supérieur, le Baron Vladimir Harkonnen ! » acheva Feyd-Rautha.

Avec délices, il surprit le soupir de son oncle.

La musique entama une marche plus rapide et, avec ses hommes, Feyd-Rautha traversa l'arène en direction de la porte de prudence que ne pouvaient franchir que ceux qui arboraient le ruban spécial d'identification. Il se félicitait de n'avoir jamais eu à utiliser cette porte et d'avoir eu rarement recours aux distracteurs. Mais, en ce jour, il était bon de savoir qu'il pouvait en disposer. Les plans spéciaux recèlent parfois des dangers spéciaux.

A nouveau, ce fut le silence sur l'arène.

Feyd-Rautha se retourna et fit face à la large porte rouge par laquelle devait surgir le gladiateur.

Le gladiateur spécial.

Le plan mis au point par Thufir Hawat était d'une simplicité admirable, songeait Feyd-Rautha. L'esclave ne serait pas drogué. Là résidait le danger. Au lieu de cela, un mot clé avait été implanté dans son inconscient qui, à l'instant critique, provoquerait l'immobilisation des muscles. Feyd-Rautha se répéta plusieurs fois le mot, en silence : « Racaille ! » Aux yeux de l'assistance, tout se passerait comme si l'on avait réussi à introduire dans l'arène un esclave non drogué afin de tuer le na-Baron. Et les preuves évidentes et soigneusement préparées désigneraient le maître des esclaves comme coupable.

Un ronronnement sourd s'éleva de la porte rouge à l'instant où les servo-moteurs d'ouverture étaient mis en route.

Feyd-Rautha concentra tous ses sens sur la porte. Le premier instant était le plus critique. A la seconde où le gladiateur apparaissait, un œil entraîné pouvait apprendre tout ce qu'il lui fallait savoir. Tous les gladiateurs étaient censés être sous l'influence de l'elacca, prêts à mourir au combat. Mais il fallait observer la façon dont ils brandissaient le couteau, dont ils paraient, qu'ils eussent ou non conscience de la foule. Une simple inclinaison de tête pouvait fournir un indice vital pour le combat, les attaques et les feintes.

La porte rouge s'ouvrit.

L'homme qui en surgit était grand, musculeux, le crâne rasé, les yeux sombres, profondément enfoncés.

Sa peau avait la teinte rouge carotte que conférait l'elacca, mais Feyd-Rautha savait que ce n'était en réalité qu'une application de teinture. L'esclave portait des collants verts et la ceinture rouge d'un semi-bouclier sur laquelle une flèche blanche, pointée vers la gauche, indiquait le flanc non protégé. Il tenait son couteau ainsi qu'une épée, légèrement pointée en avant, dans l'attitude d'un combattant expérimenté. Lentement, il s'avança dans l'arène, présentant son côté protégé à Feyd-Rautha et aux hommes rassemblés près de la porte de prudence.

« Je n'aime pas l'allure de celui-là, dit l'un des piqueurs de Feyd-Rautha. Êtes-vous certain qu'il soit drogué, Mon Seigneur ? »

« Il en a la couleur », dit Feyd-Rautha.

« Pourtant, il est en position de combat », dit un autre.

Feyd-Rautha fit deux pas dans le sable, étudiant son adversaire.

« Qu'a-t-il donc fait à son bras ? » demanda l'un des distracteurs.

Le regard de Feyd-Rautha se porta sur la cicatrice qui marquait l'avant-bras gauche de l'esclave. Puis il vit la main qui lui désignait le dessin sanglant tracé sur la cuisse gauche du collant. Un faucon stylisé.

Un faucon !

Feyd-Rautha regarda droit dans les yeux sombres et les vit briller d'excitation.

C'est l'un des hommes du Duc que nous avons capturés sur Arrakis ! se dit-il. Et non un simple gladiateur ! Il eut un long frisson et se demanda si le plan de Hawat n'était pas tout différent de ce qu'il en connaissait. S'il n'y avait pas un stratagème dans le stratagème...

Même ainsi, seul le maître des esclaves apparaîtrait comme coupable !

Le chef de ses hommes se pencha à son oreille : « Je n'aime pas du tout son allure, Mon Seigneur. Laissez-moi lui planter une ou deux piques dans le bras. »

« Je les planterai moi-même », dit Feyd-Rautha. Il prit à l'homme deux dards à crochets, les souleva, éprouvant leur équilibre. Ces piques aussi étaient d'habitude enduites de drogue, mais pas cette fois et il pourrait en coûter la vie au chef des aides. Mais tout cela faisait partie du plan.

Après, tu seras un héros, se dit Feyd-Rautha. Tu auras tué ton gladiateur en homme, malgré la traîtrise. Le maître des esclaves sera exécuté et ton homme le remplacera alors

Feyd-Rautha fit encore cinq pas dans l'arène, observant toujours l'esclave. Il savait que, déjà, les experts présents dans les loges avaient compris que quelque chose était anormal. Le gladiateur avait la couleur de peau d'un homme drogué mais il demeurait fermement sur sa position et ne tremblait pas. Les aficionados devaient murmurer entre eux : « Regardez comme il se tient. Il devrait s'agiter, pourtant… Attaquer, battre en retraite. Mais il garde ses forces, il attend. Il ne devrait pas. »

Feyd-Rautha sentit croître sa propre excitation. *Trahison ou non*, se dit-il, *je peux l'abattre. Et c'est dans mon long couteau que se trouve le poison, aujourd'hui, pas dans le plus court. Même Hawat ignore cela.*

« Eh, Harkonnen ! lança l'esclave. Es-tu prêt à mourir ? »

Un silence de mort tomba sur l'arène. *Jamais les esclaves ne lançaient le défi !*

A présent, Feyd-Rautha voyait les yeux de l'homme, il pouvait y lire la férocité glacée du désespoir. Il nota la façon dont l'homme se tenait, décontracté, vigilant, tous ses muscles prêts à la victoire. Le télégraphe secret des esclaves avait dû lui apporter le message de Hawat : « *Tu auras une chance réelle de tuer le na-Baron.* » Mais cela, ils l'avaient mis au point ensemble, avec Hawat.

Un sourire furtif vint jouer sur les lèvres de Feyd-Rautha. Il leva les piques. Dans la position du gladiateur, maintenant, il entrevoyait le succès de ses plans.

« Ha ! Ha ! Ha ! » cria l'esclave, et il fit deux pas en avant, lentement.

Maintenant, songea Feyd-Rautha, *nul ne peut plus être abusé.*

Cet esclave aurait dû être en partie paralysé par la terreur suscitée par la drogue. Chacun de ses mouvements aurait dû trahir son désespoir, la certitude que, pour lui, il n'y avait ici aucune chance de gagner. Il aurait dû avoir en tête les histoires innombrables qui circulaient à propos des divers poisons dont le na-Baron se plaisait à enduire la courte lame qu'il tenait dans sa main gantée de blanc. Jamais, avec lui, la mort n'était rapide. Il se délectait à faire la démonstration de poisons rares et, dans l'arène, expliquait à l'assistance tel ou tel intéressant effet secondaire tandis que la victime se tordait au sol.

Certes, il y avait de la peur en l'homme. De la peur, et non de la terreur.

Feyd-Rautha leva haut les piques, inclinant la tête en un signe de semi-acquiescement.

Le gladiateur attaqua.

Ses feintes et ses contres étaient parmi les meilleurs que Feyd-Rautha ait jamais vus. Un coup latéral, ajusté avec précision, manqua la jambe du na-Baron d'une fraction de seconde.

Freyd-Rautha rompit en sautant, laissant une pique dans l'avant-bras droit de l'esclave. La pointe était profondément enfoncée et les crochets, sous la chair, ne pouvaient être dégagés qu'en arrachant les tendons.

Des cris étouffés montèrent des tribunes.

Et Feyd-Rautha se sentit envahi par l'exaltation.

Il savait maintenant ce qu'éprouvait son oncle, assis là-bas en compagnie des Fenring, venus de la Cour Impériale pour observer. Dans ce combat, il ne pouvait y avoir d'interférence. Devant de tels témoins, les règles devaient être observées. Le Baron ne pouvait traduire ce qui se passait dans l'arène que d'une seule manière : une menace contre sa personne.

L'esclave recula. Il tenait son couteau entre ses dents et, à l'aide de la banderole, attachait le dard au long de son bras blessé. « Je ne sens rien ! » cria-t-il avant de se remettre en marche, le couteau levé, offrant son flanc gauche tout en ployant le corps en arrière pour profiter au maximum de la protection du semi-bouclier.

Ce mouvement n'échappa pas aux tribunes. Des cris véhéments s'élevèrent des loges familiales. Feyd-Rautha entendit les appels de ses hommes qui lui offraient leur assistance. D'un geste, il leur intima de gagner la porte de prudence.

Je vais leur donner un spectacle qu'ils n'ont jamais connu, songea-t-il. *Pas une bonne tuerie bien organisée dont ils puissent admirer le style dans leurs fauteuils. Non... Quelque chose qui va leur attraper les tripes et les tordre. Quand je serai Baron, ils se souviendront de ce jour et, à cause de ce jour, ils auront peur de moi et ne pourront m'échapper.*

Le gladiateur continuait de progresser comme un crabe et Feyd-Rautha lui céda du terrain, lentement. Ses pas crissaient sur le sable de l'arène. Il percevait le halètement de l'esclave, l'odeur âcre de sa propre sueur et aussi celle du sang.

Il se porta sur la droite, préparant sa seconde pique. L'esclave oscilla. Feyd-Rautha fit mine de trébucher et entendit le cri qui venait de toutes les tribunes.

Une fois encore, l'esclave attaqua.

Dieux ! Quel adversaire ! songea Feyd-Rautha en se dérobant. Seule la vivacité de la jeunesse le sauva, mais il laissa quand même un second dard profondément enfoncé dans le muscle deltoïde droit du gladiateur.

Des applaudissements frénétiques plurent des tribunes.

Ils m'acclament, à présent, se dit Feyd-Rautha. Et il percevait la sauvagerie qui habitait les voix, tout à coup, ainsi que l'avait prévu Hawat. Jamais encore ils n'avaient ainsi applaudi un champion familial. Il se souvint de ce que lui avait dit le Mentat : « *Il est facile d'être terrifié par un ennemi que l'on admire.* » Et cette pensée avait maintenant des échos sinistres.

Rapidement, il battit en retraite vers le centre de l'arène où il pourrait clairement percevoir chaque détail. Il sortit son long couteau, s'accroupit et attendit.

L'esclave ne s'attarda que le temps de lacer la seconde pique au long de son bras, ainsi qu'il avait fait pour la première, puis il se remit en marche.

Que la famille me regarde, se dit Feyd-Rautha. *Je suis leur ennemi. Il faut qu'ils pensent désormais à moi tel qu'ils me voient maintenant.*

Il brandit sa lame courte.

« Je ne te crains pas, porc d'Harkonnen, dit le gladiateur. Tes tortures ne peuvent atteindre un mort. Je peux mourir de ma propre lame avant qu'un de tes valets ne me touche Et tu mourras en même temps ! »

Feyd-Rautha sourit. Il pointait maintenant la longue lame, celle qui était enduite de poison.

« Essaye celle-ci », dit-il, et, de l'autre main, il feinta avec la lame courte.

L'esclave changea son arme de main et se tourna, parant et feintant dans le même temps pour se saisir de la lame courte du na-Baron. Celle qui, dans la main gantée de blanc, selon la tradition, devait porter le poison.

« Tu vas mourir, Harkonnen ! » souffla le gladiateur.

Ils se ruèrent l'un contre l'autre. Lorsque les boucliers entraient en contact, une lueur bleue naissait. L'odeur acide de l'ozone se faisait plus forte d'instant en instant.

« Meurs de ton propre poison ! » gronda l'esclave.

Il se saisit de la main gantée de blanc de Feyd-Rautha et la replia vers l'intérieur.

Il faut que tous voient cela ! pensa Feyd-Rautha.

Il abaissa la lame longue qui vint heurter en vain la pique lacée contre l'avant-bras de l'esclave.

Un instant, il fut troublé. Il n'avait pas encore songé que ses propres dards puissent être, pour le gladiateur, un moyen de défense. Mais, en vérité, ils lui faisaient une sorte de bouclier improvisé. Et l'homme était fort ! Peu à peu, inexorablement, la lame courte de Feyd-Rautha se rapprochait de sa chair et il se dit qu'un homme pouvait mourir par le couteau, sans le moindre poison.

« Racaille ! » cracha-t-il.

Au mot clé, les muscles du gladiateur obéirent par un bref instant de flacidité. Ce qui suffit à Feyd-Rautha. L'espace ainsi ouvert entre eux était suffisant pour permettre le passage de son long couteau. La pointe empoisonnée laissa un sillon rouge sur le torse du gladiateur. La souffrance fut immédiate. L'homme se dégagea et tituba en arrière.

A présent, se dit Feyd-Rautha, *que ma chère famille se régale. Qu'ils croient tous que cet esclave allait retourner contre moi la lame empoisonnée. Qu'ils se demandent donc comment un gladiateur a pu ainsi pénétrer dans l'arène pour tenter de m'assassiner. Et qu'ils puissent ne jamais savoir avec certitude laquelle de mes mains porte le poison.*

En silence, Feyd-Rautha observait maintenant les gestes de l'esclave. Celui-ci se déplaçait maintenant avec hésitation. Chacun pouvait lire sur son visage ce qui s'y dessinait clairement : la mort. L'homme savait ce qui venait de se passer et comment cela s'était passé. Il savait que le poison s'était trouvé sur le mauvais couteau.

« Toi ! » coassa-t-il.

Feyd-Rautha recula pour lui laisser assez de place pour mourir. Il fallait encore que l'élément paralysant du poison fît son effet mais la lenteur des gestes de l'homme était, quant à cela, éloquente.

Il tituba en avant, un pas après l'autre, comme tiré par quelque fil invisible. Et chaque pas semblait être le dernier. Il n'avait pas lâché son arme, mais elle tremblait maintenant entre ses doigts.

« Un jour... l'un... de nous... te tuera », souffla-t-il.

Une petite moue triste vint déformer sa bouche. Il tomba assis, puis s'effondra complètement, se raidit et roula un peu plus loin, face contre terre.

Dans l'arène silencieuse, Feyd-Rautha s'avança et, du pied, retourna le corps de son adversaire afin que chacun, dans les tribunes, pût voir opérer le poison dans les convulsions du visage. Mais le couteau du gladiateur était planté dans sa propre poitrine.

En dépit de la frustration qu'il éprouva soudain, Feyd-Rautha ne put rejeter un élan d'admiration pour l'effort que l'homme avait dû accomplir pour lutter contre la paralysie. Et, dans le même temps, il comprit qu'il devait *réellement* craindre quelque chose.

Est terrifiant ce qui rend un humain surhumain.

Comme il se concentrait sur cette pensée, Feyd-Rautha prit conscience du bruit qui venait des tribunes et des loges, tout autour de lui, le bruit d'applaudissements sans retenue.

Il se retourna alors et regarda l'assistance.

Ils l'acclamaient, tous, sauf le Baron qui, le menton dans la main, le contemplait, et le Comte et sa Dame dont le sourire était comme un masque.

A cet instant, le Comte se tournait vers sa Dame et lui disait : « Ah... Mmmm... Un jeune homme plein de... Mmmm... ressources, n'est-ce pas, ma chère ? »

« Ses... Euh... réponses synaptiques sont particulièrement vives », dit-elle.

Le Baron la regarda, puis son attention se porta sur son époux avant de revenir à l'arène. Et il songea : *Dire que quelqu'un peut s'approcher à ce point de l'un des miens ! La rage, maintenant, remplaçait la peur. Cette nuit, le maître des esclaves sera mis à mort, lentement, sur un feu... Mais si ce Comte et sa Dame ont quelque chose à voir dans ceci...*

Feyd-Rautha vit le signe d'agrément et pensa : *Ils croient me faire honneur. Qu'ils voient donc ce que j'en pense !*

Ses gens s'approchaient, le couteau-scie en main pour les honneurs. D'un geste impératif il les arrêta, les vit hésiter et réitéra son ordre. *Ils pensent m'honorer avec une tête !* pensait-il. Il se baissa, croisa les mains du gladiateur autour du manche du couteau dépassant de sa poitrine, puis arracha la lame et la plaça dans les doigts inertes.

Cela fut fait en un instant. Puis il se redressa et fit signe à ses hommes d'approcher. « Enterrez-le ainsi, avec le couteau dans les mains, dit-il. Il l'a mérité. »

Dans la loge dorée, le Comte Fenring se pencha vers le Baron et lui dit : « Un beau geste que celui-ci... Quelle grandeur ! Votre neveu a autant de style que de courage ! »

« En refusant la tête, il insulte la foule », grommela le Baron.

« Pas du tout », dit Dame Fenring en se retournant et en portant son regard sur les gradins.

Dans ce mouvement, le Baron remarqua la ligne de son cou, le jeu adorable des muscles. Adorable comme un jeune garçon.

« Ils apprécient ce que vient de faire votre neveu », dit-elle.

Le Baron regarda et vit que la foule, effectivement, avait

correctement interprété le geste de Feyd-Rautha. Jusqu'aux places les plus lointaines, chacun, maintenant, observait le corps intact du gladiateur que l'on emmenait.

Et chacun hurlait, trépignait, s'excitait.

D'une voix lasse, le Baron déclara : « Il va me falloir ordonner une fête. On ne peut renvoyer ainsi le peuple, sans qu'il ait dépensé son énergie. Il faut qu'ils voient que je partage leur excitation, leur joie. » Il fit un geste à l'intention de ses gardes. Au-dessus de la loge, un serviteur abaissa par trois fois la bannière orange d'Harkonnen, donnant le signal de la fête.

Feyd-Rautha traversa l'arène et vint s'arrêter devant la loge dorée. Il avait remis ses armes au fourreau et ses mains pendaient à ses côtés. Par-dessus la rumeur de la foule, il demanda : « Une fête, mon Oncle ? »

Le bruit des voix innombrables décrut comme chacun essayait de percevoir la conversation.

« En ton honneur, Feyd ! » dit le Baron. Une fois encore, il fit abaisser la bannière orange.

Dans l'arène, les barrières avaient été jetées à bas et des jeunes gens se ruaient sur le sable en direction du na-Baron.

« Vous avez fait abaisser les boucliers, Baron ? » demanda le Comte Fenring.

« Personne ne portera la main sur le garçon. C'est un héros », dit le Baron.

Le premier des jeunes gens atteignit Feyd-Rautha et le hissa sur ses épaules avant de s'élancer pour un tour d'arène.

« Il pourrait aller sans arme et sans bouclier dans les quartiers les plus pauvres d'Harko, cette nuit, dit le Baron. On lui donnerait ce qui reste de nourriture ou de boisson pour la seule joie de sa compagnie. »

Le Baron quitta son fauteuil et assura sa masse dans ses suspenseurs. « Je vous prie de me pardonner, mais certaines questions requièrent mon attention immédiate. Le garde vous conduira. »

Le Comte s'inclina. « Mais certainement, Baron. Nous

allons nous préparer pour la fête. Je... Mmm... je n'ai jamais vu... Mmm... une fête harkonnen. »

« Ah oui, la fête », dit le Baron. Il se détourna et, entouré de ses gardes, quitta la loge par l'issue privée.

Un capitaine s'inclina alors devant le Comte. « Quels sont vos ordres, Mon Seigneur ? »

« Nous... Mmm... nous allons attendre que la foule... Mmm... diminue pour passer. »

« Bien, Mon Seigneur. » Le capitaine s'inclina de nouveau et recula de trois pas.

Le Comte se tourna vers sa dame et s'adressa à elle dans leur langage codé et murmurant : « Vous avez vu, n'est-ce pas ? »

« Le garçon savait que le gladiateur ne serait pas drogué. Il a éprouvé de la peur, sans doute, mais aucune surprise. »

« Tout était préparé, dit le Comte. Tout le combat. »

« Cela ne fait pas le moindre doute. »

« Cela ressemble furieusement à Hawat. »

« Bien sûr. »

« J'avais exigé que le Baron l'élimine. »

« C'était une erreur, mon cher. »

« Je le comprends maintenant. »

« Les Harkonnens pourraient avoir un nouveau Baron avant peu. »

« Si tel est le plan de Hawat. »

« Ce qui demande réflexion, j'en conviens », dit Dame Fenring.

« Le jeune sera plus susceptible d'être contrôlé. »

« Pour nous... après cette nuit. »

« Vous n'entrevoyez aucune difficulté pour le séduire, ma petite pouliche ? »

« Non, mon amour. Vous avez vu vous-même la façon dont il m'a regardée. »

« Oui, et je comprends maintenant pourquoi il nous faut cette lignée. »

« Bien sûr, et il est tout aussi évident que nous devons avoir une prise sur lui. Je vais implanter tout au fond de lui les phrases prana-bindu qui permettront de le soumettre. »

« Nous partirons aussitôt que possible… aussitôt que vous serez sûre », dit le Comte.

Elle eut un frisson. « Coûte que coûte. Je ne pourrais porter un enfant en un lieu aussi affreux. »

« Ce que nous faisons, nous le faisons au nom de l'humanité », dit-il.

« Vous avez la part la plus aisée. »

« Je dois triompher cependant de certains préjugés anciens. Ils sont d'importance, vous le savez. »

Elle lui tapota la joue. « Mon pauvre chéri… Vous savez pourtant que c'est là le seul moyen de sauver cette lignée. »

Il répondit d'une voix sèche : « Je comprends parfaitement ce que nous faisons. »

« Nous n'échouerons pas. »

« Le sentiment de culpabilité commence comme un doute », lui rappela-t-il.

« Il n'y aura pas de culpabilité. Il n'y aura que l'hypno-liaison de la psyché de ce Feyd-Rautha et son enfant dans ma matrice. Ensuite… nous partirons. »

« Son oncle, dit-il. Avez-vous jamais rencontré un être aussi distordu ? »

« Il est très redoutable, oui. Mais le neveu pourrait bien devenir pire encore. »

« Grâce à son oncle. Quand l'on songe à ce que ce garçon aurait pu devenir avec une autre éducation, celle des Atréides, par exemple. »

« C'est triste. »

« Nous aurions pu sauver le jeune Atréides comme celui-ci, reprit le Comte. D'après ce que j'ai entendu dire du jeune Paul, c'était un garçon remarquable, un résultat parfait sur le plan de l'hérédité et de l'éducation. (Il secoua la tête.) Mais ne pleurons pas en vain sur l'aristocratie du malheur. »

« Il existe une maxime Bene Gesserit à ce propos », dit sa Dame.

« Vous en avez pour tout ! »

> Dans « Un moment de réflexion », Muad'Dib rapporte que le véritable début de son éducation correspondit à ses premiers contacts avec les impératifs d'Arrakis. Il apprit alors à sonder le sable pour connaître le temps, il apprit le langage des aiguilles que le vent plante dans la peau. Il connut alors la valeur de l'humidité de son corps et l'irritation du sable dans le nez et, tandis que ses yeux prenaient le bleu de l'Ibad, il reçut l'enseignement Chakobsa.
>
> *Préface de Stilgar à* Muad'Dib, l'Homme, *par la Princesse Irulan.*

DANS la pâle clarté de la première lune, la troupe de Stilgar quittait le bassin avec ses deux rescapés du désert. Toutes ces silhouettes aux robes flottantes se hâtaient : l'odeur du foyer était déjà dans les narines. Derrière eux, la ligne grise de l'aube était plus brillante. Au calendrier de l'horizon, cela signifiait Caprock, le premier mois de l'automne.

Au pied de la falaise, le vent brassait les feuilles mortes amassées là par les enfants du sietch. Nul n'aurait pu distinguer les bruits qui venaient de la troupe de ceux de la nuit, à l'exception de quelques fautes occasionnelles de Paul et de sa mère.

Paul, de la main, balaya la fine pellicule de poussière qui

s'était formée sur son front. Il sentit alors un contact sur son bras et la voix de Chani murmura · « Fais ce que je t'ai dit ramène l'ourlet de ton capuchon sur ton front ! Ne laisse exposés que tes yeux ! Tu perds de l'humidité ! »

Derrière eux, une voix chuchota « Le désert vous écoute ! »

Loin au-dessus d'eux, dans les rochers, un oiseau siffla. La troupe s'arrêta et Paul perçut brusquement la tension qui l'environnait

Il perçut un choc assourdi, quelque part dans les rochers. Une souris, en sautant dans le sable, n'aurait pas fait plus de bruit.

L'oiseau siffla de nouveau.

Il y eut des mouvements dans les rangs des Fremen. Puis le bruit sourd se répéta.

L'oiseau siffla une troisième fois.

La troupe reprit alors son escalade et s'engagea dans la crevasse. Mais, à présent, la façon dont les hommes respiraient, autour de lui, maintenait Paul en état d'alerte. Il remarqua quelques regards qui se tournaient vers Chani. Et Chani elle-même paraissait soudain distante, renfermée.

Ils foulaient le rocher, maintenant. Dans le bruissement léger des robes, Paul percevait un début de relâchement de la discipline. Pourtant, Chani et les autres conservaient leur silence, leur calme. Il suivit une silhouette sombre au long d'un escalier naturel. Un virage, d'autres marches encore, puis un tunnel, et enfin deux portes scellées pour l'humidité, ouvrant sur un étroit passage baigné de lumière jaune, aux parois et au plafond rocheux.

Tout autour de Paul, les Fremen rejetaient leurs capuchons en arrière, ôtaient les embouts de leurs narines et respiraient profondément Quelqu'un soupira. Paul se mit en quête de Chani et vit qu'elle s'était éloignée. Puis il fut pris dans un remous de corps, quelqu'un le bouscula et une voix lui dit : « Excuse-moi, Usul ! Quelle ruée ! C'est toujours comme ça ! »

A sa gauche, il découvrit le visage maigre et barbu de

l'homme appelé Farok. Les yeux bleus et les orbites tachetées semblaient encore plus sombres à la clarté jaunâtre des globes.

« Ote ton capuchon, Usul, lui dit Farok. Nous sommes arrivés. » Il se mit en devoir de l'aider, défaisant l'attache tout en lui ménageant un espace à coups d'épaules.

Paul ôta les embouts de ses narines, puis découvrit sa bouche. L'odeur de cet endroit l'assaillit, une odeur de corps sales, de déchets distillés. L'effluve de toute une humanité avec, en contrepoint, le parfum de l'épice.

« Qu'attendons-nous, Farok ? » demanda-t-il.

« La Révérende Mère, je pense. Tu as entendu le message... Pauvre Chani. »

Pauvre Chani ? répéta Paul en lui-même. Il regarda autour de lui. Il se demandait où était Chani, maintenant, et où était passée sa mère dans cette mêlée.

Farok souffla profondément. « L'odeur du foyer », dit-il.

Paul prit conscience du plaisir qu'éprouvait le Fremen à respirer cet air malodorant. Il n'y avait pas eu la moindre ironie dans ses paroles. Puis il entendit tousser sa mère et sa voix lui parvint. « Comme elles sont riches, les odeurs de votre sietch, Stilgar. Je vois que vous faites nombre de choses avec l'épice... du papier... du plastique... et là, est-ce que ce ne sont pas des explosifs chimiques ? »

« Vous savez cela par l'odeur ? » C'était une autre voix d'homme. Et Paul comprit que sa mère avait parlé pour son bénéfice, qu'elle désirait qu'il accepte rapidement cet assaut d'odeurs.

Puis, un bourdonnement d'activité s'éleva en tête de la troupe, tous les Fremen parurent retenir leur souffle et des voix chuchotèrent : « C'est vrai... Liet est mort. »

Liet, pensa Paul. Puis : *Chani, la fille de Liet.* Les pièces se mirent en place dans son esprit. Liet était le nom fremen du planétologiste. Il regarda Farok et lui demanda : « Est-ce Liet que nous connaissons sous le nom de Kynes ? »

« Il n'y a qu'un seul Liet », dit Farok.

Paul se détourna et son regard se porta sur la foule des Fremen. *Ainsi,* songea-t-il, *Kynes est mort.*

« C'est une ruse des Harkonnens, souffla quelqu'un. Ils voulaient que cela ressemble à un accident... Ils l'ont perdu dans le désert... un accident d'orni... »

Paul sentit la colère monter en lui. Cet homme qui était devenu leur ami, qui les avait aidés à échapper aux chasseurs d'Harkonnen, qui avait envoyé les cohortes des Fremen à leur recherche, cet homme, à son tour, avait été victime des Harkonnens.

« Usul a-t-il déjà soif de vengeance ? » demanda Farok.

Avant que Paul ait pu répondre, un ordre fut donné à faible voix et la troupe tout entière s'avança dans une vaste salle, l'entraînant avec elle. Il se retrouva en face de Stilgar et d'une étrange femme qui portait un vêtement flottant aux couleurs vives, orange et vert. Ses bras étaient nus jusqu'aux épaules et Paul pouvait voir qu'elle ne portait pas de distille. Sa peau était d'une teinte olive pâle. Ses cheveux noirs étaient ramenés en arrière au-dessus de son front haut, faisant ressortir ses pommettes et son nez aquilin entre ses yeux sombres au regard intense.

Comme elle se tournait vers lui, Paul vit que des anneaux d'or mêlés à des anneaux d'eau pendaient à ses oreilles.

« C'est *cela* qui a terrassé mon Jamis ? » demanda-t-elle.

« Silence, Harah, dit Stilgar. C'est Jamis qui l'a défié. Il a réclamé le tahaddi al-burhan. »

« Ce n'est qu'un enfant ! » lança-t-elle. Elle secoua vivement la tête et les anneaux d'eau tintèrent à ses oreilles. « Mes enfants privés de père par un autre enfant ? Très certainement, c'est un accident ! »

« Usul, combien comptes-tu d'années ? » demanda Stilgar.

« Quinze années standard », dit Paul.

Le regard de Stilgar courut sur les hommes assemblés.

« Y en a-t-il un parmi vous qui veuille me défier ? »

Silence.

Le regard de Stilgar revint alors sur la femme. « Jusqu'à ce que je connaisse son art étrange, je ne le défierai pas. »

Elle affronta son regard. « Mais... »

« Tu as vu la femme étrangère qui, avec Chani, est allée

vers la Révérende Mère ? Elle est notre Sayyadina hors-freyn, la mère de ce garçon. Mère et fils sont maîtres en l'art étrange du combat. »

« Lisan al-Gaib », murmura la femme, et son regard se tourna à nouveau vers Paul, mais avec émotion cette fois.

La légende, à nouveau, songea Paul.

« Peut-être, dit Stilgar. Mais nous n'avons pas encore de preuve. (Il regarda Paul.) Usul, il est de règle que la responsabilité de la femme de Jamis, ici présente, te revienne, ainsi que celle de ses deux fils. Son yali... ses appartements sont tiens. Son service à café aussi... Et sa femme. »

Paul observait la femme et se demandait : *Pourquoi ne pleure-t-elle pas son homme ? Pourquoi ne montre-t-elle aucune haine à mon égard ?* Brusquement, il s'aperçut que tous les Fremen le regardaient, attendaient.

Quelqu'un murmura : « Il y a du travail. Dis pourquoi tu l'acceptes. »

« Acceptes-tu Harah comme femme ou comme servante ? » demanda Stilgar.

Harah leva les bras, et lentement, pivota sur un talon.

« Je suis encore jeune, Usul. On dit que je parais encore aussi jeune que lorsque j'étais avec Geoff... avant que Jamis l'ait vaincu. »

Jamis a donc tué un autre pour l'avoir, se dit Paul.

« Si je l'accepte comme servante, dit-il enfin, pourrai-je changer d'idée plus tard ? ».

« Tu auras un an pour cela, dit Stilgar. Après, elle sera une femme libre et pourra choisir selon ses désirs... A moins que tu ne la libères avant. Mais elle est sous ta responsabilité, quoi qu'il en soit, pour une année... Et tu seras toujours en partie responsable des fils de Jamis. »

« Je l'accepte pour servante », dit Paul.

Harah tapa du pied et haussa les épaules avec colère.

« Mais je suis jeune ! »

Stilgar regarda Paul. « La prudence est une qualité pour celui qui dirige. »

« Mais je suis jeune ! » répéta Harah.

« Silence, ordonna Stilgar. Si une chose a quelque mérite, elle sera. Montre ses quartiers à Usul et veille à ce qu'il ait des vêtements frais ainsi qu'un lieu pour se reposer. »

« Ohhh », se lamenta-t-elle.

Paul avait déjà suffisamment enregistré pour avoir une première approximation de Harah. Il percevait l'impatience grandissante de la troupe et savait qu'il restait bien des choses à faire. Il se demanda s'il devait oser s'enquérir de la situation de sa mère et de Chani mais il vit à l'apparence de Stilgar que ce serait une faute.

Il se tourna vers Harah et accentua sa peur et son trouble en parlant avec un léger trémolo : « Montre-moi mes quartiers, Harah ! Nous discuterons de ta jeunesse une autre fois ' »

Elle prit deux pas de recul et eut un regard effrayé à l'adresse de Stilgar. « Il a la voix d'étrangeté », souffla-t-elle.

« Stilgar, dit Paul, j'ai de lourdes obligations envers le père de Chani. S'il est quelque chose que... »

« Ce sera décidé en conseil, dit Stilgar. Tu pourras parler, alors. » Puis il hocha la tête et se mit en route, suivi par toute la troupe.

Paul prit le bras de Harah, remarquant à quel point sa chair était fraîche. Il vit qu'elle tremblait. « Je ne te ferai point de mal, Harah. Montre-moi mes quartiers. » Il adoucissait sa voix d'une note de calme.

« Tu ne me rejetteras pas quand l'année sera écoulée ? demanda-t-elle. Je sais bien qu'en vérité je ne suis plus aussi jeune que je l'étais. »

« Aussi longtemps que je vivrai tu auras une place auprès de moi, dit-il. (Il lui lâcha le bras.) Maintenant, viens. Où sont mes quartiers ? »

Elle le précéda au long du passage, tourna à droite dans un large tunnel latéral éclairé de loin en loin par des globes jaunes. Le sol rocheux était lisse, sans le moindre grain de sable.

Tout en marchant, Paul la regarda, observant son profil aquilin.

« Tu ne me détestes pas, Harah ? »

« Pourquoi devrais-je te détester ? »

Elle inclina la tête à l'adresse d'un groupe d'enfants qui les observaient. Derrière eux, de l'autre côté de draperies qui les dissimulaient à demi, Paul entrevit des adultes.

« J'ai... terrassé Jamis », dit-il.

« Stilgar a dit que la cérémonie avait eu lieu et que tu étais un ami de Jamis. (Elle lui jeta un regard.) Il dit que tu as donné ton humidité au mort. Est-ce vrai ? »

« Oui. »

« C'est plus que je ne ferai, plus que je puis faire. »

« Tu ne le pleures pas ? »

« Lorsque viendra le temps de pleurer, je le pleurerai. »

Ils passèrent devant une entrée en arche et Paul, dans une vaste pièce claire, vit des hommes et des femmes qui s'activaient autour d'une machine avec une sorte de hâte frénétique.

« Que font-ils ? »

Harah suivit son regard et dit : « Ils se dépêchent de finir leur quota de plastiques avant que nous fuyions. Nous aurons besoin de beaucoup de collecteurs de rosée pour les plantations. »

« Fuir ? »

« Il le faut, jusqu'à ce que les bouchers cessent de nous poursuivre ou jusqu'à ce qu'ils soient chassés de notre terre. »

Un instant, pour Paul, ce fut comme si le temps s'arrêtait. Il lui revint un fragment de vision presciente. Mais l'image était déplacée, décalée. Ces parcelles de souvenirs prescients n'étaient pas exactement telles qu'il se les rappelait.

« Les Sardaukar nous pourchassent », dit-il.

« Ils ne trouveront pas grand-chose, si ce n'est un ou deux sietchs vides. Et le sable leur réserve leur part de mort. »

« Est-ce qu'ils découvriront cet endroit ? »

« C'est probable. »

« Pourtant, nous prenons le temps de... (Il tourna la tête en arrière.)... de fabriquer des... collecteurs de rosée. »

« Les plantations continuent. »

« Quelle est l'utilité des collecteurs de rosée ? »

Elle le regarda et il y avait une surprise intense dans ses yeux. « Est-ce qu'ils ne t'ont rien appris... là d'où tu viens ? »

« Rien à propos des collecteurs de rosée. »

« Hai ! » s'exclama-t-elle, et c'était comme si elle prononçait une longue phrase.

« Eh bien, insista Paul, que sont les collecteurs de rosée ? »

« Chaque buisson, chaque pousse d'herbe que tu vois dans l'erg, dit-elle, comment crois-tu qu'ils vivent lorsque nous partons ? Chacun d'eux est tendrement planté dans son petit puits et les puits sont emplis d'ovales de chromoplastique. La lumière les fait virer au blanc. Si tu regardes d'un endroit élevé, à l'aube, tu peux les voir briller. Comme des éclairs blancs. Mais quand le Vieux Père Soleil s'en va, le chromoplastique redevient transparent avec l'obscurité. Il se refroidit très rapidement. Sa surface condense l'humidité de l'air et c'est ce qui maintient la plante en vie. »

« Des collecteurs de rosée », murmura Paul, fasciné par la simple beauté du procédé.

« Je pleurerai Jamis quand il en sera temps, reprit Harah, comme si elle n'avait cessé de penser à la question de Paul. C'était un homme bon mais à la colère vive. Il nous nourrissait très bien et il était merveilleux avec les enfants. Il ne faisait pas de différence entre mon premier-né, le fils de Geoff, et le sien. A ses yeux, ils étaient égaux. (Elle regarda Paul d'un air interrogateur.) En sera-t-il ainsi avec toi, Usul ? »

« Nous n'avons pas ce problème. »

« Mais si... »

« Harah ! »

Au ton dur de sa voix, elle se replia en elle-même et garda le silence.

Ils passèrent devant une nouvelle salle brillamment éclairée.

« Que fait-on ici ? » demanda Paul.

« On y répare les métiers à tisser, dit Harah. Mais, cette nuit, il faut les démonter. (Elle désigna un tunnel qui débouchait à leur gauche.) Dans cette direction se trouvent les salles où l'on fabrique la nourriture et où l'on répare les distilles. (Elle examina Paul.) Le tien paraît neuf. Mais s'il a

162

besoin d'une réparation, je pourrai la faire. Je suis habile à cette tâche. J'ai travaillé à la fabrique, pendant la saison. »

A présent, ils rencontraient de plus en plus souvent des groupes de Fremen et, de part et d'autre du tunnel, les ouvertures se faisaient plus nombreuses. Ils croisèrent une file d'hommes et de femmes qui portaient des fardeaux glouglou-tants. Une lourde senteur d'épice les suivait.

« Ils n'auront pas notre eau ni notre épice, dit Harah. Tu peux en être certain. »

En passant devant les ouvertures, Paul entrevoyait de lourdes tentures, des murs revêtus de tissus aux couleurs vives, des coussins empilés. A leur approche, les gens devenaient silencieux et suivaient Paul d'un regard farouche.

« Les gens trouvent étrange que tu aies vaincu Jamis, dit Harah. Il faudra probablement que tu donnes des preuves quand nous serons dans un nouveau sietch. »

« Je n'aime pas tuer », dit-il.

« C'est ce que Stilgar nous a dit », fit-elle, mais il perçut le scepticisme dans sa voix.

Devant eux, des voix aiguës chantaient. Ils atteignirent une ouverture plus large que toutes les autres. Paul ralentit le pas et son regard plongea dans une salle pleine d'enfants, assis, jambes croisées, sur le sol revêtu d'un tapis brun.

De l'autre côté de la salle, une femme en tunique jaune se tenait devant un tableau, désignant avec un protecto-stylet divers dessins : cercles, courbes, angles, carrés et arcs coupés de parallèles. Les enfants chantaient en rythme.

Tout en s'éloignant, Paul tendait l'oreille, essayant de comprendre ce que chantaient les voix de plus en plus ténues

« Arbre, arbre, herbe, dune, vent, montagne, chantaient les voix enfantines. Colline, feu, éclair, rochers, rocs, poussière, sable, chaleur, abri, chaleur, plein, hiver, froid, vide, érosion, été, caverne, jour, tension, lune, nuit, marée, pente, planta tion, parpaing... »

« La classe continue en un pareil moment ? » demanda Paul.

Le visage d'Harah s'assombrit et il y eut du chagrin dans sa voix lorsqu'elle répondit « Nous ne pouvons nous arrêter un instant. C'est ce que Liet nous a appris. Liet est mort mais il ne peut être oublié. Ainsi le veut le Chakobsa. »

Elle dévia sur la gauche et s'avança jusqu'à une loge tendue de draperie orange. « Ton yali est prêt pour toi, Usul. »

Paul hésita avant de s'approcher. Soudain, l'idée de se retrouver seul avec cette femme lui déplaisait. Il se rendait compte qu'il était environné par tout un mode de vie qu'il ne pourrait comprendre qu'à partir d'un ensemble écologique d'idées et de valeurs. Ce monde des Fremen se refermait sur lui, il allait le façonner. Et il savait bien ce que promettait ce piège... le sauvage jihad, la guerre religieuse qu'il devait éviter à tout prix.

« C'est ton yali, dit Harah. Pourquoi hésites-tu ? »

Paul hocha la tête et la rejoignit. Il souleva les draperies et sentit des fibres de métal sous les doigts. Il suivit Harah dans une entrée étroite, puis dans une pièce plus vaste, carrée, d'environ six mètres de côté. D'épais tapis bleus couvraient le sol et les murs rocheux étaient revêtus de tissu bleu et vert Des brilleurs jaunes flottaient à proximité des draperies jaunes qui formaient le plafond.

Paul eut l'impression de se trouver dans une ancienne tente

Harah se tenait immobile devant lui, la main gauche à la hanche. Ses yeux ne quittaient pas le visage de Paul.

« Les enfants sont avec un ami, dit-elle. Ils se présenteront à toi plus tard. »

Paul dissimula la gêne qu'il éprouvait en examinant rapidement la pièce. Il remarqua que les fines draperies, à droite, masquaient en partie une autre pièce, plus vaste, dans laquelle des coussins étaient entassés contre les parois. Il sentit une douce brise sur son visage et découvrit l'orifice du conduit d'air, habilement camouflé dans les replis du tissu, juste au-dessus de sa tête.

« Veux-tu que je t'aide à ôter ton distille ? » demanda Harah.

« Non... Merci. »

« Dois-je t'apporter à manger ? »

164

« Oui. »

« Après l'autre pièce, il y a une chambre de repos, dit-elle en tendant la main. Pour ton confort et ton plaisir quand tu seras débarrassé de ton distille. »

« Tu as dit qu'il fallait que nous quittions le sietch. Ne devrions-nous pas faire des paquets ou autre chose ?... »

« Ce sera fait en son temps. Il faut encore que les bouchers pénètrent dans notre région. »

Elle hésitait, ne le quittant pas des yeux.

« Qu'y a-t-il ? »

« Tu n'as pas les yeux de l'Ibad, dit-elle. C'est étrange mais pas vraiment déplaisant. »

« Va chercher la nourriture, dit-il. J'ai faim. »

Elle lui sourit. Un sourire de femme, un sourire avisé et troublant.

« Je suis ta servante », dit-elle. Et, d'un mouvement souple, elle se retourna et repoussa une lourde tenture, révélant un étroit passage où elle disparut.

Paul écarta les fines draperies qui le séparaient de l'autre pièce. Il éprouvait de la colère envers lui-même. Un instant, il demeura immobile sur le seuil, incertain. Il se demandait où se trouvait Chani... Chani qui venait de perdre son père.

En cela nous sommes semblables, songea-t-il.

Un appel résonna dans les couloirs, étouffé par les multiples tentures. Il se répéta une seconde fois, un peu plus loin. Puis une fois encore. Paul comprit que l'on annonçait l'heure. Et il se dit qu'il n'avait encore vu aucune horloge dans le sietch.

La faible senteur d'un feu de créosote parvint à ses narines, mêlée à la puanteur omniprésente qui, il en eut conscience, ne lui semblait plus aussi violente.

Puis ses pensées allèrent vers sa mère. A nouveau, il se demanda quel serait son rôle dans les diverses images futures qu'il avait entrevues... Son rôle et celui de la fille qu'elle portait.

Le temps, le temps transformable semblait danser autour de lui. Il secoua la tête et essaya de se concentrer sur les preuves multiples qu'il avait eues de la profondeur de cette culture fremen qui venait de les absorber Avec ses bizarreries subtiles

Dans les grottes fremen aussi bien que dans cette pièce où il se trouvait en cet instant, il avait remarqué un détail qui, à lui seul, suggérait plus de différences que tout ce qu'il avait vu auparavant

Nulle part, il n'y avait le moindre goûte-poison. Nulle part n'apparaissait le moindre signe de son usage. Pourtant, dans la vague d'odeurs du sietch, il pouvait déceler des poisons, violents ou communs.

Il entendit un bruissement d'étoffe, pensa qu'Harah était de retour avec son repas et se retourna. Il vit alors, derrière quelques tentures déplacées, deux jeunes garçons qui le regardaient avec des yeux avides. Ils avaient peut-être neuf ou dix ans et tous deux avaient une main posée sur la garde d'un petit krys, pareil à un kindjal. Il se souvint alors de ce que l'on disait à propos des Fremen, que les enfants se battaient avec la même ardeur que les adultes.

Mais elle éprouvait des doutes. Elle se demandait si elle devait utiliser Paul comme une excuse pour échapper à une situation dangereuse. Elle devait également penser à cette fille qui n'était pas encore née. Ce qui mettait en danger la chair de la mère mettait aussi en danger celle de la fille.

Des hommes approchèrent, portant des tapis roulés. Grognant sous le poids, ils déposèrent leur fardeau dans un nuage de poussière.

Stilgar prit le bras de Jessica et l'entraîna jusque dans la corne acoustique qui formait la limite arrière de la terrasse rocheuse. Il lui désigna un banc taillé à même le roc. « La Révérende Mère va y prendre place, dit-il, mais vous pouvez vous reposer jusqu'à ce qu'elle arrive. »

« Je préfère demeurer debout », dit Jessica.

Elle regarda les hommes dérouler les tapis, les déployer sur toute la terrasse. Puis son regard revint à la foule. Il y avait bien au moins dix mille personnes, maintenant.

Il en arrivait toujours.

Dehors, sur le désert, elle le savait, le crépuscule rouge survenait déjà. Mais ici, dans la caverne, régnait un demi-jour perpétuel, une grisaille qui emplissait cette vastitude où tous ces gens étaient venus pour la voir risquer sa vie.

A sa droite, un passage s'ouvrit dans la foule et elle vit s'approcher Paul, escorté de deux jeunes garçons. Ces derniers avaient une attitude hautaine et troublante. Fronçant les sourcils, ils gardaient une main sur leur couteau.

« Les fils de Jamis qui sont à présent ceux d'Usul, dit Stilgar. Ils prennent leur rôle d'escorte avec beaucoup de sérieux. » Il sourit à l'adresse de Jessica.

Elle devina l'effort qu'il faisait pour la détendre et elle lui en fut reconnaissante. Mais elle ne parvenait pas à détourner son esprit du danger qu'elle allait affronter.

Je n'avais que ce choix, songea-t-elle. *Nous devons agir rapidement pour assurer notre place au sein de ces Fremen.*

Paul monta sur la terrasse, laissant les enfants de Jamis en bas. Il s'arrêta devant sa mère, jeta un regard à Stilgar, puis dit « Que se passe-t-il ? Je pensais que l'on m'avait convoqué pour un conseil. »

Stilgar leva la main pour intimer le silence à la foule. Puis il fit un geste vers la gauche, où un autre passage s'était ouvert dans la foule. Chani approchait. Une expression de douleur était peinte sur son visage d'elfe. Un mouchoir vert était noué sur son bras gauche, au-dessous de l'épaule.

Le vert du deuil, songea Paul.

Les deux fils de Jamis lui avaient appris cela indirectement en lui disant qu'ils ne portaient pas de vert parce qu'ils l'avaient déjà accepté comme père-gardien.

« Es-tu le Lisan al-Gaib ? » lui avaient-ils demandé. Et Paul, à travers leurs paroles, avait décelé la présence du jihad, évitant de répondre à leur question en en posant une autre, ce qui lui avait permis d'apprendre que Kaleff, l'aîné, avait dix ans et qu'il était le fils naturel de Geoff. Orlop, le plus jeune, le fils de Jamis, avait huit ans.

La journée avait été étrange. Les deux enfants étaient restés auprès de lui à sa demande pour éloigner les curieux et lui laisser ainsi le temps de ramener le calme dans ses pensées et ses souvenirs prescients, et de décider d'un moyen de repousser le jihad.

Maintenant, tandis qu'il contemplait la foule aux côtés de sa mère, il se demandait de nouveau si quoi que ce fût pourrait empêcher la sauvage ruée des légions fanatiques.

Chani s'approchait de la terrasse, suivie à distance par quatre femmes qui en portaient une autre sur une litière.

Jessica, ignorant Chani, concentrait toute son attention sur la femme dans la litière. Elle était vieille, usée, ridée, drapée dans une robe noire dont le capuchon, rejeté en arrière, révélait un chignon gris et un cou décharné.

Doucement, les femmes qui portaient la litière déposèrent leur fardeau sur la terrasse et Chani aida la vieille femme à descendre.

Ainsi, c'est là leur Révérende Mère, songea Jessica.

La vieille en noir s'appuyait lourdement sur l'épaule de Chani en s'avançant vers Jessica. Elle évoquait un fagot de vieilles branches enveloppé dans un tissu noir. Elle s'arrêta, leva les yeux et demeura un long moment silencieuse avant de déclarer dans un chuchotement rauque : « Ainsi c'est vous. La Shadout Mapes a eu raison d'avoir pitié de vous. » La vieille tête oscilla sur le cou maigre.

Jessica répondit d'un ton sec, méprisant : « Je n'ai besoin de la pitié de personne ! »

« Cela reste à prouver, souffla la vieille. (Avec une vivacité surprenante, elle se retourna et fit face à la foule.) Dis-leur, Stilgar. »

« Il le faut ? »

« Nous sommes le peuple de Misr. Depuis que nos ancêtres se sont enfuis de Nilotic al-Ourouba, nous avons connu la mort et la fuite. Les jeunes vivent afin que notre peuple ne meure point. »

Stilgar prit une profonde inspiration et fit deux pas en avant.

Le silence s'établit dans toute l'immense caverne. Il y avait maintenant vingt mille Fremen qui attendaient, immobiles, pétrifiés. Jessica, soudain, se sentit petite et vulnérable.

« Cette nuit, dit Stilgar, nous devrons quitter ce sietch qui nous a abrités pendant longtemps pour aller loin dans le Sud. » Sa voix semblait gronder au-dessus des visages dressés, réverbérée par la corne acoustique.

Dans la foule, il n'y eut pas un murmure.

« La Révérende Mère me dit qu'elle ne pourrait survivre à un autre hajra, reprit Stilgar. Nous avons déjà vécu sans Révérende Mère, mais cela n'est pas bon pour un peuple qui cherche un nouveau foyer. »

A présent, des mouvements naissaient dans la foule, des murmures et des regards inquiets.

« Il se peut qu'il n'en soit pas ainsi. Notre nouvelle Sayyadina, Jessica de l'Art Étrange, a consenti à se prêter au rite. Elle va essayer de passer l'épreuve afin que nous ne perdions pas le soutien de notre Révérende Mère. »

Jessica de l'Art Étrange, songea Jessica. Elle vit le regard de Paul, elle lut toutes les questions qu'il y avait dans ses yeux

Mais sa bouche était rivée par toute l'étrangeté qui les entourait.

Si je meurs dans cette épreuve, qu'adviendra-t-il de lui ? se demanda-t-elle. Et, à nouveau, les doutes affluèrent dans son esprit.

Chani conduisit la vieille Révérende Mère jusqu'au banc de pierre, dans la corne acoustique, puis revint auprès de Stilgar

« Afin que nous ne perdions pas tout si Jessica de l'Art Étrange venait à échouer, dit Stilgar, Chani, fille de Liet, sera consacrée Sayyadina. » Puis il fit un pas de côté.

Du fond de la corne acoustique, la voix de la vieille femme s'éleva. C'était comme un formidable chuchotement, rauque, pénétrant. « Chani est revenue de son hajra. Chani a vu les eaux. »

La foule psalmodia la réponse : « Elle a vu les eaux. »

« Je consacre Sayyadina la fille de Liet. »

« Elle est acceptée », répondit la foule.

Paul ne prêtait que peu d'attention à la cérémonie. Il pensait à ce qui venait d'être dit à propos de sa mère.

Si elle venait à échouer ?

Il se retourna et se tourna vers celle que tous appelaient la Révérende Mère, examinant les traits anciens, le bleu sans fond des yeux. Il lui semblait que la brise la plus légère l'emporterait. Pourtant, il y avait en elle quelque chose qui suggérait qu'elle pouvait résister à une tempête coriolis. Il émanait d'elle cette aura de puissance qu'il avait décelée chez la Révérende Mère Gaius Helen Mohiam lorsqu'elle l'avait soumis au test de souffrance du gom jabbar.

« Moi, Révérende Mère Ramallo, dit la vieille dont la voix était comme celle d'une multitude, je te dis ceci : il est bien que Chani soit acceptée comme Sayyadina. »

« C'est bien », répondit la foule.

La Révérende Mère hocha la tête et murmura : « Je lui donne les cieux argentés, le désert doré et ses rochers brillants, les champs verts qui seront. Je donne tout cela à la Sayyadina Chani. Et, pour que jamais elle n'oublie qu'elle est notre servante à tous, c'est à elle que reviennent les obligations domestiques de la Cérémonie de la Graine. Qu'il en soit ainsi selon le Shai-hulud. » Elle leva un bras qui était comme un vieux bâton bruni et le rabaissa.

Jessica eut l'impression que la cérémonie, tout à coup, était comme un courant violent qui l'emportait, lui interdisant de revenir en arrière. Elle ne put qu'adresser un regard à Paul, puis se prépara à l'épreuve.

« Que les maîtres d'eau s'avancent », dit Chani, et, dans sa voix de femme-enfant, il y avait une hésitation à peine perceptible.

A cet instant, Jessica sentit le danger sur elle. Elle reconnut sa présence dans les regards, dans le silence.

Un passage sinueux venait de s'ouvrir dans la foule et des hommes s'avançaient vers la terrasse. Ils allaient par deux, portant de petits sacs de peau qui se balançaient lourdement et qui étaient gros comme deux têtes d'homme.

Les deux premiers déposèrent leur fardeau aux pieds de Chani et reculèrent.

Jessica regarda le sac, puis les hommes. Ils avaient ramené leurs capuchons en arrière, révélant leurs longs cheveux noués en rouleau à la base du cou. Leurs yeux sombres affrontèrent calmement son regard.

Un lourd arôme de cannelle montait du sac. *L'épice ?* se demanda Jessica.

« Y a-t-il de l'eau ? » demanda Chani.

Le maître d'eau qui se trouvait à sa gauche, celui qui avait une cicatrice rouge sur l'aile du nez, acquiesça. « Il y a de l'eau, Sayyadina. Mais nous ne pouvons en boire. »

« Y a-t-il de la graine ? »

« Il y a de la graine. »

Chani s'agenouilla alors et posa ses mains sur le sac. « Bénies soient l'eau et la graine. »

Il y avait quelque chose de familier dans le rite et Jessica regarda la Révérende Mère Ramallo. La vieille femme avait fermé les yeux et s'était recroquevillée, comme si elle dormait.

« Sayyadina Jessica », dit Chani.

Jessica se retourna et vit que la femme-enfant la regardait.

« Avez-vous goûté l'eau bénite ? » demanda-t-elle.

Avant que Jessica ait pu répondre, elle ajouta : « Il n'est pas possible que vous ayez goûté l'eau bénite. Vous n'êtes pas de ce monde et vous n'avez pas de privilèges. »

Un soupir courut dans la foule, un murmure de robes qui fit naître un frisson en Jessica.

« La récolte a été bonne et le faiseur détruit », dit Chani. Elle se mit alors à dérouler le tuyau fixé au sac.

Le danger augmentait encore, songeait Jessica. Elle lança un regard à Paul et vit que, pris par le rite, il n'avait d'yeux que pour Chani.

A-t-il entrevu ce moment dans le temps ? se demandat-elle. Elle porta une main à son ventre, songeant à sa fille. *Ai-je le droit de les mettre en danger tous les deux ?*

Chani lui tendit le tuyau. « Voici l'Eau de la Vie, celle qui est plus grande que l'eau. Kan, l'eau qui libère l'âme. Si vous devez être une Révérende Mère, elle vous ouvrira l'univers. Que Shai hulud juge, à présent. »

Jessica se sentait déchirée entre les obligations qu'elle avait envers son enfant à naître et son devoir à l'égard de Paul. Pour lui, elle le savait, il fallait qu'elle prenne ce tuyau et boive le liquide contenu dans le sac mais, à l'instant où elle se baissait, tous ses sens l'avertirent du péril.

Ce qu'il y avait dans le sac dégageait un parfum amer à la fois proche et différent de bien des poisons de sa connaissance.

« Maintenant, vous devez boire », dit Chani.

Il n'est pas de fuite possible, songea Jessica. Et rien, dans toute son éducation Bene Gesserit, ne lui donnait en cet instant de solution.

Qu'est-ce donc ? se demandait-elle. *Un alcool ? Une drogue ?*

Elle se pencha sur l'extrémité du tuyau, sentit les esters de cannelle et se souvint de l'ivresse de Duncan Idaho. Un alcool d'épice ? se demanda-t-elle. Elle prit le siphon dans sa bouche et aspira une infime gorgée. Cela avait un goût d'épice, un peu âcre sur la langue.

Chani appuya alors sur le sac et une grosse goulée de liquide se déversa dans la bouche de Jessica. Elle ne put que l'avaler en s'efforçant de conserver tout son calme et sa dignité.

« Accepter une petite mort est pire que la mort », dit Chani. Elle regardait Jessica, attendait.

Et Jessica répondait à son regard, le tuyau toujours dans la bouche. Le goût du liquide était sur son palais, dans ses narines, ses joues, ses yeux... Un goût sucré.

Fraîcheur.

A nouveau, le liquide se déversa dans la bouche de Jessica.

Délicatesse.

Jessica étudiait les traits de Chani, lisait les traces de Liet-Kynes, dans ce visage d'elfe, des traces que le temps n'avait pas encore fixées.

Ils m'ont donné une drogue, se dit-elle.

Mais cela ne ressemblait à rien qu'elle eût déjà connu. Pourtant, l'éducation Bene Gesserit comprenait la connaissance de bien des drogues.

Le visage de Chani était de plus en plus clair, comme dessiné par une intense lumière.

Une drogue.

Le silence tourbillonnait autour de Jessica. Par chaque fibre de son corps, elle acceptait ce changement profond qui survenait en elle. Il lui semblait être maintenant une particule infime et consciente, plus petite que la plus petite particule sub-atomique mais pourtant capable d'émotion, de perception. Les rideaux s'écartèrent et elle eut la révélation abrupte d'une extension psychokinétique d'elle-même. Elle était atome sans être atome.

Autour d'elle, la caverne subsistait. La caverne et les gens. Elle les sentait. Paul, Chani, Stilgar, la Révérende Mère Ramallo.

La Révérende Mère !

A l'école, certaines rumeurs prétendaient que, parfois, on ne survivait pas à l'épreuve de la Révérende Mère, que la drogue vous emportait.

Elle concentra son attention sur la Révérende Mère

Ramallo, consciente que tout ceci se produisait en un bref instant figé, un fragment de temps suspendu pour elle seule.

Pourquoi le temps est-il suspendu ? se demanda-t-elle. Elle contemplait tous ces visages figés, autour d'elle. Un grain de poussière était suspendu, immobile, au-dessus de la tête de Chani. Il attendait.

La réponse lui vint alors et ce fut comme une explosion dans sa conscience : son temps personnel était suspendu pour qu'elle sauve sa vie.

Elle se concentra sur cette extension psychokinétique d'elle-même et fut immédiatement confrontée avec un noyau cellulaire, un puits de noirceur qui la repoussait.

C'est l'endroit que nous ne pouvons contempler, pensa-t-elle. *Celui que les Révérendes Mères n'aiment pas mentionner et que seul le Kwisatz Haderach peut voir.*

Comprenant cela, elle retrouva un peu de confiance et, de nouveau, essaya de se concentrer sur cette extension psychokinétique de son esprit, devint un atome-moi cherchant le danger.

Elle le découvrit dans la drogue qu'elle venait d'absorber.

En elle, la drogue était comme autant de particules dansantes, aux mouvements si rapides que même le temps gelé ne pouvait les faire apparaître. Des particules dansantes. Elle reconnut alors des structures familières, des liaisons atomiques : un atome de carbone ici, une formation hélicoïdale... une molécule de glucose. Elle avait devant elle une chaîne complète de molécules et identifia une protéine... la configuration méthyl-protéine.

Ahh !

Ce fut comme un soupir mental tout au fond d'elle-même. Elle avait identifié la nature du poison.

Elle s'installa en lui, déplaça un atome d'oxygène, attira un atome de carbone, rétablit une liaison avec l'oxygène... hydrogène.

La modification se développait... de plus en plus rapidement au fur et à mesure que la surface de contact de la réaction catalytique s'étendait.

Le temps ne fut plus suspendu. Elle perçut les mouvements. Le tuyau vint toucher ses lèvres, doucement, prenant un peu de sa salive.

Chani récupère le catalyseur de mon organisme pour transformer le poison dans le sac, pensa Jessica. *Pourquoi ?*

Quelqu'un l'aidait à s'asseoir. Elle vit que l'on amenait la Révérende Mère Ramallo à côté d'elle, sur le tapis. Une main sèche se posa sur son cou.

Et, tout à coup, au sein de sa projection psychokinétique, il y eut un autre atome ! Elle essaya de le rejeter. Mais il se rapprochait de plus en plus...

Ils se touchèrent !

Ce fut comme une union ultime, la rencontre de deux êtres. Ce n'était pas de la télépathie mais une perception mutuelle.

C'était la Révérende Mère !

Jessica vit qu'elle ne se concevait pas comme une vieille femme. Dans leurs esprits mêlés, elle voyait une jeune fille à l'esprit léger, au cœur tendre.

Et cette jeune fille lui dit : « Oui, c'est ainsi que je suis. »

Jessica ne pouvait qu'accepter ces paroles, sans y répondre.

« Tu auras tout, bientôt », dit l'image intérieure.

Une hallucination, pensa Jessica.

« Tu sais bien que non. Vite, maintenant. Ne lutte pas contre moi. Il n'y a guère de temps. Nous... (Il y eut une longue pause, puis :) Tu aurais dû nous dire que tu étais enceinte ! »

Jessica découvrit enfin la voix qui pouvait parler au sein de cette union et elle demanda : « Pourquoi ? »

« Cela vous a changées toutes deux ! Sainte Mère ! Qu'avons-nous fait ? »

Jessica perçut un changement dans la perception mutuelle et son regard intérieur lui révéla la présence d'un nouvel atome. Ce nouvel atome s'agitait frénétiquement en tous sens. Il irradiait une pure terreur.

« Il faudra que tu sois forte, dit la présence-image de la Révérende Mère. Il est heureux que tu aies porté une fille. Un fœtus mâle eût été tué. Maintenant... doucement... touche la présence de ta fille Sois la présence de ta fille Absorbe la peur calme. use de ton courage, de ta force.. doucement. doucement »

Le nouvel atome passa à proximité et Jessica s'efforça de le toucher.

Elle faillit être balayée par la terreur. Elle lutta alors de la seule façon qu'elle connaissait. « *Je ne connaîtrai pas la peur, car la peur tue l'esprit...* »

La litanie amena un rien de calme. L'autre atome s'immobilisa près d'elle

Les mots n'ont pas de pouvoir. se dit Jessica.

Elle revint au niveau des émotions de base, irradia l'amour, la tendresse, une tiède protection.

La terreur décrut.

A présent, la perception mutuelle était triple. Il n'y avait que deux atomes actifs. Le troisième demeurait au repos, absorbait tranquillement.

« Le temps me presse, dit la Révérende Mère. J'ai beaucoup à te donner. Et j'ignore si ta fille pourra tout accepter et conserver sa santé mentale. Mais cela doit être : les besoins de la tribu dominent tout. »

« Quel.. »

« Garde le silence et accepte ! »

Et devant Jessica, des moments défilèrent alors, des expériences. C'était comme une bande de lecture dans l'un des projecteurs d'éducation subliminale de l'école Bene Gesserit... mais en plus rapide.. terriblement plus rapide.

Mais... pourtant... tout restait distinct.

Et elle reconnaissait chaque expérience à l'instant où elle se présentait. Il y avait un amant, viril, barbu, aux yeux sombres de Fremen. Et Jessica vit sa force, sa tendresse en une infime fraction de temps, dans la mémoire de la Révérende Mère.

Il était trop tard, maintenant, pour se demander ce qu'il pourrait en résulter pour le fœtus qu'elle portait. Il fallait seulement accepter, enregistrer tandis que le flot d'expériences vécues par la Révérende Mère continuait de se déverser.

Naissance, vie, mort. Moments importants, détails ordinaires… Une existence en éclairs de vision.

Pourquoi ce ruissellement de sable en haut d'une falaise est-il demeuré là, incrusté dans les souvenirs ? se demanda-t-elle.

Trop tard, elle comprit ce qui se passait : la vieille mourait et, dans son agonie, transvasait tous ses souvenirs dans la mémoire de Jessica, comme l'on transvase l'eau d'une coupe à une autre. Le troisième atome, sous le regard intérieur de Jessica, regagna l'état de conscience prénatal tandis que la vieille Révérende Mère laissait sa vie dans la mémoire de Jessica avec un dernier souffle de mots.

« Je t'ai longtemps attendue. Voici ma vie. »

Et, en vérité, c'était bien sa vie qui était là, dans Jessica, en totalité. Jusqu'à cet instant où elle mourait.

Je suis maintenant la Révérende Mère, pensa Jessica.

Et elle appréhenda en un instant tout ce qu'elle était devenue, elle sut véritablement ce que signifiait le nom de Révérende Mère Bene Gesserit. La drogue l'avait transformée.

Cela ne se passait pas exactement ainsi à l'école Bene Gesserit, songea-t-elle. Elle le savait, bien que nul ne l'eût jamais introduite dans ces mystères. Cependant, le résultat final était le même.

En elle, Jessica percevait encore la présence de l'atome qui était la conscience de sa fille. Elle l'effleura sans réponse.

Comme elle comprenait ce qui lui était arrivé, Jessica ressentit une terrible impression de solitude. Elle voyait sa vie se ralentir tandis que, tout autour d'elle, au contraire, la vie s'accélérait et que le jeu des interactions apparaissait plus clairement.

Sa perception intérieure se faisait moins intense comme diminuait l'effet de la drogue mais elle percevait encore confusément cet autre atome, tout au fond d'elle. Elle le toucha de nouveau avec une sensation de culpabilité.

J'ai permis cela, ma pauvre petite fille. Je t'ai amenée dans l'univers et, sans défense, je t'ai soumise à ses connaissances.

Un infime courant d'amour lui revint, comme un écho.

178

Avant qu'elle pût y répondre, elle sentit la présence de l'adab, le souvenir qui exigeait quelque chose d'elle. Elle chercha, prenant conscience du trouble produit par les ultimes traces de drogue qui brouillaient ses sens.

Je pourrais agir contre cela, se dit-elle. *Je pourrais éliminer la drogue, la rendre inoffensive.* Mais elle savait que ce serait une erreur. *Je participe à un rite d'union.*

Elle sut alors ce qu'elle devait faire. Elle ouvrit les yeux et désigna le sac que Chani tenait au-dessus d'elle.

« Il a été bénit, dit-elle. Mélangez les eaux, que le changement s'étende à tous, que le peuple partage la bénédiction. »

Que le catalyseur fasse son œuvre, pensa-t-elle. *Que le peuple boive et que chacun ait sa perception des autres augmentée pour un instant. La drogue n'est plus dangereuse maintenant... maintenant qu'une Révérende Mère l'a transformée.*

Pourtant, le souvenir exigeait toujours, impérieusement. Il exigeait quelque chose d'elle. Quelque chose qu'elle devait accomplir. Mais la drogue l'empêchait de se concentrer vraiment.

Ah... La Révérende Mère.

« J'ai rencontré la Révérende Mère Ramallo, dit-elle. Elle est partie mais elle reste. Que sa mémoire soit honorée selon le rite. »

Où ai-je trouvé ces mots ? songea-t-elle.

Elle comprit alors qu'ils venaient de l'autre mémoire, de cette vie qui lui avait été transmise et qui, désormais, faisait partie d'elle-même. Pourtant, il lui semblait qu'il y manquait quelque chose.

« *Qu'ils aient donc leur orgie* », dit cette autre mémoire, quelque part en elle. « Ils ont bien peu de plaisirs dans l'existence. Et puis, vous et moi, nous aurons besoin de ce petit moment pour nous accoutumer l'une à l'autre avant que je m'enfonce dans vos souvenirs. Déjà, je me sens liée à certains. Ah, mais votre esprit est plein de choses très intéressantes. Tant de choses que je n'aurais jamais imaginées... »

Et cette mémoire qui était dans la sienne s'entrouvrit pour

Jessica et elle eut l'impression de découvrir un vaste couloir de Révérendes Mères en Révérendes Mères, jusqu'à l'infini, semblait-il.

Elle recula, craignant de se perdre dans cet océan qui était unité. Mais le couloir demeura, lui révélant que la civilisation fremen était bien plus ancienne qu'elle ne l'avait cru.

Elle vit qu'il y avait eu des Fremen sur Poritrin, tout un peuple qui s'était amolli au contact d'une planète facile, tout un peuple de proies aisées pour les raiders impériaux en quête de colons pour Bela Tegeuse et Salusa Secundus.

Jessica vit combien de pleurs en étaient résultés.

Loin dans le vaste couloir, une voix-image cria : « Ils nous ont refusé le Hajj ! »

Et Jessica vit les huttes d'esclaves sur Bela Tegeuse dans ce même couloir ouvert dans son esprit, elle vit comment l'on avait sélectionné les hommes pour Rossak et Harmonthep. Les scènes de brutalité s'ouvraient une à une devant elle comme les pétales d'une horrible fleur. Et elle vit le fil du passé qui courait toujours, de Sayyadina en Sayyadina, d'abord par la parole, cachée dans les chants des sables, puis dans les Révérendes Mères, grâce à la découverte de la drogue sur Rossak.. Et le fil était maintenant plus solide que jamais sur Arrakis avec l'Eau de Vie.

Loin, loin dans le couloir, une autre voix cria : « Ne jamais pardonner ! Ne jamais oublier ! »

Mais l'attention de Jessica s'était concentrée sur la révélation de l'Eau de Vie. Elle en vit la source : l'exhalaison liquide du ver de sable mourant, le faiseur. Et comme l'on tuait la créature, quelque part dans sa mémoire, elle faillit crier elle aussi.

On noyait le faiseur !

« Mère, qu'avez-vous ? »

C'était la voix de Paul. Elle lutta pour se retirer de sa mémoire et le regarda. Sa présence l'irritait, en cet instant, bien qu'elle eût conscience de ses devoirs envers lui.

Je suis comme un être dont les mains seraient demeurées

paralysées, insensibles durant toute son existence, jusqu'au jour où elles auraient retrouvé la sensation.

La pensée demeura dans son esprit, connaissance intérieure.

Et je dis : « Regardez ! J'ai des mains ! » Mais les gens autour de moi demandèrent : « Que sont des mains ? »

« Mère... Vous n'avez rien ? »

« Non, je n'ai rien. »

« Je peux en boire ? (Il désignait le sac que tenait Chani.) Ils le veulent. »

Elle perçut le sens caché de ses paroles et comprit qu'il avait décelé le poison dans la substance d'origine et qu'il était inquiet pour elle. Elle se demanda alors quelles étaient les limites de la prescience de son fils. Sa question venait de lui révéler bien des choses.

« Tu peux boire, dit-elle. Cela a été transformé. » Et, par-delà Paul, elle regarda Stilgar aux yeux sombres.

« Maintenant, dit-il, nous savons que vous ne mentez pas. »

Là aussi, elle percevait un sens caché, mais la drogue lui obscurcissait toujours les sens. Elle était si douce, si chaude. Les Fremen étaient si bons de lui avoir donné une telle amie.

Paul vit que la drogue allait dominer sa mère.

Il chercha alors dans sa mémoire. Passé immuable, lignes d'avenir possibles. Par son œil intérieur, il exploitait les moments figés du temps, et ces moments étaient autant de fragments qui, hors du flot, devenaient difficiles à examiner.

Cette drogue... Il pouvait accumuler des connaissances à son propos, comprendre ce qu'elle avait provoqué chez sa mère, mais le rythme naturel, un système de réflexion mutuel faisait défaut à cette connaissance.

Il comprit brusquement que, au-delà de la vision du passé dans le présent, se situait la véritable épreuve de prescience : le passé dans l'avenir.

Les choses persistaient à n'être pas ce qu'elles semblaient être.

« Bois », dit Chani. Elle lui présentait le tuyau.

Il se raidit, la regarda. Dans l'air, il percevait l'excitation qui annonce une fête. Il savait ce qui allait se produire s'il buvait cette drogue qui recelait la substance même qui l'avait transformé. Il reviendrait à cette vision du temps pur, du temps devenu espace. A nouveau, il serait sur cette cime vacillante, essayant de comprendre sans y parvenir.

« Bois, garçon, dit Stilgar, quelque part derrière lui. Tu retardes la cérémonie. »

Il prêta l'oreille à la foule et perçut dans les voix innombrables une note sauvage. « Lisan al-Gaib, disaient-elles. Muad-'Dib ! » Il regarda sa mère. Elle était assise, immobile, et semblait paisiblement endormie. Son souffle était régulier, profond. Dans son esprit, surgit une phrase venue de cet avenir qui était son passé solitaire : « *Elle dort dans les Eaux de la Vie.* »

Chani le prit par le bras. Il saisit alors le tuyau relié au sac et entendit crier les gens autour de lui. Chani appuya sur le sac et une goulée ruissela dans sa gorge. Puis Chani lui ôta le tuyau et tendit le sac aux mains qui s'élevaient. Le regard de Paul se fixa sur le ruban vert du deuil noué à son bras.

Chani, en se redressant, lui dit : « Je peux le pleurer jusque dans la joie des eaux. C'est là quelque chose qu'il nous a donné. (Elle plaça les mains dans les siennes et l'entraîna au long de la terrasse rocheuse.) Nous sommes semblables en une chose, Usul : nous avons tous deux perdu un père par les Harkonnens. »

Il la suivit. Il lui semblait que sa tête avait été séparée de son corps avant de lui être rendue avec des connections nouvelles et étranges. Ses jambes étaient lointaines, molles.

Ils s'engagèrent dans un passage étroit dont les parois étaient vaguement éclairées par des brilleurs très espacés.

Et déjà la drogue produisait son effet sur Paul, déjà le temps s'ouvrait comme une fleur. Comme ils franchissaient un tournant, il éprouva le besoin de s'appuyer sur Chani. Le contact de sa chair tendre sous le tissu rêche fit courir son sang. La sensation se mêla à l'effet de la drogue, rejetant le passé et l'avenir dans le présent.

« Je te connais, Chani, murmura-t-il. Nous nous sommes

assis côte à côte sur le rocher au-dessus du sable et j'ai calmé tes craintes. Nous nous sommes caressés dans l'ombre du sietch. Nous... » Il secoua la tête, vacilla.

Chani le soutint, le redressa, le conduisit par-delà d'épaisses tentures jaunes dans un appartement privé. Il vit des tables basses, des coussins, un matelas derrière des draperies orange.

Il se rendit compte qu'ils s'arrêtaient. Chani le regardait et il y avait dans ses yeux une terreur tranquille.

« Tu dois me dire », souffla-t-elle.

« Tu es Sihaya, dit-il, le printemps du désert. »

« Lorsque la tribu partage l'Eau, dit-elle, nous ne faisons qu'un... Tous. Nous... partageons... Je peux... sentir les autres en moi. Mais j'ai peur de partager avec toi. »

« Pourquoi ? »

Il essaya de se concentrer sur elle, mais le passé et l'avenir surgissaient dans le présent, brouillaient la vision. Il voyait Chani, mais dans des lieux innombrables, des situations innombrables.

« Il y a en toi quelque chose d'effrayant, dit-elle. Lorsque je t'ai enlevé aux autres... j'ai senti ce qu'ils voulaient. Tu... es... comme une force. Tu nous fais voir... des choses ! »

Il s'efforça de parler distinctement.

« Et que vois-tu ? »

Elle baissa les yeux sur ses mains. « Je vois un enfant... dans mes bras. C'est notre enfant, le tien et le mien. (Elle porta la main à sa bouche.) Comment puis-je tout connaître de toi ? »

Ils ont un peu du talent, pensa-t-il, *mais ils le repoussent parce qu'ils sont terrifiés.*

Durant un instant de clarté, il vit à quel point Chani tremblait.

« Que veux-tu dire ? »

« Usul », murmura-t-elle, et elle tremblait toujours.

« Tu ne peux te replier dans l'avenir », dit-il.

Une profonde pitié l'envahit. Il la serra contre lui, posa les mains sur sa tête. « Chani, Chani, n'aie pas peur. »

« Usul, aide-moi ! » implora-t-elle.

Comme elle parlait, il sentit que la drogue l'envahissait

totalement. Les rideaux du temps s'écartaient devant lui pour lui révéler le lointain tourbillon gris de son avenir.

« Tu es si calme », dit Chani.

Il interrompit la vision, au milieu du temps qui s'étirait dans cette dimension nouvelle, stable mais pourtant tourbillonnant, à la fois étroit et tout empli de forces, de mondes, semblable à une barrière qu'il lui fallait franchir, une barrière mouvante.

D'un côté, il voyait l'Imperium, un Harkonnen appelé Feyd-Rautha qui le menaçait comme une lame pointée, les Sardaukar se ruant hors de leur planète pour répandre le pogrom sur Arrakis, la Guilde, complotant et rusant, les Bene Gesserit avec leur plan de sélection. Tous, ils étaient là, massés sur l'horizon comme un gigantesque orage, maintenus par les Fremen et leur Muad'Dib. Le géant fremen qui dormait encore dans l'attente de la croisade sauvage qui allait dévaster l'univers.

Paul se sentait au centre de tout cela, comme un pivot autour duquel toute la structure se déplaçait, chevauchant un segment ténu de paix et de bonheur, Chani à ses côtés. Devant lui, il y avait un moment de relative tranquillité dans quelque sietch caché, une oasis de paix entre bien des périodes de violence.

« Pour la paix, dit-il, il n'est pas d'autre endroit. »

« Usul, tu pleures ! souffla Chani. Usul, ma force, donnes-tu ton humidité aux morts ? A quels morts ? »

« A ceux qui ne le sont point encore », dit-il.

« Qu'ils vivent le temps de leur vie, alors. »

Au sein du brouillard de la drogue, il sut qu'elle avait raison et il la serra encore plus fort contre lui, sauvagement. « Sihaya ! » s'écria-t-il.

Elle mit une main sur sa joue. « Je n'ai plus peur, Usul. Regarde-moi. Je vois ce que tu vois quand tu me tiens ainsi. »

« Que vois-tu ? »

« Je nous vois nous donnant l'amour l'un à l'autre en un moment de calme entre les tempêtes. C'est là ce que nous devions faire. »

A nouveau, la drogue s'empara de lui et il pensa : *Tu m'as si souvent donné l'oubli et le réconfort.* L'illumination lui revenait avec ses images détaillées du temps et il sentit l'avenir se muer en souvenirs : les tendres agressions de l'amour physique, la communion des moi, la douceur et la violence.

« Tu es forte, Chani, murmura-t-il. Reste avec moi. »

« Toujours », dit-elle, et elle l'embrassa sur la joue.

LIVRE TROISIÈME
LE PROPHÈTE

Nulle femme, nul homme, nul enfant ne pénétra jamais dans l'intimité profonde de mon père. S'il eut jamais des rapports proches de la camaraderie, ce fut avec le comte Hasimir Fenring, le compagnon de son enfance. L'influence de l'amitié du Comte eut un premier résultat positif puisque, après l'Affaire d'Arrakis, il parvint à calmer les soupçons du Landsraad. Il en coûta plus d'un milliard de solaris en épice, selon ma mère, sans compter les autres cadeaux femmes-esclaves, honneurs royaux, titres. Mais l'amitié entre l'Empereur et le comte Fenring eut un autre effet, négatif celui-là. Le Comte se refusait à tuer un homme, même lorsqu'il en avait reçu l'ordre, même si cela lui était possible. Je vais maintenant expliquer ce qu'il en était.

Le comte Fenring : Un profil,
par la Princesse Irulan.

PLEIN de rage, le baron Vladimir Harkonnen arrivait de ses appartements, le geste frénétique, roulant et tanguant dans ses suspenseurs tout en suivant les longs couloirs, de flaque de soleil en flaque de soleil.

Il traversa la cuisine privée, il traversa la bibliothèque, il traversa la petite salle de réception et l'antichambre des serviteurs où, déjà, c'était le repos du soir.

Le capitaine des gardes, Iakin Nefud, était affalé sur un

divan. La sémuta avait mis un masque d'hébétude sur ses traits plats. L'atroce miaulement de la musique de la drogue s'élevait autour de lui. Sa propre cour se tenait à proximité, prête à répondre à ses désirs.

« Nefud ! » rugit le Baron.

Les hommes se redressèrent.

Nefud s'était levé, le visage soudain blanc de peur en dépit du narcotique. La musique du semuta s'était tue.

« Mon Seigneur Baron », dit-il, et seule la drogue empêchait sa voix de trembler.

Le Baron examina les visages qui l'entouraient, il vit leurs calmes regards, puis il reporta son attention sur Nefud et demanda d'une voix très douce :

« Depuis combien de temps es-tu le capitaine de mes gardes, Nefud ? »

« Depuis Arrakis, Mon Seigneur. Depuis deux ans. »

« Et tu as toujours su déceler les dangers qui menaçaient ma personne ? »

« Ce fut toujours mon unique désir, Mon Seigneur. »

« Alors, où est Feyd-Rautha ? » gronda le Baron.

Nefud hésita. « Mon Seigneur ?... »

« Tu ne le considères pas comme un danger ? » De nouveau, il parlait d'un ton très doux.

Nefud s'humecta les lèvres. L'hébétude de la sémuta, dans son regard, se dissipait peu à peu.

« Feyd-Rautha est dans le quartier des esclaves, Mon Seigneur. »

« Encore avec les femmes, hein ? » La voix du Baron frémissait de l'effort qu'il faisait pour repousser la fureur.

« Sire, il pourrait être... »

« Silence ! »

Le Baron fit un pas en avant, remarquant le recul des hommes qui, maintenant, avaient ménagé un espace autour de Nefud, se dissociant de l'objet de la colère.

« Ne t'ai-je point ordonné de savoir à chaque instant où se trouve le na-Baron ? (Le Baron fit un nouveau pas en avant.) Ne t'ai-je point ordonné de savoir *exactement* tout ce qu'il dit ?

190

(Un autre pas.) Ne t'ai-je pas dit de me rapporter chacune de ses visites auprès des femmes-esclaves ? »

Nefud se taisait. Des gouttes de transpiration brillaient sur son front. La voix du Baron devint sans timbre. « Ne t'ai-je pas dit tout cela ? »

Nefud acquiesça.

« Ne t'ai-je pas dit aussi d'examiner tous les esclaves que l'on m'envoyait, et de le faire toi-même... *personnellement ?* »

Nefud acquiesça.

« Se pourrait-il que tu n'aies point vu cette marque sur la cuisse de celui que l'on m'a envoyé cet après-midi ? Est-ce possible... »

« Mon Oncle. »

Le Baron se retourna. Feyd-Rautha se tenait sur le seuil. Il était visible qu'il était arrivé en hâte. Il avait grand-peine à masquer son expression. Pour le Baron, la présence de son neveu ici, en cet instant, n'était que trop révélatrice. Feyd-Rautha disposait de son propre réseau d'espionnage, un réseau qui surveillait constamment le Baron Vladimir Harkonnen.

« Il y a, dans ma chambre, un corps que j'aimerais que l'on enlève », dit-il. Sous ses robes, sa main était proche de l'arme à projectiles qu'il portait constamment. Il se félicita intérieurement de ce que son bouclier fût le meilleur.

Feyd-Rautha jeta un coup d'œil aux deux gardes qui se tenaient contre le mur de droite et acquiesça. Les deux hommes s'élancèrent vers la porte et coururent vers les appartements du Baron.

Ces deux-là aussi ? pensa le Baron. *Mais ce jeune monstre a encore beaucoup à apprendre sur la conspiration !*

« Je présume que tout était tranquille dans le quartier des esclaves quand tu l'as quitté, Feyd », dit le Baron.

« Je jouais au chéops avec le maître des esclaves », dit Feyd-Rautha. Et il pensa : *Que s'est-il passé ? Le garçon que nous lui avons envoyé a été de toute évidence tué. Mais il était pourtant parfait pour cette tâche. Même Hawat n'aurait pu faire un meilleur choix. Il était parfait !*

« Ainsi tu jouais aux échecs-pyramide, dit le Baron. C'est très bien. As-tu gagné ? »

« Je... Euh... Oui, Mon Oncle. » Feyd-Rautha avait de la peine à dissimuler son trouble.

Le Baron claqua des doigts. « Nefud, veux-tu être de nouveau dans mes bonnes grâces ? »

« Sire, qu'ai-je fait ? » balbutia Nefud.

« C'est sans importance, à présent. Feyd a battu le maître des esclaves au chéops. Tu as entendu ? »

« Oui, Sire. »

« Je désire que tu prennes trois hommes avec toi et que tu te rendes auprès du maître des esclaves. Étrangle-le. Ramène-moi son corps ensuite, que je voie si le travail a été correctement fait. Nous ne pouvons garder d'aussi mauvais joueurs d'échecs à notre service. »

Feyd-Rautha devint blême. Il fit un pas en avant. « Mon Oncle, je... »

« Plus tard, Feyd, plus tard », dit le Baron en agitant la main.

Les deux gardes qui avaient été dépêchés dans les appartements du Baron pénétrèrent dans l'antichambre avec leur fardeau. Le Baron les suivit du regard jusqu'à ce qu'ils aient disparu.

Nefud s'avança. « Vous désirez que je tue le maître des esclaves maintenant, Mon Seigneur ? »

« Maintenant, dit le Baron. Et, quand tu en auras fini avec lui, ajoute donc à ta liste ces deux qui viennent de passer. Je n'aime pas la façon qu'ils ont de porter un cadavre. Il faut que toute chose soit faite proprement. Ah, oui... Je désirerais voir leurs restes, également. »

« Mon Seigneur, dit Nefud, est-il quelque chose que j'ai... »

« Fais ce que t'a ordonné ton maître », dit Feyd-Rautha. Et il songea : *Tout ce que je puis espérer maintenant, c'est de sauver ma propre peau.*

Très bien ! pensa le Baron. *Il sait au moins comment perdre. Il sait aussi ce qui pourrait me plaire et empêcher ma colère de s'abattre sur lui. Il sait bien que je dois le préserver. Qui d'autre*

192

pourrait prendre les rênes après moi ? Un jour, il le faudra bien Mais il doit apprendre encore. Et je devrai me protéger moi-même aussi longtemps qu'il apprendra.

Nefud désigna les hommes qui devaient l'accompagner et ils quittèrent l'antichambre à sa suite

« M'accompagneras-tu dans mes appartements, Feyd ? » demanda le Baron.

« Je suis à votre disposition », dit Feyd-Rautha. Il s'inclina et songea : *Je suis fait.*

« Après toi », dit le Baron en désignant la porte.

Feyd-Rautha ne trahit sa peur que par une infime hésitation. *Ai-je totalement échoué ?* se demanda-t-il. *Va-t-il me plonger une lame empoisonnée dans le dos... lentement, pour pénétrer mon bouclier ? A-t-il un autre successeur ?*

Qu'il savoure cet instant de terreur, pensait le Baron en emboîtant le pas à son neveu. *Il me succédera, mais quand je le désirerai. Je ne lui permettrai pas de renverser tout ce que j'ai construit !*

Feyd-Rautha essayait de ne pas marcher trop vite. Il sentait la peau se rétracter sur son dos. Tout son corps semblait attendre le coup. Ses muscles se tendaient et se détendaient tour à tour.

« As-tu entendu les dernières nouvelles sur Arrakis ? » demanda le Baron.

« Non, Mon Oncle. »

Feyd-Rautha luttait pour ne pas se retourner. Il tourna dans le hall, quittant l'aile des serviteurs.

« Les Fremen ont un nouveau prophète ou quelque chef religieux. Ils l'appellent Muad'Dib. C'est vraiment très drôle. Cela signifie « La souris ». J'ai dit à Rabban de les laisser en paix avec cela. Ça suffit à les occuper. »

« C'est très intéressant, Oncle », dit Feyd-Rautha. Ils atteignaient le couloir privé qui conduisait aux appartements du Baron et il se demanda : *Pourquoi parle-t-il de religion ? Est-ce là quelque subtile allusion qui m'est destinée ?*

« Oui, n'est-ce pas ? » dit le Baron.

Ils traversèrent le salon de réception et pénétrèrent dans la chambre du Baron. Des signes de lutte y étaient visibles : une lampe à suspenseur avait été déplacée, un édredon était sur le sol et, au chevet, la bobine-berceuse était ouverte.

« C'était un plan habilement conçu, dit le Baron. (Il maintenait son bouclier à l'intensité maximale. Il se retourna et regarda son neveu.) Mais pas assez subtil. Dis-moi, Feyd ; pourquoi ne pas m'avoir frappé toi-même ? Tu as disposé de bien des occasions. »

Feyd-Rautha trouva une chaise à suspenseur à proximité et fit un effort mental pour s'asseoir sans en avoir reçu l'invitation.

De l'audace, maintenant, se dit-il.

« Vous m'avez enseigné que mes mains devaient demeurer propres », dit-il.

« Oui, dit le Baron. Lorsque tu te trouveras devant l'Empereur, il faudra que tu puisses affirmer en toute sincérité que tu n'as pas commis l'acte. La sorcière qui veille auprès de son épaule t'écoutera et saura discerner la vérité du mensonge. Oui, je t'ai averti à ce propos. »

« Pourquoi n'avez-vous jamais acheté de Bene Gesserit, Oncle ? demanda Feyd-Rautha. Avec une Diseuse de Vérité à vos côtés... »

« Tu connais mes goûts ! » dit sèchement le Baron.

« Pourtant, elle vous permettrait de... »

« Je n'ai aucune confiance en elles ! gronda le Baron. Et cesse d'essayer de changer de sujet ! »

Feyd-Rautha prit un ton humble. « Comme vous voudrez, Mon Oncle. »

« Je me souviens de ce qui s'est passé dans l'arène il y a quelques années. Ce jour-là, semble-t-il, un esclave avait été envoyé pour te tuer. Était-ce vrai ? »

« Cela fait bien longtemps, Mon Oncle. Après tout, je... »

« Pas de diversions, je te prie. » Sa voix tendue laissait deviner la fureur qu'il maîtrisait.

Feyd-Rautha le regarda et se dit : *Il sait, autrement il n'aurait pas posé la question.*

« C'était un stratagème, Mon Oncle. Pour discréditer votre maître des esclaves. »

« Très habile. Et courageux, également. Ce gladiateur a bien failli t'avoir, non ? »

« Oui. »

« Si, avec ce courage, tu avais de la finesse et de la subtilité, tu serais réellement formidable. » Le Baron hocha la tête. Bien des fois, depuis ce jour terrible sur Arrakis, il avait regretté la perte de Piter, le Mentat. Piter avait été un homme d'une diabolique subtilité, d'une telle délicatesse. Pourtant, cela n'avait pas suffi à le sauver. Une fois encore, le Baron hocha la tête. Le destin est parfois indiscernable.

Feyd-Rautha promenait son regard sur la chambre, notant les signes de lutte et se demandant comment son oncle avait pu venir à bout de cet esclave qu'ils avaient préparé si soigneusement.

« Comment je l'ai neutralisé ? demanda le Baron. Ah ! Feyd, laisse-moi au moins quelques armes pour préserver ma vieillesse. Mieux vaut que nous profitions de ce moment pour conclure un marché. »

Feyd-Rautha le regarda. *Un marché ! Alors, il entend toujours faire de moi son héritier. Sans cela, il ne parlerait pas de marché. On ne propose un marché qu'à son égal !*

« Quel marché, Mon Oncle ? » Feyd-Rautha éprouva de la fierté en entendant sa voix calme et raisonnable qui ne laissait rien filtrer de la tension qu'il éprouvait.

Le Baron, lui aussi, apprécia ce contrôle et il acquiesça. « Tu es un bon matériau, Feyd. Je ne gâche jamais les bons matériaux. Cependant, tu persistes à ne pas reconnaître la valeur que je représente pour toi. Tu es obstiné. Tu ne comprends toujours pas pourquoi il convient de m'épargner. Ceci... (Il désigna les traces de désordre.) Ceci était stupide. Je ne récompense pas la stupidité. »

Arrivons-en à la question, vieux fou ! pensa Feyd-Rautha.

« Tu me considères comme un vieux fou, dit le Baron. Je dois t'en dissuader. »

« Vous avez parlé d'un marché. »

« Ah, l'impatience de la jeunesse... Eh bien, voici ce qu'il en est en substance : Tu vas cesser ces folles tentatives contre mon existence. Et, quand tu seras prêt, je m'effacerai en ta faveur. Je me retirerai dans une position de simple conseiller en te laissant le pouvoir. »

« Vous vous retirerez, Mon Oncle ? »

« Tu penses toujours que je suis un vieux fou, dit le Baron, et ceci ne fait que te le confirmer, hein ? Tu crois que je t'implore ! Mais sois prudent, Feyd. Ce vieux fou a découvert cette aiguille que tu avais implantée dans la cuisse du garçon juste à l'endroit où je devais placer ma main, n'est-ce pas ? La plus infime pression et... Tic ! Le poison était dans la paume du vieux fou ! Ah, Feyd... »

Le Baron secoua la tête et songea : *Mais cela aurait réussi, si Hawat ne m'avait pas averti. Ma foi, si ce jeune monstre pense que j'ai découvert le complot moi-même... laissons-le penser. Et, en un sens, il en a bien été ainsi. C'est moi qui, sur Arrakis, ai sauvé Hawat de la catastrophe. Et il faut que ce garçon ait un peu plus de respect pour moi.*

Feyd-Rautha demeurait silencieux. Il luttait avec lui-même *A-t-il dit la vérité ? Entend-il vraiment se retirer ? Pourquoi pas ? Si j'agis avec prudence, je suis certain de lui succéder un jour Il ne peut vivre éternellement. Oui, peut-être était-ce stupide de chercher à hâter le processus.*

« Vous parliez d'un marché, dit-il. Avec quelles garanties réciproques ? »

« Comment nous pouvons nous faire confiance ? demanda le Baron. Eh bien, Feyd, en ce qui te concerne, Thufir Hawat te surveille. Je me fie à ses pouvoirs de Mentat. Tu me comprends ? Pour moi, il faudra que tu fasses confiance à ma parole. Mais je ne peux vivre éternellement, n'est-ce pas, Feyd ? Et peut-être commences-tu seulement à soupçonner que tu dois connaître à ton tour certaines choses que je connais. »

« Je vous donne ma parole, dit Feyd-Rautha, mais vous, que me proposez-vous ? »

« Je te propose de continuer à vivre. »

A nouveau, Feyd-Rautha observa son oncle. *Il me fait surveiller par Hawat ! Que dirait-il s'il savait que c'est Hawat lui-même qui a mis au point le stratagème qui m'a débarrassé de son maître des esclaves ? Il penserait probablement que je mens pour discréditer Hawat. Non, le bon Thufir est un Mentat et il a prévu cela.*

« Eh bien, qu'en dis-tu ? » demanda le Baron.

« Que puis-je dire ? J'accepte, bien sûr. »

Et Feyd-Rautha songea : *Hawat ! Contre le centre, il joue les deux extrêmes... Est-ce donc cela ? Est-il passé du côté de mon oncle parce que je n'ai pas demandé son conseil pour le jeune esclave ?*

« Tu n'as rien dit quant à cette surveillance de Hawat », dit le Baron.

Un pincement de ses narines trahit la colère de Feyd-Rautha. Le nom de Hawat avait été un signal de danger familial durant tant d'années... Maintenant, il avait un autre sens. Toujours dangereux.

« Hawat est un jouet dangereux », dit-il.

« Un jouet ! Ne sois pas stupide. Je sais comment le contrôler. Il a des émotions profondes, Feyd. C'est celui qui n'a pas d'émotions qu'il faut craindre... Non, ceux qui ont des émotions peuvent être soumis à nos désirs. »

« Je ne vous comprends pas, Mon Oncle. »

« Oui, c'est évident. »

Feyd-Rautha ne traduisit son brusque ressentiment que par un bref battement de cils.

« Et tu ne comprends pas plus Hawat », dit le Baron.

Vous non plus ! pensa Feyd-Rautha.

« Contre qui Hawat dirige-t-il sa haine pour ce qu'il est devenu ? demanda le Baron. Contre moi ? Certainement. Mais il était un instrument des Atréides et m'a défié durant des années jusqu'à ce que l'Imperium m'aide. C'est ainsi qu'il voit les choses. Sa haine pour moi est maintenant banale. Il croit qu'il peut venir à bout de moi quand il le voudra. Et c'est ainsi que je le domine. Car je dirige son attention où je le veux... sur l'Imperium. »

Feyd-Rautha comprit et de fines rides apparurent sur son front en même temps que sa bouche se rétrécissait.

« Sur l'Empereur ? » demanda-t-il.

Que mon cher neveu savoure donc ceci, pensa le Baron. *Qu'il se dise : « L'Empereur Feyd-Rautha Harkonnen ! » Qu'il se demande combien cela peut valoir... Assurément la vie d'un vieil oncle capable de réaliser un tel rêve !*

Lentement, Feyd-Rautha humecta ses lèvres du bout de sa langue. Se pouvait-il que le vieux fou dise vrai ? Il y avait dans tout cela plus qu'il ne semblait y avoir.

« Et Hawat, qu'a-t-il donc à voir dans tout cela ? »

« Il croit nous utiliser pour accomplir sa vengeance contre l'Empereur. »

« Et quand elle sera accomplie ? »

« Il ne pense pas au-delà. Hawat est de ces hommes qui doivent servir les autres, mais il l'ignore. »

« J'ai beaucoup appris de lui, dit Feyd-Rautha, et il sentit la vérité qu'il y avait dans ces paroles. Mais plus j'apprends, plus je sens que nous devrions nous en débarrasser... et très vite. »

« L'idée qu'il te surveille ne te plaît guère. »

« Il surveille tout le monde. »

« Et il pourrait bien te mettre sur le trône. Il est rusé, dangereux. Mais je ne le priverai pas encore d'antidote. Une épée aussi est dangereuse, Feyd. Mais pour celle-ci nous avons un fourreau. Le poison est en lui. Il suffit de supprimer l'antidote pour que la mort l'enveloppe. »

« En un sens, dit Feyd-Rautha, c'est comme l'arène. Feinte après feinte. Il faut observer de quel côté le gladiateur se penche, dans quelle direction il regarde, la façon dont il tient son couteau. »

Il hocha la tête. Ces mots avaient plu à son oncle, il le sentait. *Oui !* pensa-t-il. *Comme l'arène ! Et c'est l'esprit qui est le tranchant !*

« A présent, dit le Baron, tu vois à quel point tu as besoin de moi. Je suis encore utile, Feyd. »

Comme une épée jusqu'à ce qu'elle soit trop émoussée, se dit Feyd-Rautha.

« Oui, Mon Oncle. »

« A présent, nous allons nous rendre au quartier des esclaves. Et je te regarderai tandis que, de ta main, tu tueras toutes les femmes dans l'aile des plaisirs. »

« Mon Oncle ! »

« Il y en aura d'autres, Feyd. Mais je veux que tu ne commettes pas une erreur avec moi sans en pâtir. »

Le visage de Feyd-Rautha était sombre. « Mon Oncle, vous... »

« Tu vas accepter cette punition et en tirer une leçon », dit le Baron.

Feyd-Rautha rencontra le regard avide de son oncle.

Et je dois me rappeler cette nuit, pensa-t-il. *Et, avec elle, d'autres nuits encore.*

« Tu ne refuseras pas », dit le Baron.

Que pourriez-vous faire si je refusais, vieil homme ? se demanda Feyd-Rautha. Mais il savait bien qu'il devait exister quelque autre châtiment, peut-être plus subtil encore. Quelque autre levier plus brutal pour agir sur lui.

« Je te connais, Feyd. Tu ne refuseras pas. »

D'accord, pensa Feyd-Rautha. *J'ai besoin de vous maintenant. Je le comprends. Le marché est conclu. Mais je n'aurai pas toujours besoin de vous. Et... un jour...*

> Le besoin pressant d'un univers logique et cohérent est profondément ancré dans l'inconscient humain. Mais l'univers réel est toujours à un pas au-delà de la logique.
>
> *Extrait de* Les Dits de Muad'Dib,
> *par la Princesse Irulan.*

J E me suis assis en face de bien des maîtres de Grandes Maisons, se dit Thufir Hawat, *mais jamais encore devant un porc aussi énorme et dangereux que celui-ci.*

« Vous pouvez parler franchement avec moi, Hawat », grommela le Baron. Il se laissa aller en arrière dans son fauteuil à suspenseur. Ses yeux cernés de plis de graisse étaient fixés sur le Mentat.

Le regard de Thufir Hawat se posa sur la table, entre le Baron et lui, et il admira le grain du bois. C'était là un facteur à considérer lors d'une entrevue avec le Baron, au même titre que les murs rouges de la salle de conférences privée et que la faible senteur douceâtre d'herbe qui flottait dans la pièce, mêlée à un parfum plus fort.

« Ce n'est pas par un simple caprice que vous m'avez fait expédier cet avertissement à Rabban », dit le Baron.

Le visage parcheminé du vieux Mentat demeura impassible, ne révélant pas la moindre trace de son dégoût.

« Je soupçonne diverses choses, Mon Seigneur », dit-il.

« Oui. Eh bien, j'aimerais savoir comment il se fait qu'Arrakis entre dans vos soupçons à l'égard de Salusa Secundus. Il ne me suffit pas que vous m'ayez dit que l'Empereur s'énerve à propos d'une certaine relation entre Arrakis et sa mystérieuse planète-prison. Je n'ai adressé cet avertissement à Rabban que parce que le courrier devait partir par ce vaisseau. Vous m'avez dit que cela ne pouvait attendre. Très bien. Maintenant, je veux une explication. »

Il bavarde trop, se dit Hawat. *Le Duc Leto, lui, pouvait me dire une chose d'un simple geste de la main, d'un haussement de sourcil. Et le vieux Duc exprimait toute une sentence en accentuant un seul mot. Quel rustre ! En le détruisant, je rendrai service à l'humanité.*

« Vous ne partirez pas sans que j'aie une explication totale », dit le Baron.

« Vous parlez trop à la légère de Salusa Secundus », dit Hawat.

« C'est une colonie pénitentiaire, dit le Baron. On y expédie la pire racaille de la galaxie. Est-il utile d'en connaître autre chose ? »

« Les conditions qui règnent sur la planète-prison sont plus terribles que partout ailleurs, dit Hawat. Vous savez que le taux de mortalité chez les nouveaux détenus est supérieur à soixante pour cent. Vous savez que l'Empereur utilise là-bas toutes les formes d'oppression possibles. Vous savez tout cela et vous ne posez aucune question ? »

« L'Empereur n'autorise pas les Grandes Maisons à visiter sa planète-prison, grommela le Baron. D'ailleurs, il n'a jamais inspecté mes oubliettes. »

« Et toute curiosité à propos de Salusa Secundus, dit Hawat, est... (il porta un index osseux à ses lèvres)... découragée. »

« C'est parce qu'il ne tire aucune fierté de certaines des choses qu'il fait sur Salusa Secundus ! »

Le plus subtil des sourires effleura les lèvres sombres de Hawat. Ses yeux brillaient comme il regardait le Baron.

« Et jamais vous ne vous êtes demandé où l'Empereur trouvait ses Sardaukar ? »

Le Baron plissa ses lèvres grasses. Ainsi, il ressemblait à un bébé faisant la moue. D'un ton presque joyeux, il répliqua : « Mais... il recrute... c'est-à-dire que les enrôlements et les engagements... »

« Ppss ! Mais ce que vous entendez raconter à propos des exploits des Sardaukar, ce ne sont pas des rumeurs, non ? Ce sont des récits faits par les quelques rares survivants qui les ont affrontés, n'est-ce pas ? »

« Les Sardaukar sont des combattants excellents, cela ne fait pas de doute, dit le Baron. Mais je pense que mes propres légions... »

« De joyeux excursionnistes, par comparaison ! Vous croyez que je ne sais pas pourquoi l'Empereur s'est retourné contre la Maison des Atréides ? »

« Ce n'est pas là un sujet ouvert à vos spéculations ! »

Est-il possible qu'il ne connaisse pas les motivations de l'empereur ? se demanda Hawat.

« Tout est ouvert à mes spéculations, dit-il, si cela a quelque rapport avec la tâche dont vous m'avez chargé. Je suis un Mentat. On ne cache aucune information, aucune donnée à un Mentat. »

Durant une longue minute, le Baron le regarda en silence, puis il dit : « Dites ce que vous avez à dire, Mentat. »

« L'Empereur Padishah s'est retourné contre la Maison des Atréides parce que les Maîtres de Guerre du Duc, Gurney Halleck et Duncan Idaho, avaient constitué une unité de combat — une *petite* unité — qui était bien près de valoir les Sardaukar. Certains hommes étaient même meilleurs. Et le Duc avait la possibilité de développer cette unité, de la rendre aussi puissante que les forces de l'Empereur. »

Le Baron soupesa un instant cette révélation, puis demanda : « Quel est le rôle d'Arrakis dans tout cela ? »

« La planète constitue une réserve de recrues déjà formées aux conditions les plus difficiles. »

Le Baron secoua la tête. « Vous ne voulez pas parler des Fremen ? »

« Je veux parler des Fremen. »

« Ah !... En ce cas, pourquoi avertir Rabban ? Après le pogrom des Sardaukar et la répression de Rabban, il ne doit pas rester plus d'une poignée de Fremen. »

Hawat le regardait en silence.

« Pas plus d'une poignée ! insista le Baron. Rien que l'année dernière, Rabban en a tué six mille ! »

Hawat se taisait toujours.

« Et l'année d'avant, c'était neuf mille. Et avant leur départ, les Sardaukar ont bien dû en éliminer vingt mille. »

« Quelles sont les pertes des troupes de Rabban pour ces deux dernières années ? » demanda Hawat.

Le Baron se gratta les bajoues. « Eh bien, il a eu le recrutement plutôt lourd, dirons-nous. Ses agents font des promesses assez extravagantes et... »

« Disons aux alentours de trente mille ? »

« C'est une estimation assez large. »

« Bien au contraire, dit Hawat. Je peux aussi bien que vous lire entre les lignes des rapports de Rabban. Et, très certainement, vous avez compris ceux de mes propres agents »

« Arrakis est un monde redoutable, dit le Baron. Les tempêtes à elles seules peuvent... »

« Nous connaissons tous deux la part attribuée aux tempêtes », dit Hawat.

« Alors qu'en est-il de ces trente mille hommes perdus ? » demanda le Baron, et l'afflux de sang assombrissait son visage.

« Selon votre propre estimation, il a tué environ quinze mille Fremen en deux années pour des pertes doubles. Vous dites que, de leur côté, les Sardaukar en auraient éliminé vingt mille, peut-être un peu plus. J'ai vu les manifestes de transport lorsqu'ils sont revenus d'Arrakis. S'ils ont vraiment tué vingt mille Fremen, leurs pertes sont dans la proportion de cinq pour un. Pourquoi ne pas accepter ces chiffres, Baron, et comprendre ce qu'ils signifient ? »

Le Baron répondit avec un ton froidement mesuré. « C'est votre travail, Mentat. Que signifient-ils ? »

« Je vous ai rapporté l'estimation faite par Duncan Idaho lors de sa visite dans un sietch. Tout concorde. Avec deux cent cinquante sietchs de cette importance, leur population devrait s'élever à cinq millions. Mais j'ai une meilleure estimation qui me donne à peu près le double de ce nombre. Sur une telle planète, la population est dispersée. »

« Dix millions ? »

Les bajoues du Baron frémissaient d'étonnement.

« Au moins. »

Le Baron pinça les lèvres. Ses yeux minuscules étaient fixés sur Hawat. *Est-ce vraiment une déduction de Mentat ?* se demanda-t-il. *Comment cela peut-il être sans que nul n'ait eu le moindre soupçon ?*

« Nous n'avons pas brisé le rythme des naissances, reprit Hawat. Nous n'avons fait qu'éliminer les spécimens les plus faibles, permettant ainsi aux plus forts de le devenir encore plus... Comme sur Salusa Secundus. »

« Salusa Secundus ! aboya le Baron. Quel rapport y a-t-il entre Arrakis et la planète-prison ? »

« Un homme qui survit sur Salusa Secundus est d'ores et déjà plus résistant que bien d'autres. Lorsque vous ajoutez à cela un entraînement militaire de la meilleur qualité... »

« Absurde ! Selon vous, je pourrais recruter parmi les Fremen après l'oppression que leur a fait subir mon neveu. »

« N'opprimez-vous jamais vos troupes ? » demanda Hawat d'une voix infiniment douce.

« Eh bien... oui... mais... »

« L'oppression est une chose relative. Vos soldats se trouvent mieux de leur sort que ceux qui les entourent. Ils ont sous les yeux des choix moins plaisants que d'être soldats du Baron, n'est-ce pas ? »

Le Baron demeura silencieux, le regard dans le vague. Les possibilités... Rabban avait-il donc donné sans le vouloir son arme ultime à la Maison des Harkonnens ?

« Comment pourriez-vous être certain de la loyauté de telles recrues ? » dit-il enfin

« Je les diviserais en petits groupes, pas plus importants qu'une section de combat, dit Hawat. Je les placerais hors de leur situation d'opprimés et les isolerais dans un encadrement de gens susceptibles de les connaître. De préférence des gens ayant subi le même genre d'oppression. Puis je leur offrirais une croyance selon laquelle leur planète est véritablement un terrain de préparation secret destiné à produire les êtres supérieurs qu'ils sont. Et je leur montrerais tout ce qu'un être supérieur est en droit de posséder : richesse, femmes, demeures somptueuses... Tout ce qu'il désire. »

Le Baron acquiesça. « Tout ce qu'ont les Sardaukar. »

« Les recrues en arrivent à penser que l'existence d'un monde tel que Salusa Secundus est justifiée dans la mesure où elle les produit, eux, l'élite. A bien des égards, le commun des soldats sardaukar a une existence aussi exaltante que celle d'un membre des Grandes Maisons. »

« Quelle idée ! » murmura le Baron.

« Vous commencez à partager mes soupçons », dit Hawat

« Comment une telle chose a-t-elle pu commencer ? »

« Vous voulez dire : Quelle est l'origine de la Maison des Corrino ? Y avait-il des gens sur Salusa Secundus avant que l'Empereur y expédie ses premiers contingents de prisonniers ? Le Duc Leto lui-même, qui était cousin du côté maternel, ne l'a jamais su avec certitude. On n'encourage guère ce genre de question. »

Le Baron réfléchissait intensément, le regard brillant.

« Oui, c'est un secret très bien gardé. Ils ont dû utiliser tous les procédés... »

« Mais aussi, reprit Hawat, qu'y a-t-il à cacher ? Que l'Empereur Padishah a une planète-prison ? Tout le monde sait cela. Qu'il a... »

« Le comte Fenring ! » s'exclama le Baron.

Hawat s'interrompit, les sourcils froncés, et demanda « Qu'y a-t-il à propos du comte Fenring ? »

« Pour l'anniversaire de mon neveu, il y a des années, ce

laquais de l'Empereur était venu comme observateur officiel et pour... oui, pour conclure un accord entre l'Empereur et moi. »

« Vraiment ? »

« Je... Oui, je crois que durant l'une de nos conversations, je lui ai parlé de la possibilité de faire une planète-prison d'Arrakis. Fenring... »

« Qu'avez-vous dit exactement ? » demanda Hawat.

« Exactement ? C'était il y a longtemps et... »

« Mon Seigneur Baron, si vous voulez tirer le meilleur usage de mes services, il faut me donner une information précise. Cette conversation a-t-elle été enregistrée ? »

La colère envahit le visage du Baron. « Vous êtes aussi mauvais que Piter ! Je n'aime pas ces... »

« Piter n'est plus à votre côté, Mon Seigneur. A ce propos, que lui est-il donc arrivé ? »

« Il est devenu trop familier, trop exigeant », dit le Baron.

« Vous m'avez assuré que vous ne supprimiez pas quelqu'un d'utile, dit Hawat. Aurez-vous raison de moi par des ruses et des menaces ? Nous parlions de ce que vous aviez déclaré au comte Fenring. »

Lentement, le Baron reprit son calme. *Quand le moment sera venu,* se dit-il, *je me souviendrai de ses façons. Oui, je me souviendrai.*

« Un moment », dit-il, et il essaya de retrouver le souvenir de cette rencontre dans le grand hall. Il tenta de visualiser à nouveau le cône de silence sous lequel ils s'étaient placés, le Comte et lui.

« J'ai dit quelque chose comme cela : « L'Empereur sait bien qu'un certain nombre de meurtres a toujours fait partie des affaires. » Je faisais allusion à nos pertes dans les équipes de travail. Le Comte a parlé alors d'une autre solution au problème Arrakeen et je lui ai répondu que la planète-prison de l'Empereur me faisait songer à l'imiter. »

« Sang de sorcière ! lança Hawat. Et qu'a dit le Comte ? »

« A ce moment, il s'est mis à me questionner à votre propos. »

Hawat ferma les yeux. « Ainsi, c'est pour cela qu'ils se sont intéressés à Arrakis. Eh bien, la chose est faite. (Il rouvrit les yeux.) A l'heure qu'il est, ils doivent avoir des espions sur toute la planète. Deux années ! »

« Mais ce n'est certainement pas cette suggestion faite au hasard qui... »

« Rien n'est fait au hasard pour l'Empereur ! Quelles étaient les instructions que vous avez données à Rabban ? »

« Simplement qu'il devait apprendre à Arrakis à nous redouter. »

Hawat secoua la tête. « Maintenant, Baron, il vous reste deux solutions possibles. Vous pouvez tuer les indigènes, les balayer entièrement ou... »

« Éliminer toute la main-d'œuvre ? »

« Préférez-vous que l'Empereur et les Grandes Maisons qu'il peut encore rameuter débarquent ici pour un nettoyage général et dévastent toute la surface de Giedi Prime ? »

Le Baron observa son Mentat un instant, puis dit : « Il n'oserait pas. »

« Vraiment ? »

Les lèvres du Baron tremblèrent. « Quelle est l'autre solution ? »

« Abandonnez votre cher neveu, Rabban. »

« Abandonner... » Le Baron s'interrompit et regarda Hawat.

« Ne lui envoyez plus de troupes, plus d'aide d'aucune sorte. Ne répondez à ses messages qu'en disant que l'on vous a rapporté de quelle atroce façon il traitait les problèmes d'Arrakis et que vous avez l'intention de prendre des mesures correctives dès que possible. Je m'arrangerai pour que certains de vos messages soient interceptés par les espions de l'Empereur. »

« Mais l'épice, les bénéfices, les... »

« Exigez vos revenus de baronnie mais veillez bien à la façon dont vous formulerez ces exigences. Mentionnez des sommes fixes. Nous pouvons... »

Le Baron leva les mains. « Mais comment puis-je être certain que ma fouine de neveu n'est pas... »

« Nous avons encore nos espions sur Arrakis. Dites à Rabban qu'il doit respecter le quota d'épice, sinon il sera remplacé. »

« Je le connais. Cela ne l'amènerait qu'à opprimer un peu plus la population. »

« Mais bien sûr ! s'exclama Hawat. Vous ne pouvez désirer que cela cesse ! Vous ne voulez qu'une chose : garder les mains propres. Laissez donc Rabban construire votre Salusa Secundus. Il est même inutile de lui envoyer des prisonniers. Il dispose de toute la population. S'il presse ses gens pour respecter le quota d'épice, l'Empereur n'ira pas soupçonner d'autres motifs. Cette raison est suffisante pour tuer Arrakis à petit feu. Quant à vous, Baron, nul mot, nulle action de votre part ne viendra démentir cette évidence. »

Le Baron ne parvint pas à effacer totalement la note d'admiration dans sa voix. « Ah, Hawat, comme vous êtes rusé. Mais comment gagner Arrakis pour utiliser ce que Rabban prépare ? »

« C'est la plus simple de toutes les démarches, Baron. Si chaque année vous augmentez le quota de l'année précédente, les choses vont certainement atteindre un paroxysme. La production tombera en flèche. Vous pourrez alors relever Rabban et reprendre Arrakis... pour réparer le désastre. »

« Cela semble réalisable, dit le Baron. Mais je suis las de tout ceci. Je prépare quelqu'un d'autre pour me succéder sur Arrakis. »

Hawat examina cette grosse figure ronde qu'il avait en face de lui. Lentement, il inclina la tête.

« Feyd-Rautha... Ainsi, c'est là la raison de l'oppression actuelle. Vous êtes vous-même très rusé, Baron. Peut-être pourrions-nous mêler ces deux projets. Oui... Votre Feyd-Rautha pourrait se présenter comme le sauveur d'Arrakis. Il pourrait se gagner la populace. Oui... ».

Le Baron sourit. Mais il se demandait : *En quoi tout ceci concorde-t-il avec le projet personnel de Hawat ?*

Hawat, comprenant que l'entretien avait pris fin, se leva et quitta la pièce rouge. Tout en marchant, il ne parvenait pas à écarter de son esprit les troublants facteurs inconnus qui entraient dans toute spéculation sur Arrakis. Il y avait ce nouveau chef religieux dont Gurney Halleck avait décelé l'existence depuis son refuge au sein des contrebandiers, ce Muad'Dib.

Peut-être n'aurais-je pas dû dire au Baron de laisser cette religion se développer, se dit-il. *Même parmi les gens des sillons et des creux. Mais il est bien connu que la répression favorise l'épanouissement des religions.*

Puis il pensa aux rapports d'Halleck sur les tactiques de combat fremen. Des tactiques qui portaient la marque d'Halleck lui-même... et d'Idaho... et même de Hawat.

Idaho a-t-il survécu ? se demanda-t-il.

Mais c'était une question futile. Il ne s'était même pas encore demandé s'il était possible que Paul ait survécu. Il savait que le Baron était convaincu de la mort de tous les Atréides. Il reconnaissait que la sorcière Bene Gesserit avait constitué son arme. Et cela ne pouvait donc signifier qu'une issue, même pour le propre fils de cette femme.

Quelle haine venimeuse elle devait vouer aux Atréides, songea-t-il. *Une haine pareille à celle que j'éprouve pour ce Baron. Mon coup ultime sera-t-il aussi définitif que le sien ?*

Il est en toutes choses un rythme qui participe de
notre univers. Symétrie, grâce, élégance : vous
retrouvez toutes ces qualités dans celles que saisit le
véritable artiste. Vous pouvez retrouver ce rythme
dans la succession des saisons, dans le cheminement
du sable sur une corniche, dans les branches d'un
buisson créosote ou le dessin de ses feuilles. Dans
notre société, dans nos vies, nous avons essayé de
copier ces formes, de chercher les rythmes, les
danses qui réconfortent. Pourtant, il est possible de
discerner un péril dans la découverte de la perfection ultime. Il est clair que le schéma ultime
contient sa propre fixité. Dans cette perfection,
toute chose s'en va vers sa mort.

Extrait de Les dits de Muad'Dib,
par la Princesse Irulan.

PAUL-MUAD'DIB se souvenait d'un repas lourdement
chargé en épice. Dans sa mémoire, c'était comme un point
d'ancrage. Depuis cette position, il pouvait considérer le
moment présent comme un rêve.

Je suis comme un théâtre ouvert aux processus, se dit-il. *Je
suis la proie d'une vision imparfaite, de la conscience raciale et
de son but terrible.*

Pourtant, il ne pouvait échapper à la crainte de s'être
dépassé de quelque manière, d'avoir perdu sa position dans le

temps. Le passé, le présent et l'avenir étaient maintenant confusément mêlés. C'était comme une sorte de fatigue visuelle qui provenait, il le savait, de la nécessité constante de maintenir l'avenir prescient sous la forme d'une sorte de mémoire qui était une chose appartenant intrinsèquement au passé.

Chani m'a préparé le repas, songea-t-il.

Pourtant, Chani était loin dans le Sud, dans le pays froid où le soleil était chaud, dans l'un des nouveaux sietchs-bastions, en sûreté avec leur fils, Leto II.

Ou bien était-ce là une chose qui devrait se produire un jour ?

Non, se dit-il, car Alia l'Étrange, sa sœur, était également là-bas avec sa mère et Chani. Elles avaient fait ce voyage de vingt marteleurs vers le Sud à bord d'un palanquin de Révérende Mère, sur le dos d'un faiseur sauvage.

Il chassa la pensée du ver géant et se demanda : *Ou bien Alia n'est-elle pas encore née ?*

J'étais en razzia, se souvint-il. *Nous étions allés récupérer l'eau de nos morts dans Arrakeen. Et j'ai découvert les restes de mon père dans le bûcher funéraire. J'ai placé le crâne de mon père sous un tas de rochers, au-dessus de la Passe de Harg.*

Ou bien n'était-ce pas encore arrivé ?

Mes blessures sont réelles. Mes cicatrices aussi. Et le mausolée du crâne de mon père aussi.

Comme en un rêve, toujours, il se souvint qu'Harah, la femme de Jamis, était venue lui dire que l'on se battait dans le couloir du sietch. Il s'agissait du premier sietch, où ils s'étaient trouvés avant le départ des femmes et des enfants pour le Sud.

Harah était apparue sur le seuil de la chambre intérieure, les ailes noires de ses cheveux maintenues en arrière par les anneaux d'eau passés dans une chaîne. Elle avait écarté les draperies et lui avait dit que Chani venait de tuer quelqu'un.

Cela est vraiment arrivé, se dit Paul. *Cela n'est pas né du temps. Cela ne peut être changé.*

Il se souvenait de s'être rué hors de la chambre pour découvrir Chani, à la clarté jaune des brilleurs du corridor, drapée dans une robe bleue dont le capuchon était rejeté en arrière. Son visage d'elfe était tendu et elle glissait son krys dans son étui. Un groupe s'éloignait en hâte avec un fardeau Il se souvint d'avoir songé : *Lorsqu'ils emportent un corps, on le sait toujours.*

Comme Chani lui faisait face, les anneaux d'eau tintèrent à son cou. A l'intérieur du sietch, elle les portait librement.

« Chani, que se passe-t-il ? »

« Je viens d'expédier celui qui voulait te défier en combat singulier, Usul. »

« Tu l'as tué, *toi* ? »

« Oui. Mais peut-être aurais-je dû le laisser à Harah. » (Il se souvint du contentement qui était apparu sur les visages, autour d'eux, à ces paroles. Harah elle-même avait ri.)

« Mais c'est moi qu'il était venu défier ! »

« Tu m'as enseigné l'art étrange, Usul. »

« Certainement ! Mais tu ne devrais pas... »

« Je suis née dans le désert, Usul. Je sais me servir d'un krys. »

Il réprima sa colère et s'efforça de parler calmement : « Tout ceci est sans doute vrai, Chani, mais... »

« Je ne suis plus une enfant qui chasse les scorpions dans le sietch à la clarté d'un brilleur, Usul. Je ne m'amuse plus. »

Le regard de Paul était fixé sur elle. Il était fasciné soudain par l'étonnante férocité qu'il décelait derrière son attitude désinvolte.

« Il ne méritait pas de te défier, Usul, dit-elle. Je n'aurais pas dérangé ta méditation pour lui. (Elle s'approcha, le regarda à la dérobée et sa voix devint un murmure.) Et puis, mon bien-aimé, lorsque l'on saura que l'on peut se retrouver face à moi et connaître une mort honteuse par la main de la femme de Muad'Dib, il y aura moins de candidats. »

Oui, se dit Paul, *cela est certainement arrivé. C'est le passé-réel. Et il est vrai que le nombre de ceux qui voulaient défier la lame nouvelle de Muad'Dib a décru de façon remarquable*

Quelque part, dans un monde qui n'appartenait pas au rêve, il y eut comme un mouvement, le cri d'un oiseau de nuit

Je rêve, se dit Paul. *C'est ce repas d'épice.*

Pourtant, il éprouvait encore une impression d'abandon. Il se demanda s'il était possible que son esprit-ruh ait basculé dans ce monde auquel, selon les Fremen, il appartenait vraiment, l'alam al-Mithal, le monde des similitudes, le domaine métaphysique où toutes les limitations physiques étaient annihilées. Et, à la pensée d'un tel monde, il éprouvait de la peur, car la disparition de toute limitation signifiait la disparition de tout point de référence. Dans ce paysage de mythe, il ne pouvait s'orienter et dire : « Je suis parce que je suis ici. »

Sa mère lui avait déclaré une fois : « Certains, dans le peuple, sont divisés par la manière dont ils pensent à toi. »

Il faut que je m'éveille, se dit-il. Car ces paroles, sa mère les avait bien prononcées ; sa mère, Dame Jessica, qui était maintenant Révérende Mère des Fremen. Ces paroles étaient passées dans la réalité.

Jessica redoutait les liens religieux qui existaient entre les Fremen et lui, il le savait. Elle n'aimait pas entendre les gens des sietchs et des sillons le nommer *Lui*. Elle ne cessait de questionner les tribus à cet égard, d'envoyer au loin ses espions et de réfléchir mélancoliquement sur leurs rapports. Elle lui avait rappelé un proverbe Bene Gesserit : « Lorsque la religion et la politique voyagent dans le même chariot, les voyageurs pensent que rien ne peut les arrêter. Ils vont de plus en plus vite. Ils oublient alors qu'un précipice se révèle toujours trop tard. »

Paul se rappelait s'être assis dans les appartements de sa mère, dans la chambre intérieure enclose de lourdes tentures dont les broderies étaient inspirées de thèmes de la mythologie Fremen. Il s'était assis là et l'avait écoutée, remarquant la façon dont elle observait sans cesse, même lorsqu'elle baissait les yeux. Il y avait des plis nouveaux aux coins de sa bouche mais sa chevelure était toujours du même bronze poli. Ses grands yeux verts, pourtant, étaient voilés par la brume bleue de l'épice.

« Les Fremen ont une religion simple, pratique », avait-il dit.

« Rien n'est simple à propos de la religion », lui avait-elle rétorqué.

Mais Paul, voyant l'avenir lourd de nuées qui pesait sur eux, s'était senti submergé par la colère. Il n'avait pu que dire :

« La religion regroupe nos forces. C'est notre mystique. »

« Tu cultives délibérément cette atmosphère. Tu ne cesses d'endoctriner. »

« C'est ce que vous m'avez appris. »

Mais, ce jour-là, elle avait été pleine de reproches et d'arguments. C'était le jour où le petit Leto devait être circoncis. Paul avait compris certaines des raisons de la mauvaise humeur de sa mère. Elle n'avait jamais accepté sa liaison, son « mariage de jeunesse » avec Chani. Mais Chani avait donné le jour à un fils Atréides et Jessica n'avait pu rejeter l'enfant et la mère.

Sous son regard, elle avait réagi et demandé : « Tu penses que je suis une mère anormale ? »

« Non, certainement. »

« Je vois bien la façon dont tu m'observes quand je suis avec ta sœur. Tu ne comprends pas ce qu'il en est à son propos. »

« Je sais pourquoi elle est différente. Elle n'était pas encore née mais faisait partie de vous quand vous avez transformé l'Eau de Vie. Elle… »

« Tu ne sais rien de cela ! »

Et Paul, soudain incapable d'exprimer la connaissance qu'il avait extraite du temps, n'avait pu que dire : « Je ne pense pas que vous soyez anormale. »

Elle avait vu alors son désarroi et dit : « Mon fils, il faut que tu saches. »

« Oui ? »

« J'aime ta Chani. Je l'accepte. »

Cela était réel, se dit-il. Ce n'était pas là une vision imparfaite qui serait modifiée par les tourbillons issus de la source même du temps.

Cette assurance lui donna une prise nouvelle sur le monde.

Des parcelles de réalité apparurent dans son rêve. Il sut brusquement qu'il se trouvait dans un hiereg, un camp du désert. Chani avait choisi le sable-farine pour dresser leur tente-distille, à cause de sa douceur. Cela ne pouvait signifier qu'une chose : Chani n'était pas loin. Chani sa sihaya, douce comme le printemps du désert, Chani qui était revenue des palmeraies du sud lointain.

A présent, il se souvenait d'un chant de sable qu'elle avait choisi à l'heure du sommeil.

> « O mon âme,
> Dédaigne le Paradis cette nuit
> Et par Shai-hulud je te promets
> Que tu t'en iras là-bas,
> Soumis à mon amour. »

Et puis, elle avait chanté la chanson de marche qui, sur le sable, unissait les amoureux, et dont le rythme était comme le frottement des dunes sous leurs pas :

> « Souffle sur moi tes silences,
> Et je m'approche.
> Chuchote-moi tes désirs,
> Et tes souffrances.
> Chante pour moi tes rêves,
> Et je te siffle mes pensées.
> Murmure dans ton sommeil,
> Et je délire dans mes jours... »

Dans une autre tente, quelqu'un avait tiré quelques accords d'une balisette. Il avait alors pensé à Gurney Halleck. Il avait entrevu son visage dans un groupe de contrebandiers, mais Gurney, lui, ne l'avait pas vu, ou n'avait pas voulu le voir de peur de remettre les Harkonnens sur la piste du fils du Duc qu'ils avaient assassiné.

Mais le style de celui qui jouait cette nuit-là, le jeu délié des doigts sur la balisette éveillaient un nom dans la mémoire de

215

Paul. Celui de Chatt le Sauteur, capitaine des Fedaykin, les commandos de la mort qui veillaient sur Muad'Dib.

Nous sommes dans le désert, se souvint-il. *Dans l'erg central, au-delà des patrouilles Harkonnens. Je suis ici pour marcher dans le sable, attirer le faiseur et réussir à le monter afin de prouver que je suis totalement fremen.*

Maintenant, il sentait à sa ceinture le krys et le pistolet maula. Et, tout autour de lui, il percevait le silence.

C'était ce silence particulier qui précédait le matin, alors que les oiseaux nocturnes avaient disparu et que les créatures du jour n'avaient pas encore annoncé leur éveil à leur ennemi, le soleil.

« Tu devras cheminer dans le sable à la lumière du jour, avait dit Stilgar, afin que Shai-hulud te voit et qu'il sache que tu n'as pas peur. Aussi nous changerons l'emploi du temps et nous dormirons à la nuit. »

Lentement, Paul s'assit, dans l'ombre de la tente. Ses gestes étaient doux mais Chani l'entendit pourtant. « Il ne fait pas encore complètement jour, mon bien-aimé », dit-elle, ombre dans l'ombre.

« Sihaya », fit-il, et il y avait la trace d'un rire dans sa voix.

« Tu m'appelles ton printemps du désert, mais aujourd'hui, je suis là pour te harceler. Aujourd'hui, je suis la sayyadina qui veille à ce que l'on obéisse aux rites. »

Il entreprit d'ajuster son distille. « Une fois, dit-il, tu m'as cité les paroles du *Kitab al-Ibar* : « La femme est ton champ ; alors va dans ce champ et cultive-le. »

« Je suis la mère de ton premier enfant », dit-elle.

Il la devinait dans la pénombre grise, imitant ses gestes, ajustant son distille pour le désert.

« Tu devrais te reposer aussi longtemps que possible », lui dit-elle.

Il sentit l'amour dans sa voix et répondit en plaisantant : « La Sayyadina qui Veille ne doit pas mettre en garde le candidat. »

Elle se glissa à ses côtés et posa la main sur sa joue.

216

« Aujourd'hui, je suis celle qui veille mais je suis aussi la femme. »

« Tu aurais dû laisser cette tâche à une autre », dit-il.

« Il est aussi dur d'attendre. Je préfère être à tes côtés. »

Il déposa un baiser sur sa main avant d'ajuster le masque facial de son distille. Puis il descella la tente. L'air avait cette fraîcheur légèrement humide qui, avec l'aube, laisserait des traces de rosée sur le désert. Il apportait le parfum de la masse d'épice en gestation qu'ils avaient détectée au nord-est et qui indiquait la présence d'un faiseur.

Paul rampa hors du sphincter d'entrée, se redressa et, debout dans le sable, étira ses muscles, chassant le sommeil. Une pâle luminescence verte apparaissait à l'horizon d'est. Dans la pénombre, les tentes étaient comme autant de petites dunes. Sur sa gauche, Paul décela un mouvement. La garde. Les hommes avaient dû le voir. Ils savaient quel péril il allait affronter aujourd'hui. Chaque Fremen l'avait affronté. Il lui fallait se préparer et ils lui accordaient encore ce moment de solitude.

Ce doit être fait aujourd'hui, se dit-il.

Il songea à la puissance qu'il avait réussi à opposer au pogrom, aux vieux hommes qui, maintenant, lui amenaient leurs fils afin qu'il leur enseigne l'art étrange de la bataille, à ces vieux hommes qui l'écoutaient lors des conseils, qui suivaient ses plans et revenaient vers lui avec le plus grand compliment que pouvait faire un Fremen : « Ton plan a réussi, Muad'Dib. »

Pourtant, le plus petit, le plus médiocre des guerriers fremen était capable d'une chose qu'il n'avait encore jamais réalisée. Et il savait que cette différence pesait sur son rôle de chef.

Il n'avait pas chevauché le faiseur.

Bien sûr, avec les autres il avait participé à des raids mais il n'avait pas encore fait son premier voyage seul. Et jusqu'à ce qu'il l'ait fait, son univers demeurerait limité par les capacités des autres. Il n'était pas de véritable Fremen qui pût permettre cela. Jusqu'à son premier voyage, les vastes territoires du Sud, à quelque vingt marteleurs au-delà de l'erg, lui étaient interdits, à moins qu'il ne voyage dans un palanquin, comme une Révérende Mère ou un malade.

Il se souvint alors de la lutte qu'il avait menée tout au long de la nuit avec sa perception intérieure et il vit là un parallèle étrange : s'il maîtrisait le faiseur, son pouvoir en serait affermi ; s'il maîtrisait sa vision intérieure, il posséderait alors un moyen de contrôle sur lui-même. Mais au-delà, il y avait la zone brumeuse, la grande turbulence qui semblait s'être emparé de l'univers tout entier.

Il était obsédé par les diverses manières dont il percevait l'univers, flou et précis dans le même temps. Il le voyait *in situ*. Pourtant, quand il était né, quand les pressions de la réalité avaient commencé de s'exercer sur lui, le *maintenant* avait eu sa vie propre et s'était mis à croître avec ses différences particulières et subtiles. Le but terrible demeurait. Ainsi que la conscience raciale. Et, les dominant, sanglant et sauvage : le jihad.

Chani le rejoignit au-dehors. Les bras serrés sur sa poitrine, elle le regarda en biais, ainsi qu'elle le faisait toujours quand elle cherchait à deviner son état d'âme.

« Parle-moi encore des eaux de ton monde natal, Usul », dit-elle.

Il comprit qu'elle essayait de le distraire, d'apaiser les tensions de son esprit avant la dangereuse épreuve. Le ciel devenait plus clair, maintenant, et Paul vit que certains de ses Fedaykin démontaient déjà leurs tentes.

« J'aimerais mieux que tu me parles du sietch et de notre fils, dit-il. Est-ce qu'il tyrannise toujours ma mère ? »

« Et Ali tout aussi bien. Il grandit vite. »

« Comment est-ce dans le Sud ? »

« Lorsque tu chevaucheras le faiseur, tu le verras toi-même. »

« Mais j'aimerais d'abord le voir par tes yeux. »

« C'est terriblement désolé », dit-elle.

Il tendit la main vers son front et toucha l'écharpe nezhoni qui sortait du rabat de son distille. « Pourquoi ne me parles-tu pas du sietch ? »

« Je t'en ai déjà parlé. Sans nos hommes, c'est un endroit bien désert. C'est un lieu de travail. Nous passons nos heures dans les ateliers. Il faut fabriquer des armes, planter des sondes pour la prévision du temps, récolter l'épice pour les tributs. Les dunes doivent être ensemencées afin de les maintenir. Il faut confectionner des tissus, des tapis, charger les cellules à carburant. Et former les enfants afin que la puissance de la tribu ne diminue jamais. »

« Il n'y a donc rien de plaisant dans le sietch ? »

« Les enfants. Nous observons les rites. Nous avons suffisamment de nourriture. Parfois, l'une d'entre nous peut se rendre dans le nord afin de retrouver son homme. La vie doit continuer. »

« Ma sœur, Alia... est-elle acceptée par les gens ? »

Dans la clarté grise de l'aube, Chani lui fit face, le regard triste. « C'est là une chose dont nous discuterons un autre jour, bien-aimé. »

« Discutons-en maintenant. »

« Tu devrais garder tes forces pour l'épreuve. »

Il vit qu'il avait touché quelque point sensible. La voix de Chani était soudain lointaine. « L'inconnu, dit-il, apporte ses propres peines. »

Chani acquiesça. « Il subsiste encore une certaine... incompréhension, due à l'étrangeté d'Alia. Les femmes la craignent parce qu'une enfant, presque un bébé, ne devrait pas parler de... choses que seul un adulte peut connaître. Elles ne comprennent pas que ce... changement qui s'est produit dans la matrice a rendu Alia... différente. »

« Des ennuis ? » demanda Paul, songeant : *J'ai eu la vision d'ennuis sur Alia.*

Le regard de Chani se porta sur la ligne claire du soleil. « Certaines des femmes se sont rassemblées pour en appeler à la Révérende Mère. Elles lui ont demandé d'exorciser le démon qui est dans sa fille. Elles ont cité l'écriture : « Point ne tolérera sorcière parmi nous. »

« Et que leur a dit ma mère ? »

« Elle leur a récité la loi et les a renvoyées dans la confusion. Elle leur a dit . « Si Alia est source d'ennuis, la faute en revient à l'autorité qui n'a pas su prévoir et prévenir ces ennuis. » Puis elle a essayé de leur expliquer de quelle façon le changement avait agi sur Alia, à l'intérieur de sa matrice. Mais les femmes étaient furieuses parce qu'elles étaient confuses et elles sont reparties en maugréant. »

Alia provoquera des troubles, pensa Paul.

Un souffle cristallin de sable lui effleura le visage, apportant la senteur de la masse d'épice en gestation. « El sayal, dit-il, la pluie de sable qui apporte le matin. »

Son regard courut sur le désert baigné de lumière grise, sur le paysage qui dépassait toute désolation, sur ce sable qui était l'image de la forme éternellement absorbée et recréée. Des éclairs jaillirent dans une île d'ombre, au ciel du sud, révélant la formation d'une tempête dans cette direction. Longtemps après vint le grondement du tonnerre.

« La voix qui magnifie la terre », dit Chani.

Les hommes quittaient leurs tentes. Les gardes revenaient de leurs postes. Leurs gestes étaient lents. C'étaient ceux d'une routine ancienne pour laquelle tout ordre était inutile

« Donne aussi peu d'ordres que possible, lui avait dit son père, autrefois. Dès que tu auras donné des ordres sur un sujet, tu devras sans cesse donner des ordres sur ce point »

Les Fremen connaissaient d'instinct cette règle.

Le maître d'eau de la troupe entonna son chant du matin, y ajoutant les paroles rituelles qui préludaient à l'initiation de celui qui allait chevaucher le faiseur.

« Le monde est une carcasse, psalmodiait l'homme par-dessus les dunes. Qui peut repousser l'Ange de la Mort ? Ce qu'a décidé Shai-hulud doit être. »

Paul écoutait et reconnaissait les paroles qui étaient les premières du chant de mort des Fedaykin, ce chant de mort qu'ils entonnaient en se lançant dans la bataille

Y aura-t-il un mausolée de rochers ici pour marquer le départ d'une âme nouvelle ? se demanda Paul. *Dans l'avenir, les*

Fremen s'arrêteront-ils ici pour ajouter une autre pierre et penser à Muad'Dib qui mourut en ce lieu ?

Il savait que cela faisait partie des avenirs possibles qui irradiaient à partir de ce point précis de l'espace-temps. La vision était plus imparfaite que jamais. Plus il résistait au but terrible et luttait contre la venue du jihad, plus le tourbillon s'accélérait. Son avenir tout entier était comme une rivière qui se ruait vers un gouffre, un nexus de violence au-delà duquel tout n'était que brumes et nuées.

« Stilgar arrive, dit Chani. Je dois me séparer de toi, maintenant, bien-aimé. Il faut que je sois la Sayyadina et que j'assiste au rite afin qu'il soit rapporté en toute vérité dans les Chroniques. (Elle le regarda et, pendant un instant, elle se sentit faiblir. Puis elle retrouva son contrôle.) Quand cela sera fini, je préparerai le repas de mes mains », ajouta-t-elle. Et elle s'éloigna.

Stilgar arrivait. Ses pas soulevaient de légers nuages de sable farine. Ses yeux sombres étaient fixés sur Paul. La barbe noire qui apparaissait au-dessus du masque du distille, les joues ridées semblaient sculptées dans quelque rocher par le vent du désert. Il portait la bannière de Paul, verte et noire, dont la hampe recelait un tube à eau, la bannière qui, déjà, était légendaire. Avec une trace d'orgueil, Paul songea : *Je ne peux faire la plus simple des choses sans que cela devienne une légende. Ils auront noté la façon dont j'ai quitté Chani, dont j'ai accueilli Stilgar... tout ce que je fais aujourd'hui. Que je meure ou que je vive, cela sera une légende. Il ne faut pas que je meure. Car la légende resterait, seule, et rien ne pourrait plus empêcher le jihad.*

Stilgar planta la bannière dans le sable à côté de Paul et laissa retomber ses bras. Ses yeux bleus ne cillaient pas. Paul songea que ses propres yeux, peu à peu, assumaient cette couleur née de l'épice.

« Ils nous refusent le Hajj », dit Stilgar avec la solennité qu'imposait le rituel.

Ainsi que Chani le lui avait enseigné, Paul répondit : « Qui peut refuser à un Fremen le droit de marcher ou de chevaucher où il le désire ? »

« Je suis un Naib, dit Stilgar, que l'on ne prend jamais vivant. Je suis un pied du tripode de la mort qui va détruire nos ennemis. »

Le silence s'établit alors entre eux.

Paul regarda les autres Fremen rassemblés sur le sable, plus loin, immobiles pour cet instant de prière. Et il pensa que les Fremen étaient un peuple qui vivait par le meurtre, un peuple qui n'avait connu que le chagrin et la rage jour après jour, qui n'avait jamais songé qu'il pût exister autre chose, si ce n'est le rêve que leur avait donné Liet-Kynes avant de mourir.

« Où est le Seigneur qui nous a conduits à travers le désert et les puits ? » demanda Stilgar.

« Il est toujours avec nous », chantèrent les Fremen.

Stilgar raffermit ses épaules, s'avança plus près de Paul et dit à voix basse : « Maintenant, souviens-toi de ce que je t'ai dit. Il te faut agir simplement et directement. Sans la moindre fantaisie. Chez nous, nous chevauchons le faiseur à l'âge de douze ans. Tu as presque six ans de plus. Tu n'as pas à impressionner qui que ce soit par ton courage. Nous savons que tu es brave. Tout ce que tu dois faire, c'est appeler le faiseur et le chevaucher. »

« Je me souviendrai », dit Paul.

« J'y compte bien. Je ne tiens pas à ce que la honte retombe sur mon enseignement. »

Stilgar sortit une tige de plastique longue d'un mètre environ de sous sa robe. Une extrémité était en pointe, l'autre était munie d'un clapet monté sur ressort.

« J'ai préparé ce marteleur moi-même. Il est bon. Prends-le. »

Paul sentit sous sa main la matière douce et lisse de l'objet, sa tiédeur.

« C'est Shishakli qui a tes hameçons, reprit Stilgar. Il te les donnera lorsque tu seras sur cette dune, là-bas. (Il tendit la main vers la droite.) Appelle un gros faiseur, Usul. Montre-nous le chemin. »

La voix de Stilgar était à la fois solennelle et pleine de l'inquiétude d'un ami.

A cet instant précis, le soleil apparut sur l'horizon. Le ciel prit la teinte gris-bleu argentée qui annonçait une chaleur extrême.

« Voici le jour brûlant, dit Stilgar, et sa voix avait toute la solennité du rite. Va, Usul, et chevauche le faiseur, sillonne le sable comme le chef des hommes. »

Paul salua sa bannière qui, maintenant, pendait inerte. Le vent de l'aube était mort. Il se tourna vers la dune que Stilgar lui avait désignée, un simple monticule de sable dont la crête dessinait un S. Déjà, une grande partie de la troupe s'était massée dans la direction opposée, au flanc de la dune qui avait abrité le camp.

A l'écart, un seul homme se tenait sur le chemin de Paul. Seuls ses yeux étaient visibles entre le masque et le rabat de son distille. Shishakli, chef de groupe des Fedaykin.

Comme Paul approchait, il lui tendit deux tiges minces, pareilles à des fouets, longues d'environ un mètre cinquante. Des crochets de cristacier luisaient à une extrémité. L'autre avait été râpée pour permettre une meilleure prise.

Paul les prit toutes deux dans sa main gauche comme le voulait le rituel.

« Ce sont mes propres hameçons, dit Shishakli d'une voix rauque. Ils ne m'ont jamais trahi. »

Paul hocha la tête en silence avant de reprendre son chemin. Sur la crête de la dune, il se retourna. La troupe tout entière se rassemblait comme une nuée d'insectes. Paul était seul, maintenant, avec l'horizon de sable en face de lui, plat, immuable. Stilgar lui avait choisi une bonne dune, plus haute que toutes celles qui l'entouraient.

Il se pencha et planta le marteleur dans le versant exposé au vent, là où le sable plus compact transmettrait le martèlement avec plus d'intensité. Puis il hésita, se remémorant ses leçons et les impératifs de vie et de mort qu'il allait affronter.

Lorsqu'il presserait la détente, le marteleur commencerait à lancer son appel. Quelque part dans le sable, un faiseur

entendrait et viendrait. Paul savait qu'avec les tiges à hameçons il pouvait chevaucher un anneau de ver géant. En effet,
aussi longtemps que l'anneau était maintenu par l'hameçon et
que sa face interne était soumise au souffle abrasif du sable, le
ver ne replongeait pas dans le désert. Il lovait son corps
gigantesque afin d'élever aussi haut que possible le segment
ouvert.

Je suis un cavalier des sables, se dit Paul.

Il regarda les hameçons, dans sa main gauche. Il lui suffisait
de les fixer au corps immense d'un faiseur pour que la créature
tourne et se déploie à sa guise. Il avait déjà vu faire cela. Il
avait accompli de courts trajets au flanc d'un faiseur. Mais il
était possible d'aller très loin, jusqu'à ce que la créature
s'effondre d'épuisement. Alors, il fallait appeler un nouveau
faiseur

Lorsqu'il aurait triomphé de cette épreuve, Paul le savait, il
serait digne d'accomplir le voyage de vingt marteleurs jusque
dans les territoires du sud, libre de se reposer dans les
nouvelles palmeraies et les sietchs où l'on avait emmené les
femmes et les enfants pour échapper au pogrom.

Levant la tête, il regarda vers le sud, se souvenant que le
faiseur qui allait surgir de l'erg était un facteur inconnu, de
même que lui qui l'appelait pour cette épreuve

« Tu dois calculer avec soin son approche, lui avait dit
Stilgar. Rester assez près afin de pouvoir le monter quand il
passera, mais assez loin pour n'être pas englouti. »

Paul se décida soudain et déclencha le marteleur. Le clapet
se mit à tourner et à frapper le sable. « Foum! Foum!
Foum!... »

Il se redressa et son regard courut sur l'horizon. « Examine
soigneusement sa ligne d'approche, avait dit Stilgar. Souviens-
toi qu'un ver demeure rarement invisible en arrivant sur un
marteleur. Écoute également. Il se peut que tu l'entendes
avant même de le voir. »

Et, au creux de la nuit, Chani lui avait murmuré : « En te
plaçant sur le passage du faiseur, il faut que tu restes

absolument silencieux. Il faut que tu penses comme le sable,
que tu deviennes une petite dune »

Lentement, son regard parcourait l'horizon. Il écoutait,
guettait les signes qu'on lui avait indiqués.

Et cela vint du sud-est Un sifflement lointain, un murmure
de sable, un chuchotement Puis il vit la dune qui courait dans
la clarté de l'aube et songea qu'il n'avait encore jamais
rencontré de faiseur aussi énorme, qu'il n'en avait même
jamais entendu parler La créature devait mesurer plus d'une
demi-lieue et la vague de sable soulevée par sa tête était
comme une montagne en marche.

Je n'ai jamais rien vu de tel dans ma vie ou mes visions, se dit
Paul. Il s'élança au-devant du ver pour se mettre en position,
entièrement absorbé par les impératifs de cet instant.

> « Contrôlons la monnaie et les alliances. Que la
> racaille s'amuse du reste. » Ainsi dit l'Empereur
> Padishah. Et il ajoute : « Si vous voulez des profits,
> il vous faut régner. » Il y a une certaine vérité dans
> ces paroles, mais pour ma part, je me demande :
> « Où est la racaille et où sont les gouvernés ? »
>
> *Message Secret de Muad'Dib au Landsraad,*
> *extrait de L'Éveil d'Arrakis,*
> *par la Princesse Irulan.*

Sans cesse, une pensée revenait à l'esprit de Jessica : *Paul va bientôt être soumis à l'épreuve du faiseur. Ils ont essayé de me cacher cela, mais c'est évident. Et Chani est partie pour quelque mystérieuse destination.*

Assise dans sa chambre, elle profitait d'un moment de repos entre deux classes de nuit. La chambre était agréable mais pas aussi grande cependant que celle qu'elle avait connue au Sietch Tabr avant la fuite devant le pogrom. Pourtant, les tapis étaient profonds, les coussins doux, et il y avait une table à café basse, des·tentures multicolores et des brilleurs à la clarté douce. La senteur âcre qui flottait dans la pièce était celle de tous les sietchs Fremen, une senteur qu'elle associait à un sentiment de sécurité.

Pourtant, elle savait que jamais elle ne pourrait se débarrasser de l'impression d'être en un lieu étranger. Et cela, les tentures et les tapis ne parvenaient pas à l'empêcher.

Un tambourinement, un battement, un tintement lui parvint. Ce devait être pour une naissance. Probablement celle de l'enfant de Subiay. Son temps approchait. Jessica savait qu'elle verrait bien assez tôt le bébé lorsqu'on le lui amènerait pour la bénédiction. Elle savait aussi qu'Alia, sa fille, serait présente à la cérémonie et lui rapporterait ce qu'elle avait vu et entendu.

Le moment n'était pas encore venu de la prière de nuit. Ils n'auraient pas commencé à célébrer une naissance alors que la cérémonie pour les raids d'esclavage sur Poritrin, Bela Tegeuse, Rossak et Harmonthep était si proche.

Jessica eut un soupir. Elle savait qu'elle essayait de ne pas penser à son fils et aux dangers qu'il affrontait. Les puits piégés avec leurs épines empoisonnées, les raids Harkonnens (ceux-ci devenaient plus rares du fait des armes nouvelles que Paul avait données aux Fremen) et les périls naturels du désert, la soif, les crevasses de poussière et les faiseurs.

Elle pensa qu'il lui fallait demander son café et, dans le même temps, elle évoqua une fois encore le paradoxe de l'existence Fremen, de ces hommes qui connaissaient dans leurs sietchs une vie plus agréable que celle des pyons des creux tout en souffrant bien pis d'un hajr au désert que n'importe quel mercenaire Harkonnen.

Une main sombre apparut entre les tentures et déposa une tasse sur la table avant de disparaître. L'arôme du café d'épice se répandit dans la pièce.

Une offrande pour la célébration de la naissance, pensa-t-elle.

Elle prit la tasse et but une gorgée, se souriant à elle-même. *Où, dans notre univers*, se demandait-elle, *une personne de ma position pourrait-elle accepter une boisson offerte par une main anonyme et la boire sans peur ? Bien sûr, à présent je pourrais altérer n'importe quel poison avant qu'il ne me fasse du mal, mais celle qui m'a donné cette tasse ne le sait pas.*

C'était chaud, délicieux. Elle sentit la force, l'énergie

contenues dans le café. Elle se demanda alors quelle autre société aurait eu ce respect naturel pour sa tranquillité et son isolement, un respect qui faisait que celui qui offrait ne se montrait pas ? Le respect et l'amour seuls lui avaient valu cette offrande... avec une trace de crainte.

Puis un nouvel élément lui apparut : elle avait pensé au café et il était venu. Elle savait qu'il n'y avait là aucun effet de télépathie. C'était le tau, l'unité de la communauté du sietch, la compensation naturelle au poison subtil que représentait leur alimentation à base d'épice. La grande masse du peuple ne pouvait espérer atteindre la liberté que lui avait conférée l'épice. Les gens n'avaient pas été éduqués pour cela, ils n'avaient pas été préparés. Leur esprit rejetait ce qu'il ne pouvait appréhender ou admettre. Pourtant, parfois, ils réagissaient comme un organisme unique.

Et jamais le soupçon d'une coïncidence n'effleurait leurs pensées.

Paul a-t-il subi l'épreuve ? se demanda Jessica. *Il a des capacités pour triompher, mais l'accident peut venir à bout des meilleurs.*

Attente.

C'est la tristesse, songea-t-elle. *On ne peut attendre aussi longtemps. Alors, la tristesse de l'attente vous submerge.*

L'attente imprégnait leurs vies.

Nous sommes ici depuis plus de deux années, songea-t-elle, *et il nous reste au moins deux fois aussi longtemps à attendre avant d'essayer d'arracher Arrakis au gouverneur Harkonnen, le Mudir Nahya. Rabban la Bête.*

« Révérende Mère ? »

La voix, par-delà les tentures, était celle de Harah, la seconde femme dans le ménage de Paul.

« Oui, Harah. »

Les tentures s'ouvrirent et Harah parut se glisser au travers du tissu. Elle portait une robe drapée de couleur orangée qui exposait ses bras presque jusqu'aux épaules. Sa chevelure noire était séparée par le milieu, formant comme deux élytres noires d'insecte, plates et brillantes. Ses traits acérés d'oiseau rapace étaient crispés. Derrière elle entra Alia. Alia avait environ deux ans.

En voyant sa fille, Jessica fut frappée, une fois de plus, par sa ressemblance avec Paul, au même âge. Alia avait les mêmes grands yeux solennels, la même fermeté dans le dessin de sa bouche et les cheveux aussi noirs. Mais il existait aussi des différences subtiles et c'était en elles que la plupart des adultes trouvaient leur inquiétude. Cette enfant avait un calme et une vigilance qui n'étaient pas de son âge. Les adultes étaient choqués de la voir rire d'un jeu de mots subtil sur le sexe. Ou bien, prêtant l'oreille à cette voix zézayante, formée par une bouche au palais encore mou, ils entendaient des remarques qui témoignaient d'une expérience impossible à un bébé de deux ans.

Avec un soupir d'exaspération, Harah se laissa aller sur un coussin et fronça les sourcils à l'adresse d'Alia.

Jessica fit un geste. « Alia ».

L'enfant s'étendit sur un coussin devant sa mère et lui prit la main. Le contact de la chair réveilla en Jessica cette mutuelle perception qu'elle avait découverte avant même la naissance de sa fille. Il ne s'agissait pas de pensées partagées en commun, bien qu'il y eût un peu de cela lorsque Jessica, au cours d'une cérémonie, transformait l'épice-poison. C'était quelque chose de plus vaste, la perception immédiate d'une autre étincelle vivante, une sensation aiguë et poignante, une liaison émotionnelle qui les fondait l'une dans l'autre.

Du ton solennel qui convenait aux membres de la maison de son fils, Jessica dit : « Subakh ul kuhar, Harah. La nuit t'a-t-elle trouvée en bonne santé ? »

Sur le même ton, Harah répondit : « Subakh un nar. Je suis en bonne santé. »

Sa voix n'avait presque aucune tonalité. A nouveau, elle soupira.

Jessica perçut de l'amusement chez Alia.

« La ghanima de mon frère est en colère contre moi », dit Alia avec son léger zézaiement.

Jessica remarqua le terme qu'elle venait d'employer à

propos de Harah : ghanima. Les subtilités du langage Fremen donnaient à ce mot le sens de « quelque chose acquis durant la bataille ». La façon dont il avait été prononcé impliquait que ce « quelque chose » n'avait plus sa fonction d'origine, que ce n'était plus qu'un ornement, un fer de lance utilisé pour lester un rideau.

Harah tourna vers Alia un visage sombre. « N'essaye pas de m'insulter, enfant. Je connais mon rang. »

« Qu'as-tu fait encore, cette fois-ci ? » demanda Jessica à sa fille.

Ce fut Harah qui répondit. « Non seulement elle a refusé de jouer avec les autres enfants aujourd'hui, mais elle s'est introduite là où... »

« Je me suis cachée derrière les tentures et j'ai assisté à la naissance de l'enfant de Subiay, dit Alia. C'est un garçon. Il a crié... Quels poumons ! Quand il a eu assez crié... »

« Elle est apparue et l'a touché, dit Harah. Et il s'est arrêté. Tout le monde sait qu'un bébé Fremen doit crier à sa naissance s'il est au sietch, parce que plus tard, au cours du hajr, il ne pourra plus le faire. »

« Il avait assez crié, dit Alia. Je voulais seulement sentir son étincelle, sa vie. C'est tout. Et quand il m'a sentie, il n'a plus voulu crier. »

« Cela a fait encore parler les gens », dit Harah.

« Le garçon de Subiay est sain ? » demanda Jessica. Elle devinait que Harah était profondément troublée par quelque chose d'autre et elle se demandait quoi.

« Aussi sain que peut le désirer une mère, dit Harah. Ils savent qu'Alia ne lui a fait aucun mal. Il ne leur importe pas tellement qu'elle l'ait touché. Il s'est calmé aussitôt et il était heureux. C'était... » Harah se tut et haussa les épaules.

« L'étrangeté de ma fille, c'est cela, n'est-ce pas ? demanda Jessica. C'est la façon qu'elle a de parler de choses qui ne devraient pas la concerner avant des années et d'autres qu'elle ne devrait pas connaître... des choses du passé. »

« Comment pouvait-elle savoir ce qu'est l'aspect d'un enfant sur Bela Tegeuse ? » demanda Harah.

« Mais il était ainsi ! lança Alia. Le garçon de Subiay était exactement comme le fils de Mitha qui est né avant le départ. »

« Alia ! s'écria Jessica. Je t'ai avertie. »

« Mais, Mère, je l'ai vu et c'était vrai, il... »

Jessica secoua la tête. Elle lisait sur les traits de Harah. *A qui ai-je donné le jour ?* se demanda-t-elle. A une fille qui, à sa naissance, savait déjà tout ce que je savais... et plus encore. Tout ce qui lui avait *été révélé dans les corridors du passé par la Révérende Mère, au-dedans de moi.*

« Ce ne sont pas seulement les choses qu'elle dit, fit Harah. Il y a aussi les exercices. La façon qu'elle a de s'asseoir et de regarder les rochers en ne bougeant qu'un muscle près de son nez, un doigt ou... »

« Cela fait partie de l'éducation Bene Gesserit, dit Jessica. Tu le sais, Harah. Nierais-tu l'héritage de ma fille ? »

« Révérende Mère, vous savez bien que ces choses ne m'importent guère. Il s'agit du peuple et de ce qu'il murmure. Je pressens le danger. Ils disent que votre fille est un démon, que les autres enfants refusent de jouer avec elle, qu'elle est... »

« Elle a si peu de choses en commun avec les autres enfants, dit Jessica. Elle n'est pas un démon, non. Elle est seulement... »

« Bien sûr qu'elle ne l'est pas ! »

Jessica fut surprise par la véhémence de Harah et elle jeta un coup d'œil à sa fille. Celle-ci apparaissait perdue dans ses pensées. Elle irradiait comme une impression... d'attente. Jessica reporta son regard sur Harah.

« Je te respecte en tant que membre de la maison de mon fils, dit-elle. (Alia s'agita nerveusement.) Tu peux me faire part de tout ce qui te tourmente. »

« Bientôt, je ne ferai plus partie de la maison de votre fils, dit Harah. Si j'ai attendu aussi longtemps, ce n'était que pour le bien de mes fils, pour l'éducation spéciale qu'ils recevaient en tant que fils d'Usul. C'est le moins que je pouvais leur donner, puisqu'il est bien connu que je ne partage pas le lit de votre fils. »

A nouveau, Alia bougea auprès de sa mère, à demi endormie.

« Pourtant, dit Jessica, tu aurais fait une bonne compagne pour mon fils. » Et elle pensa en elle-même, comme toujours *Une compagne... pas une épouse.* Puis ses pensées rejoignirent le sujet qui était commun à tout le sietch, le centre des conversations : la liaison de Paul avec Chani

J'aime Chani, pensa-t-elle. Mais elle se rappelait dans le même instant que l'amour devait s'effacer devant la nécessité royale. Aux mariages royaux, il était d'autres raisons que l'amour.

« Vous pensez que j'ignore ce que vous projetez pour votre fils ? » demanda Harah.

« Que veux-tu dire ? »

« Vous projetez de rassembler les tribus sous son pouvoir. »

« Est-ce mal ? »

« Je vois du danger pour lui... Et Alia fait partie de ce danger. »

Alia se rapprocha tout contre sa mère, ouvrit les yeux et regarda Harah.

« Je vous ai observées toutes les deux, reprit Harah. J'ai vu la façon dont vous vous touchiez. Alia est pareille à ma propre chair puisqu'elle est la sœur d'un être qui est comme mon frère. Je l'ai veillée, je l'ai gardée alors même qu'elle n'était qu'un bébé, depuis le temps où nous avons fui devant la razzia. J'ai lu bien des choses en elle. »

Jessica hocha la tête. Elle sentait grandir l'irritation d'Alia, à côté d'elle.

« Vous savez ce que je veux dire, poursuivit Harah. Cette façon qu'elle a eu de comprendre immédiatement ce que nous lui disions. Aurait-on jamais vu un bébé qui fût au courant de la discipline de l'eau ? Et dont les premiers mots auraient été *Je t'aime, Harah.* (Elle regarda Jessica.) Pourquoi croyez-vous que j'aie accepté ses insultes ? Je savais bien qu'il n'y avait aucun mal en elles. »

232

Alia leva les yeux sur sa mère.

« Oui, j'ai le pouvoir de raisonner, Révérende Mère, continua Harah. J'aurais pu être la Sayyadina. J'ai vu ce que j'ai vu. »

« Harah... (Jessica haussa les épaules.) Je ne sais que te dire. » Et elle ressentit soudain de la surprise, parce qu'elle venait d'exprimer la vérité.

Alia se redressa, raffermit ses épaules. Jessica perçut la fin de l'attente, une émotion faite de tristesse et de décision.

« Nous avons fait une faute, dit Alia. A présent, nous avons besoin de Harah. »

« C'est lors de la Cérémonie de la Graine, dit Harah, que vous avez changé l'Eau de Vie, Révérende Mère, alors qu'Alia était en vous. »

Besoin de Harah ? se demanda Jessica.

« Qui d'autre pourrait parler au peuple et aider à me faire comprendre ? » demanda Alia.

« Que pourrait-elle faire ? »

« Elle le sait déjà », dit Alia.

« Je leur dirai la vérité, fit Harah. Son visage à la peau olivâtre était soudain ancien et triste, couvert de rides, semblable à celui d'une sorcière. Je leur dirai qu'Alia faisait semblant d'être une petite fille mais qu'elle ne l'a jamais été. »

Alia secoua la tête. Des larmes coulèrent sur ses joues et Jessica ressentit la vague de chagrin qui la balayait avec une extraordinaire violence.

« Je sais que je suis un monstre », dit Alia dans un souffle, et cette phrase d'adulte dans la bouche de sa fille fut pour Jessica comme une affreuse confirmation.

« Tu n'es pas un monstre ! lança Harah. Qui oserait le prétendre ? »

A nouveau, Jessica s'émerveilla de la note de protection ardente qu'elle venait de percevoir dans la voix de Harah. Et elle se rendit compte que le jugement de sa fille était juste : elles avaient besoin de Harah. La tribu comprendrait Harah, ses paroles comme ses émotions, car il était évident qu'elle aimait Alia comme sa propre enfant.

« Qui a dit cela ? » dit Harah.

« Personne. »

Alia essuya les larmes de son visage à l'aide d'un coin de l'aba de sa mère. Puis elle effaça les plis de la robe.

« Alors tu n'as rien dit », reprit Harah.

« Oui, Harah. »

« Et maintenant, il faut que tu me dises comment c'était afin que je le répète aux autres. Dis-moi ce qui t'est arrivé. »

Alia regarda sa mère. Jessica acquiesça.

« Un jour, dit Alia, je me suis éveillée. J'avais l'impression d'avoir dormi et pourtant je ne me rappelais de rien. J'étais dans un endroit chaud, et sombre. Et j'avais peur. »

En écoutant les paroles zézayantes de sa fille, Jessica se souvint de la grande caverne.

« J'avais peur, continuait Alia, et j'ai essayé de fuir, mais cela n'était pas possible. Alors, j'ai vu une étincelle... Ou plutôt, je ne l'ai pas vue exactement. Elle était seulement là avec moi et je ressentais ses émotions... Elle me berçait, me calmait, me disait que tout se passerait bien pour moi. C'était ma mère. »

Harah se frotta les yeux et sourit à Alia d'un air rassurant. Pourtant, il y avait encore une étincelle farouche dans le regard de la femme Fremen, comme si ses yeux, eux aussi, écoutaient les paroles qu'elle prononçait.

Et Jessica se dit : *Que savons-nous des pensées des autres... de leurs expériences, de leur éducation, de leurs ancêtres ?*

« Alors même que je me sentais rassurée et en sécurité, reprit Alia, une autre étincelle vint nous rejoindre... et tout se produisit en même temps. Cette autre étincelle était la Révérende Mère. Elle... échangeait des vies avec ma mère... tout... et j'étais avec elles, je voyais... Et puis tout fut fini et je fus elles, et tous les autres et moi-même... Seulement, il me fallut longtemps pour être moi-même ; seule. Il y avait tant d'autres gens. »

« C'était là une chose cruelle, dit Jessica. Aucun être ne devrait s'éveiller ainsi à la conscience. Ce qui est surprenant, c'est que tu aies accepté tout ce qui t'est advenu. »

« Je ne pouvais rien faire d'autre ! se récria Alia. Je ne savais pas comment rejeter cela, comment cacher ma conscience... ou l'isoler... Tout s'est passé comme cela. Tout... »

« Nous ne savions pas, murmura Harah. Lorsque nous avons donné l'eau à votre mère pour la Changer, nous ignorions que vous existiez en elle. »

« Ne sois pas triste, Harah, dit Alia. Je ne devrais pas me plaindre. Après tout, j'ai des raisons d'être heureuse : je suis une Révérende Mère. La tribu a deux Rév... »

Elle se tut brusquement, pencha la tête et parut écouter intensément.

Harah la regarda puis revint à Jessica.

« N'avais-tu pas deviné ? » demanda Jessica.

« Chcht », fit Alia.

Un chant rythmé leur parvenait maintenant des couloirs du sietch au-delà des tentures. Il se fit de plus en plus net. « Ya ! Ya ! Yawm ! Ya ! Ya ! Yawm ! Mu zein, wallah ! Ya ! Ya ! Yawm ! Mu zein, Wallah ! »

Les chanteurs passèrent devant l'entrée et leurs voix résonnèrent dans l'appartement. Puis, lentement, elles s'estompèrent.

Alors, Jessica prononça les paroles rituelles et il y avait du chagrin dans sa voix : « C'était Ramadhan et avril sur Bela Tegeuse. »

« Ma famille était assise dans la cour, dit Harah, et l'air était tout embué par la fontaine. Il y avait un arbre à portyguls, rond et sombre, tout près de là. Et un panier avec des mish mish, du baklava et des coupes de liban, toutes choses délicieuses. Et la paix régnait en nos jardins, sur nos troupeaux... sur toute la terre. »

« La vie était pleine de joie jusqu'à la venue des raiders », dit Alia.

« Notre sang est devenu froid aux cris de nos amis », dit Jessica. Et elle sentit affluer les souvenirs venus de tous ces passés dont elle avait la connaissance.

« La, la, la, ont crié les femmes », dit Harah.

« Les raiders ont surgi du mushtamal et leurs couteaux étaient rouges du sang de nos hommes », dit Jessica.

Et le silence tomba sur elles comme dans tout le sietch tandis qu'elles se souvenaient et ravivaient ainsi leur chagrin.

Puis Harah prononça les dernières paroles du rite avec une dureté que Jessica ne lui avait encore jamais connue.

« Nous ne pardonnerons jamais et n'oublierons jamais. »

Dans le silence qui suivit, elles perçurent une rumeur et le bruit soyeux des robes. Jessica sentit que quelqu'un s'était arrêté derrière les tentures.

« Révérende Mère ? »

C'était une voix de femme, celle de Tharthar, une des épouses de Stilgar.

« Qu'y a-t-il, Tharthar ? »

« Des ennuis, Révérende Mère. »

Jessica sentit son cœur se serrer. Elle eut peur pour Paul soudain et ne put s'empêcher de prononcer son nom dans un souffle.

Tharthar, écartant les tentures, pénétra dans la chambre. Derrière elle, tandis que le lourd tissu retombait, Jessica entrevit la foule assemblée. Elle se tourna vers la femme. Tharthar était petite, la peau sombre. Elle portait une robe rouge. Ses yeux étaient fixés sur Jessica et, dans ses narines dilatées, les marques des embouts étaient visibles.

« Que se passe-t-il ? » demanda Jessica.

« Des nouvelles sont venues du sable. Usul va affronter l'épreuve du faiseur... aujourd'hui. Les jeunes hommes disent qu'il ne peut échouer, qu'il chevauchera le faiseur avant que le soleil se couche. Ils se rassemblent pour une razzia. Ils vont lancer un raid sur le nord et c'est là qu'ils rencontreront Usul. Ils disent qu'ils lanceront le cri, alors. Ils disent qu'ils l'obligeront à défier Stilgar et à prendre le commandement des tribus. »

Récolter l'eau, sonder les dunes, changer ce monde lentement mais sûrement... ce n'est plus assez, pensa Jessica. *Les petites expéditions, les raids en toute sécurité, cela ne leur suffit plus.*

maintenant que nous les avons formés, Paul et moi. Ils connaissent leur force. Ils veulent se battre.

Tharthar dansait d'un pied sur l'autre et s'éclaircit la gorge.

Nous savons qu'il faut attendre prudemment, se dit Jessica, mais il y a en nous ce noyau de frustration. Et nous savons aussi le mal que peut nous faire une attente trop prolongée. Nous risquons d'oublier notre dessein.

« Les jeunes hommes disent que si Usul ne défie pas Stilgar, c'est qu'il doit avoir peur », dit Tharthar.

Elle baissa les yeux.

« C'est donc ainsi », murmura Jessica. Et elle songea : *Eh bien, je l'ai vu venir. Tout comme Stilgar.*

« Mon frère lui-même, Shoab, parle ainsi, dit encore Tharthar. Ils ne donneront pas le choix à Usul. »

Le moment est donc venu. Et Paul devra s'en sortir par lui-même. La Révérende Mère ne peut jouer un rôle dans la succession.

Alia retira ses mains de celles de sa mère et dit . « J'irai avec Tharthar et j'écouterai les jeunes hommes. Il existe peut-être un moyen. »

Jessica rencontra le regard de Tharthar mais ce fut à Alia qu'elle s'adressa · « Alors va. Et reviens me rapporter ce que tu auras entendu dès que possible. »

« Nous ne voulons pas que cela soit, Révérende Mère », dit Tharthar.

« Nous ne le voulons pas non plus, dit Jessica. La tribu a besoin de *toute* sa force. (Elle regarda Harah.) Iras-tu avec elles ? »

Harah répondit à la question qu'elle n'avait pas posée à haute voix : « Tharthar ne fera rien contre Alia. Elle sait que bientôt nous serons femmes ensemble, elle et moi, et que nous partagerons le même homme. Nous avons parlé, Tharthar et moi. (Elle regarda la femme de Stilgar puis de nouveau Jessica.) Nous nous comprenons. »

Tharthar tendit la main vers Alia. « Il faut nous hâter Les jeunes hommes partent déjà. »

Elles franchirent les tentures. La main de l'enfant était dans celle de la femme, mais c'était l'enfant qui semblait mener la marche.

« Si Paul-Muad'Dib terrasse Stilgar, cela ne servira pas la tribu, dit Harah. Les chefs se succédaient ainsi auparavant, mais les temps ont changé. »

« Ils ont également changé pour toi », dit Jessica.

« Vous ne pouvez croire que je doute de l'issue de ce combat. Usul ne peut que vaincre. »

« C'est bien ce que j'entendais. »

« Et vous pensez que mes sentiments personnels marquent mon jugement, dit Harah. (Elle secoua la tête et les anneaux d'eau tintèrent à son cou.) Vous vous trompez. Mais peut-être pensez-vous tout aussi bien que je regrette de n'avoir pas été l'élue d'Usul et que je suis jalouse de Chani ? »

« Tu fais tes propres choix », dit Jessica.

« J'ai pitié de Chani. »

« Que veux-tu dire ? » Jessica s'était raidie, soudain.

« Je sais ce que vous pensez de Chani. Vous pensez qu'elle n'est pas la femme qu'il faut à votre fils. »

Jessica se détendit et se laissa aller sur les coussins. Elle haussa les épaules. « Peut-être. »

« Il se pourrait que vous ayez raison, dit Harah. Dans ce cas, vous trouverez une alliée surprenante dans la personne de Chani elle-même. Pour *Lui*, elle ne désire que ce qui est le mieux. »

Jessica sentit sa gorge se serrer. « Chani m'est très chère. Elle ne pourrait... »

« Vos tapis sont très sales, dit Harah et promenant les yeux par toute la pièce, évitant le regard de Jessica : Tant de gens viennent ici. Vous devriez les faire nettoyer plus souvent. »

On ne peut éviter l'influence de la politique au sein d'une religion orthodoxe. Cette lutte pour le pouvoir imprègne l'éducation, la formation et la discipline d'une communauté orthodoxe. A cause de cette pression, les chefs d'une telle communauté doivent inévitablement faire face à l'ultime question intérieure : se soumettre totalement à l'opportunisme pour conserver leur pouvoir ou risquer de se sacrifier eux-mêmes pour le maintien de l'éthique orthodoxe.

Extrait de
Muad'Dib : Les Questions Religieuses,
par la Princesse Irulan.

DEBOUT dans le sable, Paul attendait le ver géant. *Je ne dois pas attendre comme un contrebandier, en frémissant d'impatience,* se dit-il. *Il faut que je me fonde dans le désert.*

La créature n'était plus qu'à quelques minutes, maintenant. Le crissement de son approche s'élevait dans l'air du matin. Dans la caverne de sa gueule, les dents dessinaient comme une fleur énorme. L'odeur de l'épice se faisait de plus en plus dense.

Paul était à l'aise dans son distille, qui glissait parfaitement sur son corps, et il était à peine conscient de la présence des embouts dans ses narines et du masque sur sa bouche. Il ne pensait qu'aux paroles de Stilgar. aux heures harassantes passées dans le sable.

« Dans le sable pois, à quelle distance du faiseur dois-tu te maintenir ? »

Il avait correctement répondu   « Par rapport au diamètre du faiseur, à un demi-mètre pour chaque mètre. »

« Pourquoi ? »

« Pour éviter le sillage de sable tout en ayant la possibilité de coùrir et de le monter »

« Tu as déjà monté les petits, ceux qui sont élevés pour la graine et l'Eau de Vie, avait dit Stilgar Mais pour l'épreuve, tu vas appeler un faiseur sauvage ; un vieux du désert. Celui-là, il te faudra lui témoigner le respect qui convient. »

Maintenant, le bruit profond du marteleur se mêlait au sifflement du ver Paul respira à fond et perçut, même au travers de ses filtres, le parfum minéral, amer du désert. Le faiseur sauvage, le vieil homme du désert, était presque au-dessus de lui, à présent. Les premiers segments soulevaient une vague de sable qui allait bientôt atteindre Paul.

Viens, gentil monstre, pensa-t-il. *Arrive. Tu as entendu mon appel, hein ? Allez, viens.*

La vague de sable le souleva. Il fut enveloppé de poussière et il raffermit sa position tandis que la muraille vivante passait au-dessus de lui dans le tourbillon de sable.

Alors il lança ses hameçons, les sentit mordre, tira, sauta vers le haut et mit les pieds sur la falaise d'un anneau. C'était l'instant décisif : s'il avait planté correctement les hameçons sur le bord avant de l'anneau, s'il avait ouvert le segment, alors le ver ne l'écraserait pas contre le sol.

La créature ralentit. Elle arriva sur le marteleur qui se tut Lentement, son corps se lova vers le haut, aussi haut que possible pour éloigner ces dards irritants du sable qui menaçait la tendre paroi de l'intérieur du segment

Et Paul se retrouva sur le ver, exultant, comme un empereur dominant l'univers. Il dut lutter contré le désir soudain de se livrer à des facéties, de faire pivoter le monstre géant pour montrer sa maîtrise.

Il comprenait maintenant pourquoi Stilgar l'avait mis en garde en lui parlant de ces jeunes fous qui dansaient sur le ver, jouaient avec lui, ôtaient leurs deux hameçons à la fois pour les replanter ailleurs, très vite, avant que le ver ne les jette au sol.

Paul arracha un premier hameçon et le replanta plus bas dans l'anneau. Il assura fermement sa prise avant de répéter l'opération pour l'autre, descendant encore un peu plus bas. Le faiseur se lova encore, tourna et se dirigea vers la zone de sable farine où attendaient Stilgar et les autres.

Paul les vit s'approcher et lancer leurs hameçons pour escalader le ver, en évitant toutefois les bords sensibles des anneaux. Finalement, ils se retrouvèrent tous derrière Paul formant une triple rangée.

Stilgar s'avança, vérifia la position des hameçons de Paul et répondit à son sourire.

« Tu as réussi, hein ? dit-il en haussant la voix pour dominer le crissement de leur course. Du moins c'est ce que tu crois. Maintenant, laisse-moi te dire que c'était du bien mauvais travail. Je connais des gamins de douze ans qui font mieux. Il y avait des sables-tambours à gauche de l'endroit où tu attendais. Si le ver avait modifié sa course, tu n'aurais pas pu battre en retraite. »

Le sourire s'effaça du visage de Paul.

« J'avais vu ces sables-tambours », dit-il.

« Alors pourquoi n'as-tu pas demandé à l'un de nous de se mettre en position secondaire derrière toi ? Même pour l'épreuve, cela est permis. »

Paul se tut et offrit son visage au vent.

« Tu m'en veux de te dire cela maintenant, reprit Stilgar, mais c'est mon devoir. Je ne pense qu'à la valeur que tu représentes pour la troupe. Si tu étais tombé dans les sables-tambours, le faiseur serait venu sur toi. »

En dépit de la colère qu'il éprouvait, Paul devait admettre que Stilgar disait vrai. Il lui fallut toute la force de son éducation et une longue minute pour retrouver son calme. « Je m'excuse, dit-il. Cela ne se reproduira pas. »

« En position difficile, garde toujours un second qui te remplacera. Souviens-toi : nous travaillerons ensemble. Comme cela, ce sera plus sûr. Ensemble, n'est-ce pas ? »

Il posa la main sur l'épaule de Paul.

« Ensemble », dit Paul.

« Et maintenant, reprit Stilgar (et sa voix était âpre) montre-moi que tu sais vraiment monter un faiseur. Sur quel côté sommes-nous ? »

Paul baissa les yeux sur la surface écailleuse de l'anneau, examina la forme et les caractéristiques des écailles qui devenaient plus grandes à droite, plus petites à gauche. Il savait que chaque ver présentait plus souvent un certain côté en surface. Avec l'âge, cela devenait permanent. Les écailles du bas devenaient plus grandes, plus épaisses, plus lisses. Sur un gros ver, leur seule taille suffisait à reconnaître les écailles du haut.

Paul déplaça ses hameçons pour se porter sur la gauche. Il désigna deux hommes de flanc qui se portèrent sur les segments ouverts afin de maintenir le ver en ligne droite. Puis il ordonna à deux hommes de guide de se placer à l'avant.

Il lança alors le cri traditionnel : « Ach, haiii-yoh ! » L'homme de guide gauche ouvrit un segment. Pour protéger ce segment, le faiseur forma un cercle majestueux, pivota complètement sur lui-même et, comme il repartait droit vers le sud, Paul lança l'appel : « Geyrat ! »

L'homme de guide ôta l'hameçon. Le ver continua sa course en ligne droite.

« Très bien, Paul-Muad'Dib, dit Stilgar. Avec de la pratique, tu deviendras un cavalier des sables. »

Paul se rembrunit. *N'étais-je pas le premier ?* songea-t-il.

Derrière lui, des rires jaillirent soudain. Puis la troupe tout entière se mit à chanter, lançant son nom au ciel.

« Muad'Dib ! Muad'Dib ! Muad'Dib ! Muad'Dib ! »

Derrière, loin vers l'extrémité du ver, Paul entendit le battement des harceleurs sur les segments de queue. Le ver se mit à prendre de la vitesse. Les robes claquèrent au vent de la course et le sifflement du sable se fit plus fort.

242

Paul reconnut le visage de Chani et il ne le quitta pas des yeux tandis qu'il demandait : « Alors je suis un cavalier des sables, Stil ? »

« Hal yawm ! Tu es un cavalier des sables. »

« Je peux donc choisir notre destination ? »

« C'est ainsi que cela se fait. »

« Et je suis un Fremen, né ce jour dans l'erg de Habbanya. Avant ce jour je n'ai pas eu de vie. J'étais un enfant. »

« Pas vraiment un enfant », dit Stilgar, et il tira sur un coin de son capuchon qui claquait au vent.

« Mais il y avait un bouchon qui scellait mon univers, et ce bouchon a été retiré. »

« Il n'y a plus de bouchon. »

« Je voudrais aller vers le sud, Stilgar. A vingt marteleurs de là. Je voudrais voir cette terre que nous faisons, cette terre que je n'ai vue que par les yeux des autres. »

Et j'aimerais aussi voir mon fils et ma famille, pensa-t-il. *Il me faut du temps, maintenant, pour examiner cet avenir qui, dans mon esprit, est un passé. Le tourbillon approche et si je ne peux le freiner, il se déchaînera.*

Stilgar le jaugea du regard, calmement. Paul ne quittait pas Chani des yeux. Il lisait sur son visage le reflet de l'excitation que ses paroles avaient éveillée dans la troupe.

« Les hommes sont prêts à effectuer un raid sur les sillons des Harkonnens avec toi, dit Stilgar. Ils ne sont guère qu'à un marteleur d'ici. »

« Les Fedaykin se sont déjà battus avec moi, dit Paul. Et ils se battront encore jusqu'à ce qu'il n'y ait plus un seul Harkonnen pour respirer l'air d'Arrakis. »

Stilgar le regarda longuement et Paul comprit qu'il songeait en cet instant à son accession à la tête du sietch Tabr et au Conseil des Chefs depuis la mort de Liet-Kynes.

Il a entendu parler de l'agitation qui règne chez les jeunes Fremen, se dit-il.

« Désires-tu un rassemblement des chefs ? » demanda Stilgar.

Dans la troupe des jeunes hommes, les yeux brillaient,

observaient. Dans ceux de Chani, il y avait de l'inquiétude, tandis qu'elle regardait Stilgar, qui était son oncle, puis Paul-Muad'Dib, qui était son compagnon.

« Tu ne peux deviner ce que je désire », dit Paul.

Je ne peux rebrousser chemin, pensa-t-il. *Je dois garder mon emprise sur ces gens.*

« Tu es le mudir des sables, aujourd'hui, dit Stilgar. Comment vas-tu user de ce pouvoir ? » Sa voix était froide.

Nous avons besoin de temps pour nous reposer, pour réfléchir, songea Paul.

« Nous irons au sud », dit-il.

« Même si je dis que nous devrons retourner vers le nord à la fin de cette journée ? »

« Nous irons au sud », répéta Paul.

Stilgar ajusta sa robe. « La Réunion aura lieu, dit-il. Je vais envoyer les messages. »

Il pense que je vais le défier, se dit Paul. *Et il sait qu'il ne peut me vaincre.*

Il se tourna vers le sud, dans le vent qui giflait ses joues, songeant à toutes les obligations qui allaient marquer ses décisions.

Ils ignorent ce qu'il en est vraiment, se dit-il.

Mais il savait qu'il ne pouvait se laisser arrêter par aucune considération. Il lui fallait demeurer sur le chemin de cet ouragan du temps qu'il pouvait apercevoir dans l'avenir. A un moment, il serait possible de le maîtriser, mais seulement s'il se trouvait en mesure de toucher le cœur du tourbillon.

Je ne défierai pas Stilgar si je peux l'éviter, se dit-il. *S'il existe un autre moyen d'empêcher le jihad...*

« Pour le repas du soir et la prière, nous nous arrêterons dans la Grotte des Oiseaux, au-delà de la chaîne de Habbanya », dit Stilgar. Il désigna une lointaine barrière de rochers qui surgissait du désert tout en plantant un hameçon pour assurer sa position dans le roulis du faiseur

Paul porta son regard sur la falaise, sur les vagues de roc Nul vert, nulle fleur pour adoucir la rigidité de cet horizon. Au-delà s'ouvrait le chemin du sud, à dix jours et dix nuits de voyage, aussi rapide que fût le faiseur qu'ils chevauchaient Vingt marteleurs..

Leur route allait bien plus loin que celle des patrouilles Harkonnens. Paul la connaissait. Ses rêves la lui avaient révélée. Il viendrait un jour où, à l'horizon, la couleur changerait, de façon si subtile que l'on pourrait croire que c'était là une illusion due à l'imagination, à l'espoir. Et puis, ils atteindraient le nouveau sietch.

« Ma décision convient-elle à Muad'Dib ? » demanda Stilgar. Il y avait dans sa voix une trace infime de sarcasme, mais les oreilles qui écoutaient étaient celles de Fremen et, ainsi qu'elles lisaient le cri de l'oiseau ou le message du cielago, elles lurent le sarcasme et les yeux se tournèrent alors vers Paul pour voir ce qu'il allait faire.

« Lorsque nous avons consacré les Fedaykin, Stilgar a entendu mon serment de loyauté, dit Paul. Mes commandos de la mort savent que l'honneur parle par ma bouche. Stilgar en douterait-il ? »

Il y avait une peine réelle dans la voix de Paul. Stilgar l'entendit et baissa les yeux.

« D'Usul, le compagnon de sietch, je n'aurais point douté dit-il. Mais tu es Paul-Muad'Dib, le duc Atréides, et le Lisan al-Gaib, la Voix de L'Autre Monde. Ceux-là, je ne les connais pas. »

Paul se détourna pour observer la Chaîne de Habbanya qui surgissait du désert. Sous eux, le faiseur était encore plein de force et de volonté. Il pouvait aller presque deux fois plus loin que tout autre faiseur avant lui. Paul le savait. Rien, même dans les histoires que se racontaient les enfants, ne pouvait se comparer à ce vieil homme du désert. Ce ver, comprit-il, était la source d'une nouvelle légende.

Une main lui agrippa l'épaule.

Les yeux sombres de Stilgar le contemplaient, entre le masque et le capuchon de son distille.

« Celui qui menait le sietch Tabr avant moi était mon ami, dit-il. Nous partagions les mêmes dangers. Plus d'une fois, il m'a dû la vie... comme je lui ai dû la mienne. »

« Je suis ton ami, Stilgar », dit Paul.

« Nul n'en doute, dit Stilgar. (Il retira sa main, haussa les épaules.) C'est ainsi. »

Et Paul comprit qu'il était trop imprégné des usages fremen pour pouvoir seulement en imaginer d'autres. Chez les Fremen, le chef devait mourir pour abandonner les rênes du pouvoir à un autre. Stilgar était un naib.

« Nous devrions laisser ce faiseur en sable profond », dit Paul.

« Oui. Nous pourrons marcher jusqu'à la grotte. »

« Nous l'avons monté assez longtemps. Maintenant, il va s'enterrer et dormir pendant un jour ou deux. »

« Tu es le mudir du sable, dit Stilgar. Quand nous... »

Il se tut, les yeux fixés sur l'horizon d'est.

Paul suivit son regard. La teinte bleue de ses yeux rendait le ciel plus sombre, d'un riche azur. Et sur ce fond, un clignotement lointain se détachait nettement.

Un ornithoptère !

« Un petit », dit Stilgar.

« Peut-être un éclaireur. Crois-tu qu'ils nous aient vus ? »

« A cette distance, ils ne distinguent qu'un ver en surface, dit Stilgar. (Il tendit la main gauche.) En bas. Dispersez-vous sur le sable. »

La troupe se laissa glisser sur les flancs du ver, se confondant avec le sable. Paul repéra l'endroit où était tombée Chani. Stilgar et lui demeuraient seuls sur le faiseur.

« Le premier en haut, le dernier en bas », dit Paul.

Stilgar acquiesça et se laissa glisser vers le sol. Paul attendit encore un instant que le ver se fût éloigné de la zone où les hommes s'étaient dispersés, puis ôta ses propres hameçons. Avec un ver qui n'était pas totalement épuisé, c'était le moment le plus critique. Libéré des hameçons et des harceleurs, le ver géant plongea vers les profondeurs du sable. Paul courut sur les vastes anneaux, choisit son moment avec précision et sauta. Il tomba dans le sable et prit immédiatement sa course vers une dune proche pour plonger sous une cascade de sable, ainsi qu'on le lui avait appris.

Maintenant, il fallait attendre.

Doucement, il se tourna jusqu'à ce qu'il pût distinguer un ruban de ciel. Plus loin, il le savait, tous les autres faisaient de même.

Il perçut le battement des ailes de l'orni avant même de le voir. Puis, dans le chuchotement de ses fusées, l'appareil plongea vers les rochers.

Paul remarqua qu'il ne portait aucun emblème.

Il disparut derrière la Chaîne de Habbanya.

Quelque part dans le désert, un oiseau cria. Puis un autre.

Paul se releva et escalada la dune. De loin en loin, des silhouettes se dressaient. Il reconnut Chani, puis Stilgar qui tendait la main vers la chaîne.

Ils se rassemblèrent, tous, et se mirent en marche selon le rythme brisé qui ne pouvait attirer un faiseur. Stilgar rejoignit Paul sur la crête d'une dune durcie par le vent.

« C'était un appareil des contrebandiers », dit-il.

« C'est ce qu'il semblait, dit Paul. Mais nous sommes bien loin dans le désert. »

« Ils ont aussi leurs problèmes avec les patrouilles », dit Stilgar.

« S'ils viennent si loin dans le désert, ils peuvent aller plus loin encore. »

« C'est vrai. »

« Il ne serait pas bon qu'ils puissent voir ce qu'il y a plus loin au sud. Les contrebandiers font également le commerce des informations. »

« Tu ne penses pas qu'ils cherchaient de l'épice ? » demanda Stilgar.

« En ce cas, il devrait y avoir une aile et une chenille quelque part, dit Paul. Nous avons de l'épice. Tendons un piège et attrapons quelques contrebandiers. Il faut qu'ils apprennent que ce pays est le nôtre et que nos hommes ont besoin d'essayer leurs nouvelles armes. »

« Voilà qui est parlé, Usul, dit Stilgar. Usul pense comme un Fremen. »

Mais Usul doit prendre des décisions qui mènent à un but terrible, pensa Paul. Et l'orage se formait.

> Quand la loi et le devoir ne font qu'un sous la religion, nul n'est plus vraiment conscient. Alors, on est toujours un peu moins qu'un individu.

Extrait de Muad'Dib
Les Quatre-vingt-dix-neuf Merveilles de l'Univers,
par la Princesse Irulan.

L'USINE à épice des contrebandiers s'avançait à travers les dunes avec son aile portante et sa couronne d'ornithoptères bourdonnants, pareille à quelque reine insecte suivie de son cortège. Des alignements de rochers bas apparurent, semblables à des modèles réduits du Bouclier.

Dans la bulle de commande de l'usine, Gurney Halleck, penché en avant, réglait les lentilles à huile de ses jumelles pour observer le paysage. Au-delà des rochers, il distinguait une zone sombre qui pouvait correspondre à un gisement d'épice. Il donna l'ordre à un des ornis d'aller en reconnaissance.

L'appareil battit des ailes pour accuser réception du message et quitta l'essaim pour piquer vers la tache de sable sombre qu'il survola à basse altitude, dardant ses détecteurs.

Presque aussitôt, il abaissa ses ailes et accomplit un cercle, indiquant qu'il venait de repérer l'épice.

Gurney abaissa ses jumelles. Les autres avaient dû également voir le signal. L'endroit lui semblait parfait. Les rochers les protégeaient. Bien sûr, ils étaient loin dans le désert et une embuscade était peu probable mais, pourtant.. Il donna l'ordre à un appareil de survoler les rochers et envoya les autres en différents points autour de la zone repérée, pas trop haut cependant, pour échapper aux détecteurs harkonnens à longue portée.

Mais il ne pensait pas qu'ils puissent rencontrer des patrouilles harkonnens si loin dans le sud. Non, ce territoire était celui des Fremen.

Gurney entreprit de vérifier ses armes tout en maudissant encore une fois l'inutilité des boucliers.. Il fallait éviter à tout prix d'attirer un ver. Il caressa la cicatrice sur sa mâchoire et décida, tout en observant le paysage, qu'il valait mieux envoyer des hommes à pied dans les rochers. L'inspection directe du terrain restait encore le moyen le plus sûr. Les Fremen et les Harkonnens étaient à couteaux tirés et l'on ne pouvait être trop prudent.

C'étaient les Fremen qui préoccupaient Gurney. L'épice leur importait peu mais ils se révélaient de vrais démons dès l'instant où l'on pénétrait sur un territoire qu'ils considéraient comme interdit. Et, depuis quelque temps, ils étaient diaboliquement rusés.

C'était cela précisément qui troublait Gurney, la ruse et l'habileté au combat de ces indigènes. Ils montraient une connaissance de la guerre qu'il avait encore rarement rencontrée, lui qui avait été formé par les meilleurs combattants de l'univers avant de participer à des batailles où seuls survivaient les plus forts.

A nouveau, il examina le désert, se demandant d'où pouvait provenir son inquiétude grandissante. C'était peut-être cette tempête qu'ils avaient vue.. pourtant elle était loin, de l'autre côté de la chaîne.

Une tête apparut à ses côtés, celle du commandant de la chenille, un vieux pirate barbu et borgne, aux yeux bleus par l'épice, aux dents d'une blancheur de lait.

« Le gisement a l'air riche, dit-il. Nous y allons ? »

« Allez jusqu'à la limite des rochers, dit Gurney. Laissez-moi débarquer avec mes hommes. Vous pourrez ensuite rouler jusqu'au gisement. Il faut que nous jetions un coup d'œil par là. »

« Vu. »

« En cas d'ennuis, sauvez l'usine. Nous fuirons avec les ornis. »

Le commandant salua : « Vu, chef. » Et il se retira.

Une fois encore, Gurney explora l'horizon. Il ne devait pas rejeter la possibilité de la présence de Fremen. L'usine était loin dans leur territoire. Le caractère imprévisible et la dureté des Fremen ne laissaient pas de le contrarier. Et il y avait bien d'autres choses encore qui le contrariaient dans ce travail. Mais les gains étaient importants. Par exemple, il ne pouvait jamais autoriser les ornis à prendre de l'altitude. Et la radio devait garder un silence absolu. Tout cela ne faisait qu'ajouter à son inquiétude.

La chenille vira et descendit vers le désert. Doucement, les bandes de roulement touchèrent le sable.

Gurney ouvrit le dôme transparent et se débarrassa de son harnachement. A l'instant même où l'usine s'arrêtait, il fut dehors, claqua le dôme derrière lui et s'élança au-delà du périmètre de sécurité de la chenille, suivi des cinq hommes de sa garde personnelle qui venaient de surgir de l'écoutille avant. Pendant ce temps, l'aile portante prenait de l'altitude et se mettait à tourner au-dessus de l'usine.

L'énorme chenille se remit presque aussitôt en marche et s'éloigna des rochers en direction de la tache sombre du gisement d'épice.

Un premier orni, puis deux autres gagnèrent le sol et dégorgèrent les hommes de Gurney avant de reprendre l'air.

Gurney, dans son distille, étira ses muscles. Il abaissa son masque facial. En cet instant, la puissance de sa voix, les ordres qu'il devait lancer comptaient plus que l'humidité qu'il allait perdre. Il s'élança entre les rochers, sondant le terrain sous ses pas : cailloux, sable, pois Senteur d'épice dans l'air.

Un site idéal pour une base de secours, se dit-il. *Il serait peut être avisé d'enterrer quelques provisions par ici*

Il se tourna vers ses hommes. C'étaient de bons éléments même les nouveaux qu'il n'avait pas eu le temps de mettre à l'épreuve Des hommes de valeur Il était inutile de leur dire constamment ce qu'il fallait faire. Aucun lâche parmi eux. aucun bouclier susceptible d'attirer un ver qui viendrait ruiner leur récolte d'épice

De l'endroit où il se trouvait, Gurney pouvait apercevoir la tache sombre du gisement, à quelque cinq cents mètres de là La chenille l'avait presque atteint Les ornis de couverture maintenaient leur altitude et Gurney hocha la tête, satisfait avant de reprendre son escalade.

A cet instant, la chaîne tout entière parut faire explosion

Douze traits de flammes jaillirent en rugissant vers les ornis et l'aile portante. Dans le même temps, un fracas métallique s'éleva dans la direction de la chenille et les rochers, autour de Gurney, furent pleins de guerriers encapuchonnés.

Gurney eut le temps de penser : *Par les cornes de la Grande Mère ! Ils utilisent des fusées !* Puis il y eut un homme devant lui, accroupi, le krys pointé. Deux autres se dressaient entre les rochers, à droite et à gauche. Seuls les yeux de l'homme étaient visibles, entre le capuchon et le voile couleur de sable, mais son attitude, la façon dont il se tenait accroupi étaient révélatrices. C'était un guerrier endurci et habile. Ses yeux entièrement bleus étaient ceux des Fremen du désert profond

Gurney porta la main à son propre couteau sans quitter des yeux le krys de son adversaire. S'ils utilisaient des fusées, ils devaient disposer d'autres armes à projectiles. Il fallait être d'une extrême prudence. Rien qu'aux sons qu'il percevait. Gurney savait que leur couverture aérienne avait été en partie détruite. Il percevait aussi des grognements, des bruits de lutte derrière lui.

Le Fremen avait suivi le mouvement de sa main.

« Laisse ton couteau dans son étui, Gurney Halleck », dit-il.

Gurney hésita. Même au travers du filtre du distille, cette voix avait des accents familiers.

« Tu connais mon nom ? » dit-il.

« Tu n'as nul besoin d'un couteau avec moi, Gurney, dit le Fremen. (Il se redressa et glissa son krys sous sa robe.) Dis à tes hommes de cesser leur résistance inutile. »

Puis, l'homme rejeta son capuchon en arrière et ôta son filtre.

Gurney se figea. Il crut une seconde qu'il avait devant lui le fantôme du Duc Leto Atréides. Puis il comprit, lentement

« Paul ! souffla-t-il. Puis, plus fort : Paul, est-ce vraiment toi ? »

« Ne crois-tu pas tes propres yeux ? » demanda Paul.

« Ils disaient que tu étais mort », dit Gurney, et sa voix était rauque. Il fit un pas en avant.

« Dis à tes hommes de se rendre », répéta Paul en tendant la main vers le bas des rochers.

A regret, Gurney se retourna. Il ne vit que quelques rares combattants. Les hommes du désert semblaient être de partout. La chenille s'était immobilisée, silencieuse. Des Fremen se tenaient debout sur la coque. Il n'y avait plus un seul orni dans le ciel.

« Cessez le combat ! lança Gurney. (Il prit son souffle et mit ses mains en porte-voix.) Ici Gurney Halleck ! Cessez le combat ! »

Lentement, les combattants se séparèrent. Des regards perplexes se tournèrent vers Gurney.

« Ce sont des amis ! » lança-t-il.

« Drôles d'amis, répondit une voix. La moitié des nôtres ont été tués ! »

« C'est une erreur. N'y ajoutez pas encore. »

Gurney fit de nouveau face à Paul et plongea son regard dans ses yeux bleus de Fremen.

Il y avait un sourire sur les lèvres de Paul mais son expression conservait une dureté qui rappela à Gurney le Vieux Duc, le grand-père de Paul. Puis il vit la peau tannée, le regard vigilant qui n'avaient jamais été d'un Atréides

« Ils disaient que tu étais mort », répéta-t-il.

« Et de les laisser croire cela semble bien la meilleure des protections », dit Paul.

Et Gurney comprit que ce serait la seule excuse qu'il entendrait jamais, lui qui avait été abandonné à lui-même, lui qui avait cru son jeune Duc mort... Son jeune Duc, son ami. Et il se demanda ce qui restait en lui du garçon à qui il avait enseigné l'art du combat.

Paul fit un pas vers lui et vit son regard songeur.

« Gurney... »

Et ils furent dans les bras l'un de l'autre, se donnant de grandes bourrades dans le dos, éprouvant le contact réconfortant de leurs muscles.

« Satané gamin ! Satané gamin ! » répétait Gurney.

« Gurney ! Vieux Gurney ! » disait Paul.

Puis ils se séparèrent, se regardèrent. Gurney respira profondément. « Ainsi c'est à cause de toi que les Fremen sont devenus si habiles à la bataille. J'aurais dû comprendre. Ils font des choses que je pourrais faire moi-même. Si seulement j'avais compris... (Il secoua la tête.) Si tu m'avais averti, mon garçon. Rien n'aurait pu m'arrêter. Je serais arrivé en courant et... »

Le regard de Paul l'interrompit, un regard dur, calculateur. Il soupira : « Oui, bien sûr, et certains se seraient demandé pourquoi Gurney Halleck partait ainsi en courant et d'autres auraient fait plus que se poser des questions. Ils seraient venus chercher les réponses. »

Paul acquiesça et regarda les Fremen, autour d'eux. Les Fedaykin avaient une expression de curiosité. Son regard revint à Gurney. D'avoir ainsi retrouvé le vieux maître d'armes l'emplissait de joie. C'était comme un heureux présage, l'annonce d'un avenir où tout était bien.

Avec Gurney à mes côtés...

Il regarda vers le bas des rochers, au-delà des Fedaykin, les hommes de Gurney.

« Comment se comportent-ils, Gurney ? »

« Ce sont des contrebandiers. Ils vont là où le profit les appelle. »

« Notre aventure promet peu de profits », dit Paul. Il nota le geste subtil de la main droite de Gurney. Dans le vieux code manuel qu'ils utilisaient tous deux autrefois cela signifiait que, parmi les contrebandiers, il y avait certains hommes dont il devait se méfier.

Il porta la main à sa bouche pour indiquer qu'il avait compris et leva les yeux vers les Fremen. Il aperçut alors Stilgar et le souvenir de ce problème encore en suspens vint ternir quelque peu sa joie.

« Stilgar, dit-il, voici Gurney Halleck dont tu m'as entendu parler. C'est un vieil ami. Il était le maître d'armes de mon père et m'enseignait le combat. On peut se fier à lui dans n'importe quelle aventure. »

« Je comprends, dit Stilgar. Tu es son Duc. »

Paul contempla le sombre visage et se demanda pour quelles raisons Stilgar avait dit précisément cela. *Son Duc.* Il avait eu une intonation étrange, comme s'il eût voulu dire autre chose. Et cela ne lui ressemblait pas. Stilgar était un chef Fremen, un homme qui parlait avec son esprit.

Mon Duc ! pensa Gurney. (Il regarda Paul.) *Oui, Leto est mort et le titre lui revient désormais.*

Dans son esprit, la carte de la guerre fremen sur Arrakis prit une forme nouvelle. *Mon Duc !* Tout au fond de lui, quelque chose de mort revenait à la vie. C'est à peine s'il avait conscience de la voix de Paul qui ordonnait que les contrebandiers soient désarmés jusqu'à leur interrogatoire.

Il ne revint à la réalité que lorsqu'il perçut quelques protestations parmi ses hommes. Il secoua la tête et se retourna : « Êtes-vous sourds ? lança-t-il. C'est le Duc légitime d'Arrakis qui ordonne. Faites ce qu'il dit. »

En grommelant, ils obéirent.

Paul se rapprocha de Gurney et dit à voix basse : « Je ne me serais pas attendu à ce que tu tombes dans ce piège, Gurney. »

« Je suis bien puni. Mais je suis prêt à parier que l'épaisseur du gisement d'épice dépasse à peine celle d'un grain de sable. C'était là juste un appât capable de nous attirer. »

« Tu gagnerais ton pari, dit Paul. (Il regarda les hommes qui rendaient leurs armes.) Y a-t-il des hommes de mon père parmi eux ? »

« Aucun. Tous sont dispersés. Quelques-uns sont avec les libres marchands mais la plupart ont dépensé tous leurs biens pour fuir ce monde. »

« Mais tu es demeuré, toi. »

« Je suis demeuré. »

« Parce que Rabban est ici. »

« Je pensais qu'il ne me restait rien d'autre que la vengeance », dit Gurney.

Un cri étrangement bref vint des hauteurs. Gurney leva les yeux et vit un Fremen qui agitait un mouchoir.

« Un ver arrive », dit Paul. Suivi de Gurney, il gagna un rocher et regarda dans la direction du sud-ouest. A mi-distance, le monticule mouvant d'un ver approchait dans un jaillissement de poussière. Il venait droit sur les rochers.

« Il est assez gros », dit Paul.

Dans un fracas métallique, la chenille s'ébranla et, comme un énorme insecte, revint vers les rochers.

« Quel dommage que nous n'ayons pu épargner le portant », dit Paul.

Gurney le regarda, puis ses yeux se portèrent sur les débris fumants qui étaient tout ce qui subsistait de l'aile et des ornis abattus par les fusées Fremen. Il fut soudain envahi par le chagrin en songeant à tous les hommes qui étaient morts, là, *ses* hommes, et il dit : « Votre père aurait plutôt pleuré les hommes qu'il n'avait pu sauver. »

Paul lui jeta un regard pénétrant, puis baissa les yeux.

« Ils étaient tes amis, Gurney. Je te comprends. Pour nous, cependant, ils étaient des intrus. Ils pouvaient voir des choses qu'il leur était interdit de voir. Tu dois comprendre cela. »

« Je pense que je le comprends, dit Gurney. Mais à présent, je serais curieux de voir ce que je ne devais pas voir. »

Paul reconnut tout à coup ce sourire de vieux loup qu'il

256

connaissait si bien et il vit se plisser l'ancienne cicatrice de vinencre sur la mâchoire de Gurney.

De tous côtés, maintenant, les Fremen poursuivaient leur tâche et Gurney prit conscience qu'ils ne semblaient pas du tout s'inquiéter de l'approche du ver.

Dans les dunes, au-delà du gisement d'épice, un battement sourd se fit entendre et, dans le même temps, Gurney en perçut les vibrations dans le sol. Des Fremen se dispersaient dans le sable, là-bas, sur le chemin du ver. Et le ver était tout proche, maintenant, pareil à quelque poisson frôlant la surface de sable liquide, ses anneaux ondoyant et brillant au-devant du sillage de poussière.

Et Gurney assista à sa capture. Il vit le mouvement du premier lanceur d'hameçons, le pivotement brusque de la créature, et puis tous les hommes qui se lançaient à l'assaut de la mouvante colline d'écailles.

« Voilà une chose que tu n'aurais pas dû voir », dit Paul.

« Des histoires et des rumeurs circulent, dit Gurney. Mais on a du mal à croire cela sans l'avoir vu. (Il secoua la tête.) Vous traitez comme un animal de monte cette créature que tout Arrakis redoute. »

« Tu as entendu mon père parler du pouvoir du désert. Le voici. La surface de la planète nous appartient. Il n'est nulle créature, nulle tempête qui puisse nous arrêter. »

Nous, songea Gurney. *Il veut dire : Nous, les Fremen. Il se considère comme l'un d'eux.* A nouveau, il regarda les yeux bleus de Paul. Il savait que les siens aussi avaient un reflet bleu léger, comme tous ceux des contrebandiers qui, cependant, absorbaient aussi des aliments d'importation.

Cela était à l'origine d'un subtil système de castes. Lorsqu'un homme devenait trop semblable aux indigènes, on disait qu'il avait « pris un coup d'épice ». Il y avait toujours un certain mépris dans cette expression.

« Il fut un temps où nous ne chevauchions pas le ver dans la clarté du jour, sous ces latitudes, dit Paul. Mais Rabban ne dispose plus d'un nombre suffisant d'ornis pour se permettre de surveiller le moindre sillage de sable. (Il regarda Gurney.) Ta présence ici nous a surpris. »

Nous... Nous...

Gurney secoua la tête pour chasser ces pensées. « Vous n'avez pas été aussi surpris que nous. »

« Que dit Rabban, dans les creux et les villages ? »

« Que les villages des sillons sont fortifiés à un point tel que vous n'oserez plus les attaquer. Ils n'ont qu'à demeurer tranquillement derrière leurs lignes de défense pendant que vous vous perdrez en attaques futiles. »

« En résumé, dit Paul, ils sont immobilisés. »

« Alors que vous pouvez vous rendre où vous le désirez », dit Gurney.

« C'est une tactique que je tiens de toi. Ils ont perdu l'initiative, ce qui signifie qu'ils ont perdu la guerre. »

Gurney eut un sourire de compréhension.

« Notre ennemi, reprit Paul, est exactement là où je désire qu'il soit. (Il regarda Gurney et demanda :) Eh bien, Gurney, veux-tu t'enrôler avec moi pour la fin de cette campagne ? »

« M'enrôler ? Mais Mon Seigneur, je n'ai jamais quitté votre service. Vous êtes tout ce qui me reste... Alors que je vous croyais mort. J'étais seul et j'ai survécu comme je le pouvais, en attendant de donner ma vie pour la seule cause qui restait valable... la mort de Rabban. »

Il y eut un silence embarrassé entre eux.

Une silhouette féminine apparut au-dessus d'eux, entre les rochers. Ses yeux, entre le masque de son visage et le capuchon, allaient de Paul à son interlocuteur, sans cesse. Elle s'approcha et s'arrêta devant Paul.

« Chani, voici Gurney Halleck, dit Paul. Tu m'as entendu parler de lui. »

« Oui, j'ai entendu parler de lui », dit-elle, et elle jeta un coup d'œil à Halleck avant de regarder à nouveau Paul.

« Où sont allés les hommes, sur le faiseur ? »

« Ils ne font que l'éloigner pour nous permettre de sauver le matériel. »

« En ce cas... » dit Paul. Il s'interrompit et huma le vent.

« Le vent approche », dit Chani.

Quelque part au-dessus d'eux, une voix lança : « Oh… Le vent ! »

Gurney vit que les Fremen se hâtaient, tout à coup. Leurs gestes devenaient frénétiques. L'approche du vent faisait naître une crainte que n'avait pas suscitée le ver géant. La chenille gagna en cahotant les premiers rochers et les hommes se mirent à lui frayer un chemin. Ils replaçaient ensuite les rochers et Gurney lui-même n'aurait pu être certain de relever la trace du passage de l'engin.

« Avez-vous beaucoup de repaires semblables ? » demanda-t-il.

« Beaucoup, dit Paul. (Il regarda Chani.) Trouve-moi Korba. Dis-lui que Gurney m'a averti que nous devions nous méfier de certains des hommes des contrebandiers. »

Elle regarda rapidement Gurney, puis elle acquiesça et courut vers le bas des rochers avec la grâce et l'agilité d'une gazelle.

« C'est votre compagne », dit Gurney.

« La mère de mon premier enfant, dit Paul. Les Atréides ont un nouveau Leto. »

Gurney se contenta de hausser les sourcils.

Paul observait les opérations, autour d'eux, d'un œil critique. Le ciel prenait une teinte ocre, à présent, et les premiers souffles de vent leur apportaient la poussière du désert.

« Ferme bien ton distille », dit Paul. Il ajustait le masque et le capuchon sur son visage. Gurney obéit. D'une voix étouffée par le filtre, Paul demanda : « Quels sont les hommes dont tu te méfies, Gurney ? »

« Il y a quelques nouvelles recrues. Des étrangers… » Il hésita, surpris que le terme fût venu aussi facilement sous sa langue : *Des étrangers.*

« Oui ? »

« Ils ne ressemblent pas aux autres, aux chasseurs de fortune que nous avions précédemment. Ils sont plus durs. »

« Des espions d'Harkonnen ? » demanda Paul.

« Je crois, Mon Seigneur, qu'ils n'ont rien à voir avec les

Harkonnens. Je les soupçonne d'être au service de l'Empereur. Salusa Secundus a laissé son empreinte sur eux. »

« Des Sardaukar ? » Le regard de Paul était dur.

Gurney haussa les épaules. « C'est possible, mais ils le cacheraient bien, en ce cas. »

Paul acquiesça. Gurney était bien vite revenu à ses habitudes de loyal défenseur des Atréides, mais avec des différences subtiles. Lui aussi avait été transformé par Arrakis.

Deux Fremen venaient vers eux. L'un d'eux portait sur l'épaule un volumineux paquet noir

« Où sont mes hommes, maintenant ? » demanda Gurney.

« Dans les rochers, en dessous. Dans la Grotte des Oiseaux. Nous déciderons de ce qu'il convient de faire à leur sujet après la tempête. »

« Muad'Dib ! » appela une voix.

Paul se retourna et, d'un geste, répondit au garde fremen qui les appelait depuis l'entrée de la grotte.

Gurney le regardait avec une expression nouvelle. « C'est toi Muad'Dib ? dit-il. Le feu follet des sables ? »

« C'est mon nom de Fremen. »

Gurney se détourna, soudain envahi d'un sombre pressentiment. La moitié de ses hommes gisait dans le sable. L'autre moitié était prisonnière. Les nouveaux, les hommes suspects, ne lui importaient guère. Mais parmi les autres il y avait des hommes braves, des amis, des gens dont il se sentait responsable. « *Nous déciderons ce qu'il convient de faire à leur sujet après la tempête.* » C'est ce qu'avait dit Paul, ce qu'avait dit Muad'Dib. Et Gurney se souvenait des histoires qui circulaient à propos de Muad'Dib, le Lisan al-Gaib. On disait qu'il s'était servi de la peau d'un officier harkonnen pour revêtir ses tambours, qu'il ne se déplaçait qu'avec ses commandos de la mort, les Fedaykin, qui se ruaient au combat avec un chant de mort.

Lui.

Les deux Fremen qui venaient du bas des rochers, d'un bond léger gagnèrent un entablement et s'immobilisèrent devant Paul. Celui qui avait le visage sombre déclara : « Tout est en sûreté, Muad'Dib. Nous ferions bien de descendre, à présent. »

« C'est juste. »

Gurney remarqua le ton particulier de l'homme. Il ordonnait et demandait dans le même temps. C'était celui que l'on nommait Stilgar, une autre figure légendaire parmi les Fremen.

Paul se tourna vers l'autre homme, qui portait son fardeau noir : « Korba, qu'y a-t-il dans ce paquet ? »

Ce fut Stilgar qui répondit : « C'était dans la chenille. C'est une balisette, avec les initiales de ton ami. Je t'ai souvent entendu parler du talent de Gurney Halleck à la balisette »

Gurney regarda attentivement Stilgar, la frange de barbe noire qui apparaissait au-dessus du masque, les yeux de faucon, le nez aigu.

« Votre compagnon pense juste, Mon Seigneur, dit Gurney. Merci, Stilgar. »

Stilgar fit signe à Korba de remettre le paquet à Gurney, puis dit : « Remerciez votre Seigneur Duc. C'est lui qui vous a fait admettre parmi nous. »

Gurney prit la balisette. La dureté qu'il avait perçue sous ces paroles le rendait perplexe. L'homme avait comme un air de défi et Gurney se demanda si cela pouvait provenir d'un quelconque sentiment de jalousie. Il était, pour Stilgar, Gurney Halleck, un homme qui avait connu Paul longtemps avant Arrakis, un vieux compagnon que Stilgar ne pourrait jamais espérer devenir vraiment.

« J'aimerais que vous soyez deux amis », dit Paul.

« Stilgar le Fremen est renommé, dit Gurney. Je serais honoré d'avoir pour ami un tueur d'Harkonnens. »

« Toucheras-tu les mains de mon ami Gurney Halleck, Stilgar ? » demanda Paul.

Lentement, Stilgar tendit la main, toucha celle que lui offrait Gurney, une main que l'épée, année après année, avait rendue calleuse.

« Il en est peu qui n'aient pas entendu prononcer le nom de

Gurney Halleck, dit-il. Puis il se retourna vers Paul : La tempête arrive sur nous. »

« Allons », dit Paul.

Stilgar prit la tête et, par un itinéraire qui serpentait entre les rochers, ils atteignirent l'entrée basse de la grotte. Dès qu'ils furent à l'intérieur, des hommes se précipitèrent pour sceller l'orifice. La clarté des brilleurs révélait une vaste salle en forme de dôme. De l'autre côté d'une terrasse naturelle, s'ouvrait un passage et c'est dans cette direction que s'engagea Paul, suivi de Gurney, tandis que les autres se dirigeaient vers un second couloir, juste en face de l'entrée de la grotte.

Paul traversa l'antichambre et pénétra dans une pièce aux murs tendus de draperies aux tons de vin sombre.

« Nous pourrons être tranquilles ici pendant un moment, dit-il, les autres respecteront mon... »

Une cymbale d'alarme claqua dans la grotte. Il y eut des cris, des froissements d'armes. Paul se retourna, retraversa l'antichambre et surgit sur la terrasse rocheuse. Gurney était derrière lui, l'épée au clair.

Sur le sol de la grotte, des silhouettes entremêlées luttaient sauvagement. Il ne fallut qu'un bref instant à Paul pour analyser la scène, séparer les robes Fremen et les bourkas des autres vêtements. Ses sens, que sa mère avait affinés au long des années, lui révélèrent un détail significatif : les Fremen se battaient contre des hommes qui portaient la robe des contrebandiers, mais qui étaient groupés trois par trois, formant le triangle lorsqu'ils étaient acculés.

Cette tactique était la marque des Sardaukar de l'Empereur.

Tout à coup, un Fedaykin aperçut Paul et lança le cri de bataille qui se répercuta dans la grotte. « Muad'Dib ! Muad'Dib ! »

D'autres yeux avaient relevé la présence de Paul. Un couteau noir jaillit vers lui. Il se déroba et entendit la lame claquer sur le rocher, derrière lui. D'un coup d'œil, il entrevit Gurney qui la ramassait.

Les triangles des attaquants étaient repoussés, maintenant.

Gurney leva le couteau devant les yeux de Paul et lui montra la spirale jaune de l'Imperium et le lion à crinière dorée, aux yeux à facettes, sur le pommeau.

Des Sardaukar.

Paul s'avança sur la terrasse. Il ne restait que trois Sardaukar, maintenant. Des corps sanglants étaient dispersés par toute la grotte.

« Cessez le combat ! lança-t-il. Le duc Paul Atréides vous ordonne de cesser le combat ! »

Les combattants hésitèrent.

« Vous, les Sardaukar ! reprit Paul. Sur quels ordres menacez-vous la vie d'un duc régnant ? (Puis, comme ses hommes poursuivaient leur attaque, il lança de nouveau :) Cessez, j'ai dit ! »

L'un des Sardaukar se redressa : « Qui dit que nous sommes des Sardaukar ? » demanda-t-il.

Paul prit le couteau des mains d'Halleck et le brandit. « Ceci. »

« Et qui dit alors que vous êtes le duc régnant ? »

Paul tendit la main vers les Fedaykin. « Ces hommes disent que je suis le duc régnant. Votre propre Empereur a remis Arrakis à la Maison des Atréides. La Maison des Atréides, c'est *moi*. »

Le Sardaukar demeura silencieux, alors. Paul l'étudia. L'homme était de haute taille, les traits plats, avec une cicatrice pâle sur la joue gauche. Son attitude trahissait la colère et le doute mais, par-dessus tout, cet orgueil sans lequel un Sardaukar ne pouvait être complet, cet orgueil qui était comme un vêtement.

Paul se tourna vers l'un de ses lieutenants : « Korba, comment se fait-il qu'ils aient des armes ? »

« Ils avaient dissimulé des couteaux à l'intérieur de leurs distilles. »

Le regard de Paul courut sur les morts et les blessés avant de revenir sur Korba. Les mots étaient inutiles. Le Fedaykin baissa les yeux.

« Où est Chani ? » demanda-t-il, et il attendit la réponse, le souffle suspendu.

« Stilgar l'a placée à l'écart, dit Korba. (Il désigna le second couloir, puis, à son tour, regarda les morts et les blessés.) Je me considère comme responsable de cette faute, Muad'Dib. »

« Combien y avait-il de Sardaukar, Gurney ? » demanda Paul.

« Dix ».

Avec souplesse, il sauta de la terrasse et s'avança jusqu'à distance d'épée du Sardaukar qui avait parlé.

Il sentit que les Fedaykin se tendaient. Il leur déplaisait de le voir s'exposer ainsi. Ils devaient tout faire pour empêcher cela parce que le vœu des Fremen était de conserver la sagesse de Muad'Dib.

Sans se retourner, Paul demanda : « Quelles sont nos pertes ? »

« Quatre blessés, deux morts, Muad'Dib. »

Paul décela un mouvement au-delà des Sardaukar. Chani et Stilgar se tenaient sur le seuil de l'autre passage. Son regard revint au Sardaukar, plongea dans les yeux étrangers.

« Toi, quel est ton nom ? »

L'homme se raidit. Ses yeux allèrent de droite à gauche.

« Ne t'y risque pas, dit Paul. Il est évident que l'on vous a ordonné de chercher et de tuer Muad'Dib. Je suis certain que c'est vous qui avez proposé d'aller chercher de l'épice dans le désert profond. »

Il perçut derrière lui l'exclamation étouffée de Gurney et un faible sourire vint jouer sur ses lèvres.

Le sang afflua au visage du Sardaukar

« Ce que tu vois devant toi est plus que Muad'Dib, reprit Paul. Sept d'entre vous sont morts pour deux des nôtres. Trois pour un. Ce n'est pas mal contre des Sardaukar, hein ? »

L'homme se tendit, puis recula devant le mouvement menaçant des Fedaykin.

« Je t'ai demandé ton nom, dit Paul. (Et il se servit de la Voix) : Dis-moi ton nom ! »

« Capitaine Aramsham, Sardaukar impérial ! » lança l'homme. Il regarda Paul, surpris, désemparé, bouche bée

Pour lui, cette grotte n'avait été jusque-là qu'un repaire barbare, mais il était en train de changer d'idée.

« Capitaine Aramsham, dit Paul, les Harkonnens seraient prêts à donner beaucoup pour apprendre ce que vous savez maintenant. Et l'Empereur, quant à lui, que ne donnerait-il pas pour savoir qu'un Atréides vit encore en dépit de sa traîtrise. »

Le capitaine jeta un regard rapide aux deux hommes qui restaient avec lui. Paul pouvait presque voir tourner les pensées dans sa tête. Les Sardaukar ne se rendaient jamais, mais il *fallait* que l'Empereur apprenne cette menace.

Il se servit à nouveau de la Voix pour dire : « Rendez-vous, capitaine. »

L'homme qui se trouvait à gauche du capitaine bondit tout à coup sur Paul et rencontra l'éclair du couteau de son capitaine. Il s'effondra sur le sol, l'arme plantée dans la poitrine.

Le capitaine se tourna alors vers son dernier compagnon.

« C'est à moi de décider ce qui sert le mieux Sa majesté, dit-il. Compris ? »

Les épaules de l'homme s'affaissèrent.

« Lâche ton arme », dit le capitaine.

L'homme obéit.

Le capitaine se tourna de nouveau vers Paul. « Pour vous, j'ai tué un ami. Ne l'oublions jamais. »

« Vous êtes mes prisonniers, dit Paul. C'est à moi que vous vous rendez. Que vous viviez ou que vous mouriez, cela n'a aucune importance. » Puis il fit signe à un des gardes d'emmener les prisonniers et se tourna vers Korba.

« Muad'Dib, dit son lieutenant, j'ai failli à ma tâche... »

« Non, c'est moi, Korba. J'aurais dû te mettre en garde. A l'avenir, lorsque nous aurons affaire à des Sardaukar, souviens-toi de cela. Souviens-toi, aussi, que chacun d'eux possède un ou deux faux orteils qui, avec certains dispositifs placés dans leur corps, peuvent constituer un émetteur. Ils ont également plus d'une dent fausse. Dans leurs cheveux sont dissimulées des spires de shigavrille, si fines qu'il est difficile de les déceler mais assez solides pour permettre d'étrangler un homme et même de lui couper la tête. Avec les Sardaukar, il faut sonder, examiner centimètre par centimètre et couper le moindre poil. Même après cela, tu peux être certain de n'avoir pas tout découvert. »

Il regarda Gurney, qui s'était approché à son tour.

« En ce cas, dit Korba, nous ferions mieux de les tuer. »

Paul secoua la tête. « Non. Je veux qu'ils s'enfuient. »

« Sire... » souffla Gurney.

« Oui ? »

« Il a raison. Il faut les tuer immédiatement. Détruire toute preuve de leur présence ici. Vous avez humilié les Sardaukar impériaux ! Quand l'Empereur apprendra cela, il n'aura de cesse de vous faire mourir à petit feu ! »

« Il est douteux que l'Empereur en ait jamais la possibilité », dit Paul, lentement, froidement. Quelque chose s'était passé en lui, un instant auparavant, tandis qu'il affrontait les Sardaukar. Une somme de décisions s'était formée.

« Gurney, reprit-il, les hommes de la Guilde sont-ils nombreux dans l'entourage de Rabban ? »

Gurney se raidit et ses yeux se rétrécirent. « Votre question ne fait pas de... »

« Sont-ils nombreux ? » La voix de Paul était cinglante.

« Arrakis grouille d'agents de la Guilde. Ils achètent l'épice comme si c'était la chose la plus précieuse de l'univers. Pourquoi croyez-vous que nous nous soyons risqués aussi loin dans le Sud... »

« L'épice est la chose la plus précieuse de l'univers, dit Paul. Pour eux. (Il se tourna vers Chani et Stilgar qui s'approchaient.) Et c'est nous qui la contrôlons, Gurney. »

« Non, ce sont les Harkonnens ! »

« Ce sont ceux qui peuvent détruire une chose qui la contrôlent vraiment », dit Paul. Il tendit une main impérative pour prévenir toute réplique de Gurney, puis hocha la tête à l'adresse de Stilgar et de Chani.

Il prit le couteau sardaukar dans sa main gauche et le tendit à Stilgar.

266

« Tu vis pour le bien de la tribu, dit-il. Pourrais-tu prendre le sang de ma vie avec ce couteau ? »

« Pour le bien de la tribu », grommela Stilgar.

« Alors sers-toi de ce couteau. »

« Tu me défies ? » demanda Stilgar.

« Si je te défiais, dit Paul, je le ferais sans arme et je te laisserais me frapper. »

Le souffle de Stilgar devint court.

« Usul ! » s'exclama Chani. Elle regarda Gurney, puis Paul.

Alors même que Stilgar continuait de réfléchir au sens de ses paroles, Paul poursuivit : « Tu es Stilgar, l'homme des combats. Quand les Sardaukar ont commencé à se battre ici, tu n'étais pas présent. Ta première pensée a été de protéger Chani. »

« Elle est ma nièce, dit Stilgar. Si tes Fedaykin n'avaient pu venir à bout de ces canailles... »

« Pourquoi ta première pensée a-t-elle été pour Chani ? » demanda Paul.

« Ce n'est pas vrai ! »

« Ah ? »

« C'est à toi que j'ai pensé. »

« Penses-tu alors que tu pourrais lever la main sur moi ? »

Stilgar se mit à trembler et il murmura : « C'est l'usage. »

« L'usage veut que l'on tue les étrangers à Arrakis trouvés dans le désert et que l'on prenne leur eau comme un cadeau de Shaï-Hulud. Pourtant, tu as accordé la vie à deux de ces étrangers, une nuit. Ma mère et moi. »

Comme Stilgar demeurait silencieux et tremblant, les yeux fixés sur lui, Paul poursuivit : « Les usages changent, Stilgar. Tu les as changés toi-même. »

Stilgar baissa les yeux sur l'emblème jaune qui marquait le couteau qu'il tenait.

« Lorsque je serai Duc dans Arrakeen avec Chani à mes côtés, crois-tu que j'aurais le temps de m'occuper de tous les détails concernant le sietch Tabr ? Crois-tu que je pourrai penser aux problèmes particuliers de chaque famille ? »

Stilgar ne quittait pas des yeux le couteau.

« Crois-tu que je veuille me couper le bras droit ? » demanda Paul.

Lentement, Stilgar releva la tête, le regarda.

« Crois-tu, dit Paul, que je veuille priver la tribu comme moi-même de ta force et de ta sagesse ? »

D'une voix basse, Stilgar répondit : « Ce jeune homme de ma tribu dont je connais le nom, ce jeune homme, je pourrais le tuer en réponse à son défi, selon la volonté de Shai-Hulud. Mais le Lisan al-Gaib, je ne pourrais le toucher. Tu le savais lorsque tu m'as donné ce couteau. »

« Je le savais », dit Paul.

Stilgar ouvrit la main. Le couteau tomba sur le sol avec un bruit sonore.

« Les usages changent », dit-il.

« Chani, fit Paul, rejoins ma mère. Qu'elle vienne nous retrouver avant... »

« Mais tu as dit que nous irions dans le sud ! » protesta Chani.

« Je me suis trompé. Les Harkonnens ne sont pas là. La guerre n'est pas là. »

Elle respira profondément, acceptant cela ainsi que toute femme du désert acceptait les obligations de cette vie qui se mêlait à la mort.

« Je vais te confier un message pour les seules oreilles de ma mère, reprit Paul. Dis-lui que Stilgar me reconnaît comme Duc d'Arrakis mais qu'il faut trouver un moyen pour que les jeunes hommes acceptent cela sans combat. »

Chani regarda Stilgar.

« Fais ce qu'il dit, grommela ce dernier. Nous savons tous qu'il pourrait me vaincre... et je ne pourrais pas lever la main sur lui... pour le bien de la tribu. »

« Je reviendrai avec ta mère », dit Chani.

« Qu'elle vienne seule, dit Paul. L'instinct de Stilgar ne le trompait pas. Je suis plus fort quand tu es en sûreté. Tu resteras au sietch. »

Elle voulut protester mais se tut.

« Sihaya », ajouta Paul, lui donnant le nom intime qui était le sien. Puis, se tournant à droite. il rencontra les yeux brillants de Gurney.

Depuis que Paul avait fait allusion à sa mère, les paroles qui s'étaient échangées s'étaient fondues en un brouillard, pour Gurney.

« Votre mère », dit-il.

« La nuit du raid, Idaho nous a sauvés, dit Paul, qui était encore tout à Chani. Maintenant, nous.. »

« Et Duncan Idaho. Mon Seigneur ? »

« Il est mort. en nous donnant le temps de fuir. »

La sorcière est vivante ! pensait Gurney. *Elle est vivante, celle pour laquelle j'ai juré vengeance ! Et il est évident que le Duc Paul ignore quelle créature lui a donné le jour. Diablesse ! Elle a livré son père aux Harkonnens !*

Paul regagna la terrasse. Il parcourut la grotte du regard et vit que les morts et les blessés avaient été emportés. Il eut alors une pensée amère pour le chapitre de la légende de Muad'Dib qui venait d'être écrit en ce lieu. *Je n'ai même pas tiré mon couteau, mais on rapportera qu'en ce jour j'ai tué vingt Sardaukar de ma main.*

Gurney suivit Stilgar. Il ne sentait plus le sol sous ses pas, ne voyait plus la lueur des brilleurs. Dans son esprit empli de fureur, il pensait : *La sorcière vit, alors que ceux qu'elle a trahis ne sont plus que des ossements dans des tombes solitaires. Il faut que Paul apprenne la vérité sur elle avant que je la tue.*

> Combien de fois l'homme en colère nie-t-il avec
> rage ce que lui souffle son moi intérieur ?
>
> *Extrait de*
> Les Dits de Muad'Dib,
> *par la Princesse Irulan.*

Il irradiait de la foule assemblée dans la grotte cette atmosphère que Jessica avait perçue le jour où Paul avait tué Jamis. De petits groupes se formaient et des murmures nerveux couraient.

Comme elle quittait la chambre de Paul et s'avançait sur la terrasse rocheuse, elle prit sous sa robe un cylindre à message. Elle s'était reposée après le long voyage depuis le sud, mais elle en voulait encore à Paul de ne pas les autoriser à utiliser les ornis capturés.

« Nous n'avons pas encore pleinement le contrôle des airs, avait-il dit. Et nous ne pouvons dépendre d'apports de carburant étranger. Les appareils et le carburant doivent être mis en réserve en attendant le jour de l'offensive générale. »

Paul se tenait près de la terrasse en compagnie des hommes les plus jeunes. Dans la pâle clarté des brilleurs, la scène semblait irréelle. C'était comme un tableau avec, en plus, la rumeur des voix, les odeurs âcres, les piétinements.

Jessica observa son fils, se demandant pourquoi il ne lui

avait pas encore révélé la surprise... Gurney Halleck. La pensée de Gurney lui ramenait les souvenirs d'un passé plus doux, un passé fait de jours de beauté et de l'amour du père de Paul.

Stilgar attendait au sein d'un autre groupe, de l'autre côté de la terrasse. Il était silencieux, plein de dignité.

Il ne faut pas perdre cet homme, songea Jessica. *Le plan de Paul doit réussir. Toute autre solution serait tragique.*

Elle s'avança, passa à côté de Stilgar et un chemin s'ouvrit dans la foule jusqu'à Paul. Elle le parcourut dans le silence.

Elle connaissait la raison de ce silence, toute l'émotion et les questions muettes qu'il contenait. Elle était la Révérende Mère.

Les jeunes gens s'écartèrent de Paul à son approche et, un instant, cette déférence nouvelle l'irrita.

Un axiome Bene Gesserit lui revint : « *Tous ceux qui se trouvent au-dessous de toi convoitent ta situation.* » Mais, sur tous ces visages, elle ne lisait pas la moindre convoitise. Ce qui les séparait d'elle, c'était ce ferment religieux qui s'était développé à partir de Paul, qui s'était étendu autour du chef. Et Jessica se souvint d'un autre axiome Bene Gesserit : « *Les prophètes ont l'habitude de périr par la violence.* »

Paul leva les yeux sur elle.

« C'est le moment », dit-elle, et elle lui tendit le cylindre.

L'un des compagnons de Paul, plus audacieux que les autres, regarda Stilgar et demanda : « Vas-tu le défier, Muad'Dib ? Le moment est venu, c'est certain. Ils vont tous penser que tu es un lâche si tu ne... »

« Qui ose me traiter de lâche ? » s'exclama Paul. Et sa main jaillit en un éclair vers la poignée de son krys.

Le silence s'abattit sur le petit groupe et gagna la foule.

« Nous avons un travail à accomplir », dit Paul tandis que l'audacieux reculait. Il se retourna, se fraya un passage jusqu'à la terrasse et y bondit avec souplesse. Il fit face à la foule.

« Vas-y ! » hurla une voix.

Des murmures et des chuchotements s'élevèrent.

Paul laissa le silence revenir. Il y eut encore des toussotements, des piétinements, puis, quand le calme fut revenu dans la caverne, il leva la tête et sa voix porta dans toute la vaste salle.

« Vous en avez assez d'attendre », dit-il.

A nouveau, il laissa monter les cris puis revenir le silence.

Bien sûr qu'ils en ont assez d'attendre, se dit-il. Il brandit le cylindre tout en pensant au message qu'il contenait. Sa mère le lui avait montré en lui expliquant qu'il avait été pris sur un courrier des Harkonnens. Il était explicite : Rabban était laissé à ses propres ressources sur Arrakis ! Il ne pouvait demander ni soutien ni renforts !

« Vous pensez que le moment est venu de défier Stilgar et de changer de chef ! lança-t-il. (Et, avant que la foule puisse répondre, il ajouta avec fureur :) Croyez-vous que le Lisan al-Gaib soit aussi stupide ? »

Il y eut un silence stupéfait.

Il assume son titre religieux, se dit Jessica. *Il ne doit pas.*

« C'est l'usage ! » lança quelqu'un.

Paul répliqua d'une voix sèche, guettant les moindres courants d'émotions : « Les usages changent. »

Une voix pleine de colère s'éleva du fond de la grotte : « C'est nous qui décidons des changements ! »

Il y eut des cris d'approbation.

« Comme vous le voudrez », dit Paul.

Il se servait de la Voix. Jessica avait reconnu les subtiles intonations qu'elles lui avait enseignées.

« C'est vous qui déciderez, dit Paul, mais, d'abord, vous m'écouterez. »

Stilgar s'avança, le visage impassible. « C'est aussi l'usage, dit-il. Tout Fremen peut être entendu au Conseil. Paul-Muad'Dib est un Fremen. »

« Le bien de la tribu est ce qui importe, non ? » demanda Paul.

Sans se départir de son calme plein de dignité, Stilgar répondit : « Tel est le but de nos pas. »

« Très bien. Alors qui commande cette troupe, cette tribu ? Et qui commande toutes les troupes et toutes les tribus par l'intermédiaire des instructeurs formés à l'art étrange du combat ? »

Paul attendit, observant les têtes innombrables. Il n'y eut pas de réponse.

« Est-ce donc Stilgar ? Il s'en défend lui-même. Est-ce moi ? Même Stilgar agit selon ma volonté, parfois, ainsi que les sages et les plus sages des sages. Tous, ils m'écoutent et m'honorent au Conseil. »

Le silence continuait de régner sur la foule.

« Et ma mère commande-t-elle ? (Il tendit la main vers Jessica qui attendait, dans sa robe noire de cérémonie.) Stilgar et tous les autres chefs lui demandent conseil pour une décision importante. Vous le savez bien. Mais une Révérende Mère marche-t-elle dans le sable, conduit-elle une razzia contre les Harkonnens ? »

Paul vit des sourcils froncés, des expressions pensives, mais il perçut encore des murmures de colère.

Il s'y prend d'une façon dangereuse, se dit Jessica, mais elle se rappelait le message du cylindre et ce qu'il signifiait. Et elle comprit ses intentions : Aller jusqu'au fond de leur incertitude et en triompher. Tout le reste suivrait alors.

« Nul homme ne reconnaît un chef sans qu'il y ait défi et combat, n'est-ce pas ? » demanda Paul.

« C'est l'usage ! » lança une voix.

« Quel est notre but ? Renverser Rabban, la bête des Harkonnens et faire de ce monde un endroit où nous puissions vivre avec nos familles dans le bonheur et l'abondance d'eau... Est-ce bien notre but ? »

« Les tâches difficiles exigent des moyens difficiles », cria une voix.

« Jetez-vous votre couteau avant la bataille ? demanda Paul. Je vous le dis, et ce n'est là ni orgueil ni défi : il n'est pas un homme ici pour me vaincre, Stilgar y compris. Stilgar lui-même l'admet. Il sait, et vous aussi, que cela est vrai. »

Il y eut encore des murmures de colère.

« Nombreux sont ceux d'entre vous qui se sont essayés contre moi. Vous savez que je ne me vante point. C'est un fait que nous connaissons tous, que nous reconnaissons. Si je ne le reconnaissais pas moi-même, je serais stupide. Je me suis battu ainsi bien avant vous et ceux qui m'ont enseigné cet art de se battre étaient plus forts que tous les hommes que vous pourrez jamais rencontrer. Comment croyez-vous que j'aie pu terrasser Jamis à un âge où les autres enfants jouent encore ? »

Il se sert très bien de la Voix, se dit Jessica, *mais cela ne peut suffire avec ces gens. Ils sont particulièrement protégés contre le contrôle vocal. Il doit aussi les attaquer par la logique.*

« Alors, reprit Paul, venons-en à ceci. (Il prit le cylindre et déploya le message.) Ceci a été pris à un courrier harkonnen. L'authenticité de ce message ne souffre pas de doute. Il est adressé à Rabban et dit que sa dernière requête pour l'envoi de troupes est repoussée, que sa récolte d'épice est en dessous du quota et qu'il doit être en mesure d'amasser plus d'épice avec les gens dont il dispose. »

Stilgar s'avança.

« Combien d'entre vous comprennent-ils ce que signifie ce message ? demanda Paul. Stilgar l'a vu immédiatement. »

« Ils sont isolés ! » cria quelqu'un.

Paul remit le message et le cylindre dans sa ceinture. Puis il prit l'anneau qui pendait à son cou sur un fil de shigavrille tressée.

« Voici l'anneau ducal de mon père, dit-il. J'avais fait le serment de ne pas le porter avant le jour où je pourrais lancer mes troupes sur Arrakis et réclamer le fief qui me revient légalement. » Il libéra l'anneau, le glissa à son doigt et ferma le poing.

Le silence devint encore plus lourd.

« Qui commande ici ? (Il brandit le poing.) C'est moi ! Je règne sur chaque pouce d'Arrakis ! Ce monde est le fief du Duc des Atréides que l'Empereur le veuille ou non ! Il l'a donné à mon père et par mon père il me revient ! »

Il se dressa sur la pointe des pieds et observa la foule, essayant de percevoir les émotions.

Presque, se dit-il.

« Quand je réclamerai les droits impériaux qui me reviennent, certains hommes acquerront des postes importants sur Arrakis. Stilgar sera l'un d'eux. Ce n'est pas que je veuille l'acheter. Ce n'est pas non plus par gratitude, bien que je sois l'un de ceux qui lui doivent la vie. Non ! C'est simplement parce qu'il est sage et fort. Parce qu'il gouverne sa troupe avec son intelligence et non pas seulement par ses ordres. Me croyez-vous stupide ? Pensez-vous vraiment que je me trancherais ainsi le bras droit et le laisserais tout sanglant sur le sol de cette grotte pour le seul plaisir de vous distraire ?»

Il promena un regard dur sur les visages levés vers lui. « Qui ose dire que je ne suis pas le maître légal d'Arrakis ? Dois-je le prouver en privant de leur chef toutes les tribus de l'erg ? »

A ses côtés, Stilgar eut un regard interrogateur.

« Comment pourrais-je me priver d'une partie de notre force au moment où nous en avons le plus besoin ? Je suis votre chef et je vous dis que le moment est venu où nous devons cesser de tuer nos meilleurs hommes pour commencer à tuer nos véritables ennemis, les Harkonnens ! »

D'un geste vif, Stilgar brandit son krys et le pointa vers l'assemblée. « Longue vie au Duc Paul-Muad'Dib ! » cria-t-il.

Une assourdissante rumeur emplit la grotte, répercutée par l'écho. « Ya hya chouhada ! Muad'Dib ! Muad'Dib ! Muad'Dib ! Ya hya chouhada ! »

« *Longue vie aux soldats de Muad'Dib !* » traduisit Jessica. Les événements se déroulaient selon le plan qu'elle avait mis au point avec Paul et Stilgar.

Lentement, le tumulte s'estompa et mourut.

Quand le silence fut revenu, Paul se tourna vers Stilgar et dit : « A genoux, Stilgar. »

Stilgar obéit.

« Donne-moi ton krys », dit Paul.

Stilgar lui tendit la lame blanche.

Nous n'avions pas prévu cela, se dit Jessica.

« Répète après moi, dit Paul. Et il prononça les paroles d'investiture telles qu'ils les avait entendues prononcer par son père : Moi, Stilgar, je prends ce couteau des mains de mon Duc. »

« Moi, Stilgar, je prends ce couteau des mains de mon Duc », répéta Stilgar en acceptant le krys à l'éclat laiteux.

« Où mon Duc me l'ordonnera, je plongerai cette lame », dit Paul.

Lentement, solennellement, Stilgar répéta ses paroles.

Jessica, se souvenant du rite, dut refouler ses larmes et elle songea en secouant la tête. *Je connais ses raisons. Je ne devrais pas me laisser émouvoir ainsi.*

« Je voue cette lame à la cause de mon Duc et à la mort de ses ennemis aussi longtemps que coulera notre sang », dit Paul.

Et Stilgar répéta.

« Embrasse cette lame », ordonna Paul.

Stilgar obéit puis, à la façon fremen, embrassa ensuite le bras de combat de Paul. Enfin, il glissa le krys dans son fourreau et se remit sur pied.

Un murmure courut dans la foule et Jessica perçut des mots. « La prophétie. Une Bene Gesserit montrera le chemin et une Révérende Mère le verra.. » Plus loin encore, une voix ajouta . « Elle nous guide par son fils ! »

« C'est Stilgar qui commande la tribu, dit Paul. Que nul homme ne s'y trompe. Il commande avec ma voix. Ce qu'il vous dit, c'est ce que je vous dis. »

Habile, pensa Jessica. *Le chef de la tribu ne peut perdre la face devant ceux qui devront lui obéir.*

Paul baissa la voix pour poursuivre « Stilgar, je veux que des marcheurs gagnent le désert cette nuit et que l'on envoie des cielagos pour convoquer l'Assemblée des Conseils. Lorsque ce sera fait, prend Chatt, Korba, Otheym et deux autres lieutenants de ton choix. Venez me rejoindre dans mes quartiers pour que nous mettions le plan de bataille au point Lorsque le Conseil des Chefs se réunira, il faut que nous ayons une victoire à présenter. »

Paul se tourna vers sa mère et inclina la tête pour l'inviter à le suivre, puis quitta la terrasse rocheuse et emprunta le passage central vers les chambres qui leur avaient été préparées, tandis que, de toutes parts, des mains se levaient et que des voix appelaient.

« Mon couteau obéira aux ordres de Stilgar, Paul-Muad'Dib ! Battons-nous, Paul-Muad'Dib ! Que le sang des Harkonnens abreuve notre monde ! »

Jessica percevait nettement le désir de se battre qui animait tous ces hommes. Jamais ils n'avaient été aussi prêts. *Nous les emmenons vers les sommets,* pensa-t-elle.

Dans la chambre, Paul fit asseoir sa mère puis dit : « Attendez ici. » Et il disparut entre les tentures.

Jessica resta seule dans la chambre silencieuse où ne parvenait même pas la rumeur des grandes pompes qui faisaient circuler l'air dans le sietch.

Il va chercher Halleck, se dit-elle. Et elle s'inquiéta de l'étrange mélange d'émotions qu'elle ressentait. Gurney et sa musique évoquaient tant de moments heureux de Caladan. Mais Caladan était si loin que c'était comme si une autre personne y avait vécu. En trois années, Jessica était devenue quelqu'un d'autre et l'idée de revoir Gurney l'obligeait à repenser à tous les changements qui s'étaient produits.

Sur une table basse, à sa droite, il y avait le service à café d'argent et de jasmium que Paul avait hérité de Jamis. En observant les tasses élancées, elle se demanda combien de mains, déjà, les avaient touchées. Chani elle-même avait servi Paul depuis un mois.

Que peut faire cette femme du désert pour un duc sinon lui servir le café ? se dit Jessica. *Elle ne lui apporte aucun pouvoir, aucune famille. Paul n'a qu'une chance majeure, celle de pouvoir s'allier à une des Grandes Maisons, peut-être même à la famille impériale. Il y a des princesses en âge de se marier, après tout, et chacune d'elles est une Bene Gesserit.*

Et elle s'imagina quittant les rigueurs d'Arrakis pour la sécurité et le pouvoir qui étaient les attributs de la mère d'un prince. Elle promena son regard sur les épaisses tentures et se souvint de son voyage jusqu'à la grotte, en palanquin, de ver en ver, avec autour d'elle les plates-formes où s'entassaient les vivres et le matériel nécessaires à la campagne en préparation

Aussi longtemps que Chani vivra, Paul ne comprendra pas où est son devoir. Elle lui a donné un fils. Cela suffit.

Elle éprouva le désir soudain de voir son petit-fils, cet enfant qui ressemblait tant à Leto. Elle plaça alors les paumes de ses mains contre ses joues et donna à sa respiration le rythme rituel qui calmait les émotions et clarifiait l'esprit. Puis elle se pencha en avant pour l'exercice de dévotion qui préparait le corps aux exigences de l'esprit.

Paul avait choisi la Grotte des Oiseaux comme poste de commandement et cela ne pouvait être mis en question, elle le savait. C'était un choix idéal. Au nord, s'ouvrait la Passe du Vent qui accédait à un village fortifié, au fond d'un creux entouré de falaises. Ce village était important, puisqu'il abritait des artisans et des techniciens. De lui, dépendait tout un secteur de défense harkonnen.

Derrière les tentures, il y eut un toussotement. Jessica se redressa et respira profondément avant de dire : « Entrez. »

Les tentures s'écartèrent et Gurney Halleck bondit dans la pièce. Elle n'eut que le temps d'entrevoir son visage familier à la grimace étrange, puis il fut derrière elle et la maîtrisa, passant un bras sous son menton, la relevant brutalement.

« Gurney, espèce de fou, que faites-vous ? »

Elle sentit alors le contact de la pointe du couteau dans son dos. Elle comprit alors et ce fut comme si une eau glacée s'écoulait de la lame pour se répandre dans son corps. Gurney allait la tuer. *Pourquoi ?* Elle ne pouvait entrevoir la moindre raison. Gurney ne pouvait être un traître. Pourtant, elle ne pouvait avoir aucun doute sur ses intentions. Son esprit cherchait, ses pensées s'accéléraient. Gurney n'était pas un adversaire dont on pouvait se débarrasser aisément. C'était un tueur qui se méfiait de la Voix, qui connaissait tous les stratagèmes, qui était constamment à l'affût de la moindre réaction de violence ou de mort. C'était un superbe instrument. Elle avait elle-même aidé à le former par ses conseils, ses suggestions subtiles.

« Vous pensiez avoir échappé, hein, sorcière ? » gronda-t-il.

Avant que la question fût acceptée par son esprit, avant

qu'elle ait tenté de répondre, les tentures furent à nouveau écartées et Paul entra.

« Le voilà, Mère, il... » Paul se tut brusquement.

« Restez où vous êtes, Mon Seigneur », dit Gurney.

« Qu'est-ce... » Paul se tut, secoua la tête.

Jessica voulut parler, mais le bras resserra son étreinte.

« Vous ne parlerez que lorsque je vous y autoriserai, sorcière, dit Gurney. Je veux seulement que votre fils entende une chose. Au moindre signe, je suis prêt à plonger ce couteau dans votre cœur par simple réflexe. Votre voix doit rester monotone. Vous ne devez pas bouger certains muscles, ni les tendre. Vous allez agir avec la plus extrême prudence afin de gagner ces quelques secondes supplémentaires de vie. Et, je vous l'assure, c'est tout ce qui vous reste. »

Paul fit un pas en avant. « Gurney, mon vieux, que... »

« Restez où vous êtes ! lança Gurney. Un pas de plus et elle est morte ! »

La main de Paul se glissa vers son couteau. Sa voix, lorsqu'il parla, était pleine d'un calme mortel : « Tu ferais bien de t'expliquer, Gurney. »

« J'ai fait le serment de tuer la traîtresse, dit Gurney. Crois-tu que j'aie pu oublier l'homme qui m'a sauvé du puits d'esclaves harkonnen, qui m'a donné la liberté, la vie et l'honneur... Et aussi l'amitié, une chose qui passe avant toute autre. Et celle qui l'a trahi est maintenant sous mon couteau. Nul ne m'empêchera de... »

« Tu es dans l'erreur la plus complète, Gurney », dit Paul.

C'est donc cela, songea Jessica. *Quelle ironie !*

« Dans l'erreur ? dit Gurney. Écoutons donc ce que cette femme elle-même a à nous dire. Et rappelez-vous que j'ai payé, espionné et rusé pour étayer cette accusation. J'ai même offert de la sémuta à un capitaine des gardes harkonnen pour qu'il me rapporte une partie de l'histoire. »

Jessica sentit que l'étreinte du bras sur sa gorge se relâchait très légèrement mais ; avant qu'elle ait pu prononcer un mot, Paul dit : « Le traître était Yueh. Je te le dis, Gurney. Les preuves sont complètes. C'était Yueh. Je ne veux pas savoir comment tu en es venu à concevoir un tel soupçon, mais si jamais tu frappes ma mère... (Il brandit son krys...) je répandrai ton sang. »

« Yueh était un docteur conditionné pour servir les maisons royales, dit Gurney. Il ne pouvait trahir ! »

« Je connais un moyen d'annuler ce conditionnement », dit Paul.

« Les preuves », dit Gurney.

« Elles ne sont pas ici, mais au sietch Tabr, loin dans le sud, mais... »

« C'est un piège », grommela Gurney. Et son bras se resserra sur la gorge de Jessica.

« Ce n'est pas un piège, Gurney », dit Paul. Et il y avait une si terrible tristesse dans sa voix que Jessica en eut le cœur broyé.

« J'ai vu le message pris sur un agent des Harkonnens, dit Gurney. Il désignait nettement... »

« Moi aussi, je l'ai vu. Mon père me l'a montré le soir même et m'a expliqué que ce n'était là qu'un stratagème harkonnen qui visait à rendre suspecte à ses yeux la femme qu'il aimait. »

« Ayah ! s'exclama Gurney. Tu n'as pas... »

« Silence ! » dit Paul. Et le ton dur de sa voix était plus impératif que tous les ordres que Jessica avait jamais entendus.

Il a le Grand Contrôle, se dit-elle.

Le bras de Gurney trembla sur son cou. La pointe du couteau se retira.

« Ce que tu n'as pas entendu, reprit Paul, ce sont les sanglots de ma mère, cette nuit-là, quand elle eut perdu son Duc. Ce que tu n'as pas vu, ce sont ses yeux brûlants quand elle parle de tuer les Harkonnens. »

Ainsi, pensa-t-elle, *il a écouté.* Les larmes lui brouillèrent la vue.

« Ce que tu as oublié, poursuivit Paul, ce sont les leçons que tu avais apprises dans le puits d'esclaves harkonnen. Tu parles avec fierté de l'amitié de mon père ! Mais es-tu incapable de faire la différence entre les Harkonnens et les Atréides au

280

point de ne pas sentir un piège harkonnen par la seule puanteur qu'il dégage ? Ne sais-tu pas que la loyauté des Atréides s'achète avec l'amour tandis que la monnaie d'échange des Harkonnens est la haine ? Comment la véritable nature de cette trahison a-t-elle pu t'échapper ? »

« Mais Yueh ? » murmura Gurney.

« La principale preuve que nous ayons est un message signé de sa main et où il reconnaît sa trahison, dit Paul. Je te le jure par l'amour que je garde encore pour toi. Un amour que je garderai même après que je t'aurai laissé en sang sur le sol de cette chambre. »

En écoutant parler ainsi son fils, Jessica s'émerveilla de sa compréhension, de la pénétration de son intelligence.

« Mon père avait un instinct pour ses amis, dit Paul. Il ne donnait que rarement son amour, mais ne se trompait jamais. Sa faiblesse était de ne pas comprendre la haine. Il croyait que quiconque détestait les Harkonnens ne pouvait le trahir. (Il regarda sa mère.) Elle le savait. Je lui ai transmis le message de mon père, qui disait que jamais il ne douterait d'elle. »

Jessica sentit que son contrôle s'effritait. Elle se mordit la lèvre. Devant l'attitude pleine de raideur de son fils, elle comprenait ce que ces paroles lui coûtaient. Et elle aurait voulu courir à lui, presser sa tête contre ses seins comme jamais encore elle ne l'avait fait. Mais le bras, contre sa gorge, ne tremblait plus. Et la pointe du couteau était de nouveau dans son dos, immobile, acérée.

« L'un des moments les plus terribles de la vie d'un enfant, reprit Paul, c'est lorsqu'il découvre que son père et sa mère sont des êtres humains qui partagent un amour auquel il ne peut vraiment goûter. Il perd ainsi quelque chose mais, en même temps, s'éveille à l'idée que le monde est bien là et que nous y sommes seuls. Ce moment porte avec lui sa vérité. On ne peut la fuir. J'ai entendu mon père parler de ma mère. Elle n'a pas trahi, Gurney. »

Jessica retrouva enfin sa voix et dit : « Gurney, lâchez-moi. » Elle avait parlé sur un ton normal, sans essayer de jouer sur les faiblesses de l'homme. Pourtant, la main de

Gurney retomba. Elle s'avança vers Paul et s'arrêta tout près de lui, mais ne fit aucun geste pour le toucher.

« Paul, dit-elle, il y a d'autres moments d'éveil dans l'univers. Je comprends soudain à quel point je t'ai manipulé, transformé pour te faire suivre la voie que j'avais choisie... que je devais choisir (si cela peut être une excuse) par mon éducation. (Elle se tut une seconde, la gorge nouée puis reprit, en regardant son fils droit dans les yeux :) Paul... je veux que tu fasses quelque chose pour moi : choisis la voie du bonheur. Ta femme du désert, épouse-la si tel est ton désir. Pour cela, défie n'importe qui, n'importe quoi. Mais choisis ta propre voie. Je... »

Elle se tut en entendant la voix qui murmurait derrière elle.

Gurney !

Elle suivit le regard de Paul, se retourna.

Gurney n'avait pas bougé, mais il avait remis son couteau dans son étui, et ouvert sa robe pour révéler sa poitrine revêtue du distille gris des contrebandiers.

« Plongez votre couteau là, dans ma poitrine, dit-il. Tuez-moi, je vous dis, et que tout soit terminé ainsi. J'ai trahi mon nom ! J'ai trahi mon Duc ! Le meilleur... »

« Silence ! » lança Paul.

Gurney se tut et le regarda.

« Ferme cette robe et cesse de te comporter comme un fou. C'est assez de folie pour aujourd'hui. »

« Tuez-moi, vous dis-je ! »

« Tu ne me connais pas. Pour quel idiot me prends-tu ? Faut-il donc qu'il en soit ainsi avec chacun des hommes dont j'ai besoin ? »

Gurney se tourna alors vers Jessica et sa voix prit un ton lointain, une note suppliante qui ne lui ressemblaient guère.

« Alors, vous, Ma Dame... Tuez-moi, je vous en prie. »

Jessica alla jusqu'à lui, mit les mains sur ses épaules et dit : « Gurney, pourquoi voulez-vous que les Atréides tuent ceux qu'ils aiment ? » Et, lentement, elle referma la robe de Gurney.

« Mais... je... »

« Vous pensiez agir pour Leto, dit-elle, et pour ceci je vous honore. »

« Ma Dame », dit Gurney. Et il baissa la tête et ferma les paupières pour retenir ses larmes.

« Considérons ceci comme un malentendu entre de vieux amis, dit encore Jessica. (Et Paul perçut les notes apaisantes de sa voix.) C'est fini et nous pouvons nous réjouir de savoir que jamais plus nous ne connaîtrons un tel malentendu entre nous. »

Gurney ouvrit les yeux et la regarda.

« Le Gurney Halleck que je connaissais était habile tant à la lame qu'à la balisette. C'est l'homme de la balisette que j'admirais le plus. Ce Gurney Halleck-là se souvient-il combien j'aimais l'entendre quand il jouait pour moi ? Avez-vous encore une balisette, Gurney ? »

« J'en ai une nouvelle, dit Gurney. Elle vient de Chusuk. Elle joue comme une véritable Varota, bien qu'elle ne soit pas signée. Je pense qu'elle a été fabriquée par un élève de Varota qui... (Il s'interrompit.) Mais que puis-je vous dire, Ma Dame ? Nous voilà en train de bavarder de... »

« Nous ne bavardons pas, Gurney, dit Paul. (Il vint auprès de sa mère.) Nous ne bavardons pas, nous parlons d'une chose qui ramène la joie entre les amis. J'aimerais que tu joues pour elle maintenant. Les plans de bataille peuvent attendre un instant. De toute façon, nous n'irons pas au combat avant demain. »

« Je... je vais chercher ma balisette, dit Gurney. Elle est dans le couloir. » Il franchit les tentures.

Paul posa une main sur le bras de sa mère et sentit qu'elle tremblait.

« C'est fini, Mère », dit-il.

Sans tourner la tête, elle lui jeta un regard oblique.

« Fini ? »

« Bien sûr, Gurney a... »

« Gurney ? Ah... oui. » Elle baissa les yeux.

Dans le bruissement des tentures, Gurney réapparut avec sa balisette. Il entreprit de l'accorder, tout en évitant leurs regards. Les tapis, les draperies et les tentures absorbaient l'écho et la balisette, dans cette chambre, produisait des sons intimes.

Paul conduisit sa mère jusqu'à un coussin. Il était soudain frappé par l'âge qu'il lisait sur son visage où le désert avait laissé déjà ses premières rides, ses premières traces aux coins des yeux emplis de bleu.

Elle est fatiguée, se dit-il. *Il faut que nous trouvions un moyen de supprimer une partie de ses charges.*

Gurney joua un accord.

Paul le regarda et dit : « Certaines... choses requièrent mon attention. Attends-moi ici. »

Gurney acquiesça. Son esprit était lointain, peut-être sur Caladan, sous les cieux ouverts où roulaient des nuages annonciateurs de pluie.

Paul s'éloigna à regret. Tandis qu'il avançait dans le couloir, il entendit un nouvel accord de balisette et s'arrêta une seconde pour prêter l'oreille à la musique étouffée.

> Des vignes et des vergers,
> Des filles rondes et jolies,
> Et un verre plein dans ma main.
> Pourquoi songer aux batailles,
> Au tonnerre sur les montagnes ?
> Pourquoi ces larmes dans mes yeux ?
>
> Les cieux grands ouverts
> M'offrent tous leurs trésors,
> Tout près de ma main tendue...
> Pourquoi redouter l'embuscade.
> Et le poison caché ?
> Pourquoi me pèsent les années ?
>
> Des bras amoureux m'appellent
> Nus, vers leurs caprices
> Et l'Éden me promet ses délices...
> Pourquoi me rappeler les blessures

Et les fautes anciennes ?
Pourquoi cette peur dans mon sommeil ?

Devant Paul, à l'angle du couloir, un messager fedaykın apparut. L'homme avait rejeté son capuchon en arrière et les attaches de son distille pendaient autour de son cou, révélant qu'il arrivait du désert.

Paul lui fit signe de s'arrêter et s'avança vers lui.

L'homme s'inclina, les mains jointes, ainsi qu'il devait saluer la Révérende Mère ou la Sayyadina lors des rites.

« Muad'Dib, dit-il, les chefs commencent d'arriver pour le Conseil. »

« Déjà ? »

« Ce sont ceux que Stilgar a convoqués en premier lorsque l'on croyait que... » Il s'interrompit, haussa les épaules.

« Je vois », dit Paul.

Il se retourna vers la chambre d'où filtraient les accords de balisette de cet air ancien que sa mère aimait entre tous, avec son mélange de paroles joyeuses et tristes.

« Stilgar arrivera bientôt avec les autres, dit-il. Tu les guideras jusqu'à ma mère. »

« J'attendrai ici, Muad'Dib », dit le messager.

« Oui... oui, c'est cela. »

Et Paul se mit en marche vers les profondeurs de la grotte, vers ce lieu qui se trouvait dans toutes les grottes, ce lieu proche du bassin d'eau où il y aurait un petit shai-hulud. La créature, qui ne mesurait pas plus de neuf mètres de long, était prise au piège des conduits d'eau qui l'entouraient de toutes parts. Le faiseur, après avoir émergé du vecteur du petit faiseur, évitait l'eau comme un poison. Le faiseur noyé constituait le plus grand des secrets fremen car l'union de l'eau et du faiseur produisait L'Eau de Vie, ce poison que seule une Révérende Mère pouvait transformer.

Paul avait pris sa décision dans l'instant où sa mère affrontait le danger. Aucune des lignes d'avenir qu'il avait entrevues ne comportait ce moment de péril associé avec Gurney Halleck. L'avenir, cet avenir lourd de nuages, où l'univers se précipitait vers le nexus bouillonnant, était comme un monde fantomatique, tout autour de lui.

Je dois le voir, se dit-il.

Lentement, son organisme avait acquis une tolérance à l'épice qui avait eu pour effet de rendre ses visions prescientes de plus en plus rares... de plus en plus floues. Et une solution évidente s'imposait.

Je vais noyer le faiseur. Ainsi, nous verrons bien si je suis le Kwisatz Haderach qui peut survivre à l'épreuve des Révérendes Mères.

> Et l'on dit dans la troisième année de la Guerre
> du Désert que Paul-Muad'Dib gisait seul dans la
> Grotte des Oiseaux, derrière les tentutes de kiswa
> d'une chambre. Il gisait immobile comme un mort,
> pris par la révélation de l'Eau de Vie. Son être était
> transporté au-delà des frontières du temps par le
> poison qui donne la vie. Ainsi se réalisa la prophétie
> qui disait que le Lisan al-Gaib serait à la fois vivant
> et mort.
>
> Légendes d'Arrakis,
> *par la Princesse Irulan.*

DANS la pénombre qui précédait l'aube, Chani quitta le Bassin de Habbanya, prêtant l'oreille au murmure de l'orni qui l'avait amenée du sud et gagnait maintenant quelque repaire dans le désert. Autour d'elle, les gens de son escorte gardaient leurs distances, selon la requête de la compagne de Muad'Dib, mère de son premier né, qui voulait marcher seule, pendant un moment. Dispersés dans les rochers, ils guettaient le danger possible.

Pourquoi m'a-t-il rappelée ? se demandait Chani. *Il m'avait ordonné de demeurer dans le sud avec le petit Leto et Alia.*

Elle drapa sa robe autour d'elle, sauta d'un bond par-dessus un rocher et se mit à gravir le sentier que seule une créature du désert pouvait distinguer dans l'ombre. Des cailloux roulaient sous ses pas, qu'elle évitait avec une agilité insouciante.

De monter ainsi entre les rochers la soulageait des craintes nées du silence de son escorte et du fait que l'on eût envoyé un des précieux ornis la chercher. Elle ressentait maintenant cette excitation qu'elle connaissait si bien à la pensée de retrouver bientôt son Usul. Pour tout le désert, il était devenu un cri de bataille : « *Muad'Dib ! Muad'Dib !* »mais, pour elle, c'était un homme différent, au nom différent, un tendre amoureux, le père de son enfant.

Une haute silhouette se dressa devant elle et lui fit signe de se hâter. Dans le ciel, déjà les oiseaux de l'aube s'élevaient et s'appelaient. Une fine trace de lumière se dessinait sur l'horizon de l'est.

La silhouette était celle d'un des hommes de son escorte. *Otheym ?* se dit-elle, reconnaissant certains gestes familiers. Elle s'approcha et reconnut effectivement les traits plats du lieutenant des Fedaykin. Son capuchon était ouvert et son filtre de bouche hâtivement fixé, ainsi que cela se faisait pour de très courtes sorties dans le désert.

« Vite, souffla-t-il en la précédant vers la crevasse secrète. Il fera jour bientôt. Les Harkonnens ont lancé des patrouilles en grand nombre sur la région. Nous ne pouvons risquer d'être découverts maintenant. » Il descella une porte et ils surgirent dans un étroit couloir qui accédait à la Grotte des Oiseaux. Des brilleurs s'illuminèrent. Otheym se remit en marche d'un pas rapide. « Suivez-moi. Vite. »

Ils s'avancèrent au long du couloir, franchirent une seconde porte à valve, empruntèrent un autre couloir, encore, puis passèrent entre des tentures qui avaient délimité l'alcôve de la Sayyadina au temps où la grotte n'avait été qu'une étape de repos pour le jour. A présent, des tapis et des coussins couvraient le sol. Sur les parois apparaissaient des tapisseries à l'emblème du faucon rouge. Un bureau était encombré de papiers qui dégageaient une senteur d'épice qui révélait leur origine.

La Révérende Mère était assise là, seule, face à l'entrée.

Elle leva la tête avec cette expression absente qui faisait trembler les non-initiés.

Otheym joignit les mains et déclara . « J'ai amené Chani. » Puis il s'inclina et disparut derrière les tentures.

Comment le dire à Chani ? pensa Jessica.

« Comment va mon petit-fils ? » demanda-t-elle.

L'accueil rituel, se dit Chani. Et toutes ses craintes revinrent alors. *Où est Muad'Dib ? Pourquoi n'est-il pas ici ?*

« Il se porte bien, il est heureux, ma mère, dit-elle. Je l'ai laissé avec Alia aux soins d'Harah. »

Ma mère, pensa Jessica. *Oui, elle a le droit de m'appeler ainsi pour l'accueil rituel. Elle m'a donné un petit-fils.*

« On m'a dit que le sietch Coanua avait offert du tissu », dit Jessica.

« Il est très beau. »

« Alia a-t-elle un message ? »

« Aucun. Mais le sietch est plus calme, maintenant que le peuple accepte le miracle de son état. »

Pourquoi gagne-t-elle ainsi du temps ? se demandait Chani. *Il y avait quelque chose de si urgent qu'ils ont envoyé un orni. Et maintenant, nous voilà plongées dans les politesses !*

« Il faut que l'on coupe des vêtements pour le petit Leto dans ce tissu », dit Jessica.

« Comme vous le désirez, ma mère. (Chani baissa les yeux.) A-t-on des nouvelles des batailles ? » Elle ne relevait pas la tête, de peur de se trahir, de révéler à Jessica qu'elle n'avait posé cette question que pour Paul-Muad'Dib.

« De nouvelles victoires, dit Jessica. Rabban a fait quelques ouvertures prudentes en vue d'une trêve. Ses messagers lui ont été retournés sans leur eau. Il a même été jusqu'à alléger les charges des gens dans certains villages des creux. Mais il est trop tard. Le peuple sait déjà qu'il n'agit ainsi que par crainte de nous. »

« Il en est donc ainsi que l'a dit Muad'Dib », dit Chani. Elle gardait les yeux fixés sur Jessica, essayant de garder ses craintes en elle-même. *J'ai prononcé son nom, mais elle n'a pas répondu. Nul ne saurait lire une émotion dans cette pierre lisse* qu'elle appelle son visage... mais elle est vraiment trop figée. Pourquoi garde-t-elle le silence ? Qu'est-il arrivé à Usul ?

« J'aimerais que nous soyons dans le sud, dit Jessica. Les oasis étaient si belles lorsque nous sommes partis. N'es-tu pas impatiente de voir revenir cette saison où toute la terre est en fleurs ? »

« La terre est belle, alors, c'est vrai, dit Chani. Mais elle est aussi pleine de tristesse. »

« La tristesse est le prix de la victoire. »

Me prépare-t-elle à la tristesse ? se demanda Chani.

« Il y a tant de femmes sans homme, dit-elle. Lorsque j'ai été appelée dans le nord, cela a créé des jalousies. »

« C'est moi qui t'ai appelée », dit Jessica.

Chani sentit que son cœur se mettait à battre plus vite, plus lourdement. Elle lutta contre le désir soudain de mettre ses mains sur ses oreilles pour ne pas entendre ce que Jessica allait dire. Pourtant, elle parvint à dire d'une voix calme : « Le message était signé Muad'Dib. »

« Je l'ai signé en présence de ses lieutenants. Ce subterfuge était nécessaire. » Et Jessica songea : Cette femme est brave. Elle se raccroche aux bonnes façons alors même que la peur la submerge. Oui. Elle pourrait être celle qu'il nous faut en ce moment.

Il y eut une note infime de résignation dans la voix de Chani quand elle parla de nouveau : « Maintenant, vous pouvez me dire ce qui doit être dit. »

« Ta présence m'était nécessaire pour m'aider à rappeler Paul à la vie », dit Jessica. Et elle pensa : Ça y est ! Je l'ai dit exactement comme il fallait le dire. Rappeler à la vie. Elle sait ainsi que Paul n'est pas réellement mort mais, en même temps, que le péril est grand.

Il ne fallut qu'un instant à Chani pour retrouver son calme.

« Que dois-je donc faire ? » Dans l'instant où elle prononçait ces mots, elle avait envie de sauter sur Jessica, de la secouer et de hurler : « Conduisez-moi auprès de lui ! » Mais, en silence, elle attendit la réponse.

« Je crains que les Harkonnens n'aient réussi à infiltrer un

290

agent parmi nous afin d'empoisonner Paul dit Jessica. C'est du moins la seule explication qui me paraisse possible. Le poison doit être très rare et inhabituel. J'ai examiné son sang avec les plus subtiles méthodes sans en détecter la trace. »

Chani se laissa aller à genoux. « Du poison ? Souffre-t-il ? Pourrais-je ?... »

« Il est inconscient. Les processus vitaux sont ralentis à tel point qu'on ne peut les déceler qu'avec les techniques les plus raffinées. Je frémis en songeant à ce qu'il en aurait été si je ne l'avais pas découvert moi-même. Pour un œil non averti, il semblait mort. »

« Vous ne m'avez pas convoquée seulement par bonté, dit Chani. Je vous connais, Révérende Mère. Que pensez-vous que je puisse faire, moi, qui vous soit impossible à vous ? »

Elle est brave, belle et... Oh, oui, si perspicace, se dit Jessica. *Elle aurait fait une excellente Bene Gesserit.*

« Chani, dit-elle, cela te paraîtra peut-être difficile à croire, mais j'ignore exactement pour quelle raison je t'ai fait appeler. C'était un instinct... une intuition. La pensée m'est venue comme cela, très nette : *Appelle Chani.* »

Pour la première fois, Chani lut alors la tristesse dans le regard de Jessica, la douleur tout au fond de ces yeux si calmes, tournés vers l'intérieur.

« J'ai fait tout ce que je pouvais faire, tout ce que je savais faire... Et ce *tout* dépasse de loin ce que tu peux imaginer... Pourtant, j'ai échoué. »

« Halleck, le vieux compagnon, demanda Chani. Pourrait-il être un traître ? »

« Non, pas Gurney. »

Ces trois mots étaient comme une longue conversation et Chani y perçut comme l'écho de multiples quêtes, de longues épreuves, d'échecs anciens.

Elle se releva, lissa les plis de sa robe tachée par le désert et dit : « Conduisez-moi auprès de lui. »

Jessica se leva à son tour et écarta les tentures de la paroi gauche.

Chani la suivit et se retrouva dans ce qui avait dû être une resserre. Les murs de rocher étaient maintenant dissimulés par d'épaisses tapisseries Paul était étendu sur un lit de fortune. Un unique brilleur éclairait son visage. Une robe noire le couvrait jusqu'à la poitrine Ses bras nus étaient immobiles le long de son corps. Sous la robe, il devait être nu. Sa peau avait un aspect cireux

Chani réprima le brusque désir de courir jusqu'à lui, de se jeter sur son corps. Ses pensées se portèrent sur son fils, Leto. Et elle comprit en cet instant que Jessica avait déjà connu une telle épreuve. Tandis que la vie de son compagnon était menacée, elle s'était obligée à ne penser qu'à la survie de son enfant. Chani, alors, tendit la main, prit celle de Jessica, et l'étreinte fut presque douloureuse dans sa violence

« Il vit, dit Jessica. Je t'assure qu'il vit. Mais le fil de cette vie est si ténu qu'on peut ne pas le voir. Certains des chefs commencent déjà à murmurer que c'est la mère qui parle et non la Révérende Mère, que mon fils est vraiment mort et que je me refuse à donner son eau à la tribu. »

« Depuis combien de temps est-il ainsi ? » demanda Chani. Elle retira sa main de celle de Jessica et s'avança dans la pièce.

« Depuis trois semaines. J'ai passé déjà près d'une semaine à tenter de l'éveiller. J'ai cherché, réfléchi, discuté, affronté des arguments... Puis je t'ai appelée. Les Fedaykin m'obéissent, sans quoi je n'aurais pu retarder le... » Elle humecta ses lèvres et se tut tandis que Chani s'approchait du lit.

Elle s'arrêta auprès de Paul et contempla son visage, la trace de barbe naissante, les hauts sourcils, le nez acéré, les paupières closes. Ses traits étaient paisibles.

« Comment se nourrit-il ? » demanda Chani.

« Les besoins de sa chair sont si réduits qu'il n'a encore rien pris », dit Jessica.

« Combien savent ce qui est arrivé ? »

« Seuls ses conseillers les plus proches sont au courant, ainsi que quelques chefs, les Fedaykin et, bien sûr, celui qui lui a administré le poison. »

« Il n'y a aucun indice quant à son identité ? »

« Non, et ce n'est pas faute d'avoir cherché »

« Que disent les Fedaykin ? »

« Ils croient que Paul est en transe sacrée, qu'il rassemble ses saintes forces avant les ultimes combats. C'est là une croyance que j'ai entretenue. »

Chani s'agenouilla à côté de la couche et se pencha sur le visage de Paul. Elle décela immédiatement le parfum de l'épice, un parfum qui baignait en permanence la vie des Fremen. Pourtant...

« Vous n'êtes pas nés avec l'épice comme nous, dit-elle. Avez-vous pensé que son corps pouvait s'être rebellé contre une dose trop importante d'épice ? »

« Toutes les réactions allergiques sont négatives », dit Jessica.

Elle ferma les paupières, autant pour ne plus voir cette scène pendant un instant que parce qu'elle ressentait soudain sa fatigue. *Depuis combien de temps n'ai-je pas dormi ?* se demanda-t-elle.

« Lorsque vous changez l'Eau de Vie, dit Chani, vous le faites en vous-même, par votre perception intérieure. Avez-vous utilisé cette perception pour examiner son sang ? »

« C'est un sang fremen normal. Totalement adapté à cette existence et à cette nourriture qui sont les nôtres. »

Chani s'assit sur ses talons. Tandis qu'elle examinait Paul, ses pensées repoussaient sa peur. C'était là une technique qu'elle avait apprise en observant les Révérendes Mères. Le temps pouvait servir l'esprit. Toute l'attention pouvait être concentrée en une seule pensée.

« Y a-t-il un faiseur ici ? » demanda-t-elle soudain.

« Il y en a plusieurs. Nous n'en manquons jamais, en ce moment. Chaque victoire doit être bénie. Chaque cérémonie qui précède un raid... »

« Mais Paul-Muad'Dib s'est tenu à l'écart de ces cérémonies », dit Chani.

Jessica hocha la tête. Elle se souvenait des sentiments ambivalents de son fils à l'égard de la drogue d'épice et de la prescience qu'elle suscitait.

« Comment sais-tu cela ? » demanda-t-elle.

293

« On le dit. »

« On dit trop de choses. » La voix de Jessica était sèche.

« Donnez-moi l'Eau brute du faiseur. »

Jessica se raidit en percevant le ton impératif de Chani. Puis elle remarqua la concentration intense de la jeune femme et dit : « Tout de suite. » Et elle écarta les tentures pour appeler un porteur d'eau.

Chani ne quittait pas des yeux le visage de Paul. *S'il a essayé de faire cela...* se dit-elle. *Et c'est bien le genre de chose qu'il pourrait essayer...*

Jessica revint et s'agenouilla auprès d'elle avec un broc qui répandait l'âcre senteur du poison. Chani plongea un doigt dans le liquide et, le retirant, le mit tout près du nez de Paul.

La peau frémit et, lentement, les narines se dilatèrent.

Jessica eut un cri étouffé.

Chani toucha alors de son doigt humide la lèvre supérieure de Paul.

Il inspira longuement, péniblement.

« Qu'est-ce donc ? » demanda Jessica.

« Du calme, dit Chani. Il faut que vous convertissiez un peu de l'eau sacrée. Vite ! »

Sans poser de question, Jessica prit le broc et but une petite gorgée de liquide.

Les yeux de Paul s'ouvrirent. Il regarda Chani.

« Il n'est pas nécessaire qu'elle change l'Eau », dit-il. Sa voix était faible, mais calme.

Jessica, dans le même temps qu'elle sentait la gorgée de liquide sur sa langue, percevait la réaction de son organisme qui, presque automatiquement, convertissait le poison. Avec la sensibilité accrue que suscitait la cérémonie, elle sentit le flux vital qui émanait de Paul.

En cet instant, elle sut.

« Tu as bu l'eau sacrée ! » s'exclama-t-elle.

« Une goutte, dit Paul. Si peu... Rien qu'une goutte. »

« Comment as-tu pu commettre une telle folie ? »

« C'est votre fils », dit Chani.

Jessica la regarda, les yeux flamboyants.

Un sourire plein de tendresse, de compréhension apparut sur les lèvres de Paul. « Écoutez ma bien-aimée, dit-il. Écoutez-la, Mère, elle sait. »

« Ce que les autres peuvent faire, dit Chani, il doit le faire. »

« Quand cette goutte a été dans ma bouche, dit Paul, quand je l'ai goûtée et sentie et que j'ai su ce qu'elle faisait en moi, alors j'ai compris que je pouvais faire ce que vous aviez fait, Mère. Vos rectrices Bene Gesserit parlent du Kwisatz Haderach mais elles sont loin de deviner en combien de lieux j'ai été. Dans les quelques minutes qui... (Il s'interrompit et regarda Chani avec un froncement de sourcils perplexe.) Chani ? Comment se fait-il que tu sois ici ? Tu devrais... Pourquoi es-tu ici ? »

Il essaya de se redresser, mais elle le repoussa doucement.

« Je t'en prie, mon Usul », dit-elle.

« Je me sens faible. (Son regard courut par toute la pièce.) Depuis combien de temps suis-je ici ? »

« Tu es resté durant trois semaines dans un coma si profond que l'étincelle de la vie semblait t'avoir quitté », dit Jessica.

« Mais c'était... il ne m'a fallu qu'un moment et... »

« Un moment pour toi, trois semaines de peur pour moi », dit Jessica.

« Ce n'était qu'une goutte, mais je l'ai convertie. J'ai changé l'Eau de Vie. » Et, avant que Chani ou Jessica aient pu l'en empêcher, il plongea une main dans le broc, la ramena à sa bouche et but les quelques gouttes de liquide qui étaient dans sa paume.

« Paul ! » cria Jessica.

Il agrippa sa main, tourna vers elle un visage que déformait un rictus mortel, et lança toute sa perception.

Le rapport ne fut pas aussi tendre, aussi complet, aussi absolu qu'il l'avait été avec Alia et la vieille Révérende Mère dans la caverne... mais c'était tout de même une union, un partage de l'être tout entier. Jessica se sentit secouée, affaiblie et elle se replia dans son esprit, emplie de crainte devant son fils.

A haute voix, il dit : « Vous parlez d'un lieu où vous ne pouvez pénétrer ? Ce lieu que la Révérende Mère ne peut contempler, montrez-le-moi. »

Elle secoua la tête, terrifiée.

« Montrez-le-moi ! » répéta-t-il.

« Non ! »

Mais elle ne pouvait lui échapper. Subjuguée, elle ferma les yeux et plongea en elle, dans la direction-qui-est-ténèbres.

La conscience de Paul l'enveloppa, la pénétra. Elle entrevit vaguement le lieu avant que son esprit ne se replie, vaincu par la terreur. Sans qu'elle sût pourquoi, tout son corps tremblait de cette vision, de ce qu'elle n'avait fait qu'entrevoir... une région où soufflait le vent, où brillaient des étincelles, où des anneaux de lumière se dilataient puis se contractaient, où des cercles de formes blanches et tumescentes se répandaient autour des lueurs, poussés par les ténèbres et par le vent qui venait de nulle part.

Elle ouvrit les yeux et rencontra le regard de Paul. Il lui tenait toujours la main mais la terrible union avait pris fin. Elle entreprit de réprimer le tremblement qui l'agitait encore. Paul lui lâcha la main. Ce fut comme si un lien était rompu. Jessica vacilla et elle serait tombée si Chani n'avait bondi à cet instant pour la soutenir.

« Révérende Mère ! Que se passe-t-il ? »

« Fatiguée, murmura Jessica. Si... fatiguée. »

« Par ici, dit Chani. Asseyez-vous. » Elle la guida jusqu'à un coussin, près du mur.

Jessica éprouva du réconfort au contact de ces jeunes bras vigoureux. Elle se cramponna à Chani.

« A-t-il, en vérité, vu l'Eau de la Vie ? » demanda Chani en se dégageant.

« Il l'a vue », souffla Jessica. Son esprit continuait de rouler. C'était comme si elle venait de regagner la terre ferme après un long voyage sur une mer houleuse. Elle sentit la vieille Révérende Mère tout au fond d'elle... la vieille Révérende Mère et toutes les autres. Elles étaient éveillées et elles demandaient : *Qu'était-ce que cela ? Où était donc ce lieu ?*

Mais une pensée dominait : son fils était le Kwisatz Haderach, celui qui pouvait être en plusieurs lieux à la fois. Celui qui était né du rêve Bene Gesserit. Et cette pensée n'amenait nulle paix en Jessica.

« Que s'est-il passé ? » demanda Chani.

Jessica secoua la tête.

« Il y a en chacun de nous, dit Paul, une force ancienne qui prend et une force ancienne qui donne. Il n'est pas très difficile pour un homme de voir en lui ce lieu où règne la force qui prend, mais il lui est presque impossible de contempler la force qui donne sans se transformer en autre chose qu'un homme. Pour une femme, la situation est exactement inverse. »

Jessica leva la tête et vit que Chani la regardait, elle, tout en écoutant Paul.

« Me comprenez-vous, Mère ? » demanda Paul.

Elle ne put que hocher la tête.

« Ces choses qui sont en nous sont si anciennes, dit Paul, qu'elles sont réparties dans chaque cellule de notre corps. Ce sont elles qui nous façonnent. Il est toujours possible de se dire : *Oui, je vois ce que peut être cette chose.* Mais lorsque l'on regarde en soi-même et que l'on se trouve confronté à la force brute de sa propre vie, on comprend le péril. On comprend que cela peut vous submerger. Pour le Donneur, le plus grand péril est la force qui prend. Pour le Preneur, c'est la force qui donne. Il est aussi facile d'être emporté par l'une que par l'autre. »

« Et toi, mon fils, dit Jessica, es-tu celui qui donne ou celui qui prend ? »

« Je suis le pivot. Je ne peux donner sans prendre et je ne peux prendre sans... » Il se tut et regarda le mur, à sa droite.

Chani sentit un courant d'air sur sa joue et se retourna pour voir se refermer les tentures.

« C'était Otheym, dit Paul. Il écoutait. »

Chani accepta ces paroles et un peu de la prescience qui emplissait Paul passa en elle. Elle eut la connaissance de ce qui allait être comme si c'était un événement du passé. Otheym rapporterait ce qu'il avait vu et entendu. D'autres propageraient l'histoire jusqu'à ce que ce soit comme un feu sur la terre. Tous diraient que Paul-Muad'Dib ne ressemblait à aucun autre homme. Il n'y aurait plus de doute. Paul-Muad'Dib était certes un homme mais il pouvait voir dans l'Eau de la Vie comme une Révérende Mère. Il était le Lisan al-Gaib.

« Tu as vu l'avenir, Paul, dit Jessica. Nous diras-tu ce que tu as vu ? »

« Non pas l'avenir, dit Paul. Mais le Maintenant. (Il s'assit péniblement et repoussa la main de Chani qui voulait l'aider.) L'espace, au-dessus d'Arrakis, est tout empli de vaisseaux de la Guilde. »

Jessica perçut l'incertitude dans sa voix et trembla.

« L'Empereur Padishah lui-même est présent, reprit Paul. (Il leva les yeux vers le plafond de la pièce.) Il est là, avec sa Diseuse de Vérité favorite et cinq légions de Sardaukar. Le vieux baron Vladimir Harkonnen est là, également, avec Thufir Hawat à ses côtés et sept vaisseaux emplis de tous les conscrits qu'il a pu trouver. Chacune des Grandes Maisons a envoyé ses troupes... Ils sont là, tous, au-dessus de nous. Ils attendent... »

Chani secoua la tête. Elle ne pouvait détacher ses yeux de Paul. Elle était fascinée et bouleversée par le ton monotone de sa voix, par l'étrangeté qui se dégageait de lui, par la façon dont il la regardait, comme s'il voyait à travers elle.

La gorge sèche, Jessica demanda : « Qu'attendent-ils ? »

« La permission de la Guilde d'atterrir. La Guilde abandonnerait sur Arrakis toute force qui se poserait sans son autorisation. »

« La Guilde nous protège ? » demanda Jessica.

« Nous protéger ! s'exclama Paul. C'est la Guilde elle-même qui a créé cette situation en rapportant ce que nous faisons sur ce monde et en abaissant le prix du transport à un point tel que les plus pauvres des Maisons sont là, également, à attendre avec les autres, prêtes à nous piller. »

Jessica perçut la dureté, la sécheresse et l'amertume de ses paroles et elle en fut perplexe. Elle ne pouvait en douter, pourtant. Il avait parlé avec la même intensité que la nuit où il lui avait rapporté ses premières visions de l'avenir qui devait les amener parmi les Fremen.

Paul prit une profonde inspiration et dit : « Mère, il faut que vous changiez une partie de l'Eau pour nous. Nous aurons besoin du catalyseur. Chani, envoie des hommes en éclaireurs... qu'ils trouvent une masse d'épice en gestation. Si nous versons de l'Eau de Vie à proximité, savez-vous ce qui se produira ? »

Jessica, un instant, soupesa ces mots. Puis elle comprit leur sens. « Paul ! » s'exclama-t-elle.

« L'Eau de Mort, dit-il. Ce serait une réaction en chaîne. (Il tendit la main vers le sol.) La mort se répandrait parmi les petits faiseurs, supprimant un vecteur du cycle de vie dont font partie l'épice et les faiseurs. Arrakis, sans eux, deviendrait un monde de désolation. »

Chani porta la main à sa bouche, bouleversée par le blasphème.

« Celui qui peut détruire une chose la contrôle, dit Paul. Nous pouvons détruire l'épice. »

« Qu'est-ce donc qui retient la main de la Guilde, alors ? » demanda Jessica.

« Ils me cherchent, dit Paul. Songez seulement à cela ! Les meilleurs navigateurs de la Guilde ; des hommes qui peuvent plonger dans le temps pour choisir la trajectoire la plus sûre pour les plus rapides des long-courriers... tous ces hommes me cherchent... et ils sont incapables de me trouver. Ils tremblent ! Ils savent que je détiens leur secret ! (Il leva la main.) Sans l'épice, ils sont aveugles ! »

Chani retrouva sa voix. « Tu as dit que tu voyais le *Maintenant !* »

Paul s'étendit à nouveau, cherchant le *présent* dispersé dont les limites touchaient l'avenir comme le passé, luttant pour conserver sa perception comme s'atténuait l'effet de l'épice.

« Va et fais ce que je t'ai ordonné, dit-il. L'avenir devient aussi flou pour moi qu'il l'est pour la Guilde. Les lignes de vision se fondent. Tout est concentré sur l'épice... ils n'osaient pas intervenir ici auparavant... parce qu'ils risquaient de perdre ce qu'ils avaient. Mais maintenant, ils sont acculés... Tous les chemins aboutissent aux ténèbres. »

Et l'aube apparut où Arrakis se retrouva au centre de l'univers, dans le moyeu de la roue qui allait se mettre à tourner.

Extrait de
L'Éveil d'Arrakis,
par la Princesse Irulan.

« REGARDE ça ! » souffla Stilgar.

Paul se tenait à ses côtés dans la fente qui s'ouvrait haut dans la paroi rocheuse du Bouclier, l'œil rivé à l'oculaire d'un télescope fremen. Les objectifs à huile étaient braqués sur le vaisseau interstellaire qui apparaissait sous les premiers rayons de l'aube, dans le bassin, loin en dessous. Déjà, une moitié de la coque brillait dans la lumière alors que l'autre demeurait plongée dans l'ombre, révélant les rangées de hublots qui laissaient filtrer la clarté jaune des brilleurs du bord.

Au-delà du vaisseau, la cité d'Arrakeen était figée, froide et brillante.

Ce n'était pas tant le vaisseau qui excitait Stilgar que la construction qui s'élevait à proximité. Un vaste camp métallique, une seule et immense tente faite de feuilles de métal, haute de plusieurs étages, et qui s'étendait en un cercle dont le vaisseau occupait le centre et qui devait mesurer près de mille mètres de rayon. C'était là que résidaient temporairement sa

Majesté Impériale, l'Empereur Padishah Shaddam IV et ses cinq légions de Sardaukar.

Accroupi à côté de Paul, Gurney Halleck remarqua : « Je compte en tout neuf niveaux. Cela doit faire un certain nombre de Sardaukar. »

« Cinq légions », dit Paul.

« Il va faire jour, murmura Stilgar. Nous n'aimons pas que tu t'exposes ainsi, Muad'Dib. Retournons aux rochers, maintenant. »

« Je suis tout à fait en sécurité ici », dit Paul.

« Ce vaisseau est équipé d'armes à projectiles », dit Gurney.

« Ils croient que nous sommes protégés par des boucliers, observa Paul. Même s'ils nous apercevaient, ils ne gâcheraient pas leurs munitions sur un trio non identifié. »

Paul braqua le télescope sur la paroi opposée du bassin, sur les taches sombres qui, au flanc de la falaise, marquaient les tombes de tant d'hommes de son père. Et les ombres de ces hommes, en ce moment, regardaient peut-être. Les cités et les citadelles harkonnens étaient toutes tombées aux mains des Fremen ou bien, isolées, elles dépérissaient comme des branches sectionnées. Seuls ce bassin, cette cité appartenaient encore à l'ennemi.

« Ils pourraient tenter une sortie en ornis, s'ils nous voyaient », dit Stilgar.

« Qu'ils viennent, dit Paul. Nous avons des ornis à griller, aujourd'hui... et nous savons qu'une tempête approche. »

A nouveau, il fit pivoter le télescope et observa le terrain de débarquement d'Arrakeen où s'alignaient les frégates d'Harkonnen sous une bannière de la Compagnie C. H. O. M. qui flottait dans le vent léger. Il fallait que la Guilde fût désespérée pour avoir ainsi autorisé ces deux groupes à débarquer tandis que les autres étaient maintenus en réserve. La Guilde se comportait comme un homme qui tâte le sable du pied pour vérifier sa température avant d'ériger une tente.

« Y a-t-il autre chose à voir ? demanda Gurney. Nous devrions nous mettre à couvert. La tempête arrive. »

Paul revint au campement géant. « Ils ont même amené leurs femmes, dit-il. Et leurs valets, leurs servantes... Ahh, mon cher Empereur, comme vous êtes confiant ! »

« Des hommes approchent par le passage secret, dit Stilgar. Ce doit être Otheym et Korba. »

« D'accord, Stil, fit Paul. Repartons. »

Mais il jeta un dernier coup d'œil dans le télescope sur la vaste plaine et les grands vaisseaux, la tente de métal scintillante, la cité silencieuse, les frégates des mercenaires. Puis il se laissa glisser le long du rocher. Un garde Fedaykin le remplaça devant le télescope.

Il émergea dans un creux ménagé dans la falaise du Bouclier, un repaire naturel d'environ trente mètres de diamètre, profond de trois, que les Fremen avaient dissimulé sous un camouflage translucide. Le matériel radio était groupé autour d'un trou, sur la paroi de droite. Les Fedaykin s'étaient déployés dans l'attente de l'ordre d'attaque.

Deux hommes émergèrent du boyau qui s'ouvrait près de la radio et interpellèrent les gardes.

Paul regarda Stilgar et désigna les deux hommes. « Va prendre leur rapport, Stil. »

Stilgar obéit et s'avança vers les deux hommes.

Paul s'accroupit, le dos contre le rocher, détendant ses muscles, puis se redressa. Stilgar renvoyait les deux hommes par où ils étaient venus et Paul songea à la longue descente qui les attendait au long de l'étroit boyau creusé de main d'homme qui débouchait, là-bas, au fond du bassin.

Stilgar revenait vers lui.

« Était-ce si important qu'ils n'aient pu utiliser un cielago ? » demanda-t-il.

« Ils gardent les oiseaux pour la bataille, dit Stilgar (Il regarda en direction du matériel de communication, puis revint à Paul.) Même avec un faisceau étroit, il ne faut pas utiliser ces choses, Muad'Dib. On pourrait nous détecter en remontant à l'émetteur. »

« Bientôt, dit Paul, ils seront trop occupés pour me retrouver Que disent les hommes ? »

« Nos Sardaukar apprivoisés ont été relâchés près de la Vieille Faille et retournent vers leur maître. Les lance-fusées et les autres armes à projectiles sont en place. Nos hommes se sont déployés selon tes ordres. Simple routine. »

Le regard de Paul se promena sur les Fedaykin qui attendaient, dans la clarté filtrée par le camouflage. Le temps était comme un insecte cheminant sur un rocher.

« Il faudra un certain temps à nos Sardaukar pour arriver à proximité d'un transport de troupes, dit-il. On les surveille ? »

« On les surveille », dit Stilgar.

Gurney Halleck se racla la gorge avant de demander : « Est-ce que nous ne ferions pas bien de nous mettre à l'abri ? »

« Il n'y a pas d'abri, répliqua Paul. Les rapports sur le temps sont-ils toujours favorables ? »

« La tempête qui arrive est une arrière-grand-mère, dit Stilgar. Est-ce que tu ne le sens pas, Muad'Dib ? »

« L'air me le dit Mais j'aime mieux m'en assurer en sondant le sable »

« La tempête sera ici dans une heure », dit Stilgar.

Il désigna la faille qui ouvrait sur le bassin, le camp impérial et les frégates harkonnens.

« Eux aussi le savent, là-bas. Il n'y a pas un orni dans le ciel. Tout est recouvert et arrimé. Leurs petits amis leur ont annoncé le temps depuis l'espace. »

« Plus de sorties ? » demanda Paul.

« Plus depuis le débarquement, la nuit dernière. Ils savent que nous sommes là. Je crois qu'ils attendent maintenant de choisir leur moment »

« C'est nous qui choisissons », dit Paul

Gurney leva les yeux et grommela : « S'ils nous en laissent le temps. »

« Cette flotte restera dans l'espace », dit Paul.

Gurney secoua la tête.

« Ils n'ont pas le choix, insista Paul. Nous pouvons détruire l'épice. La Guilde ne courra pas ce risque. »

« Ce sont les gens désespérés qui sont les plus dangereux », dit Gurney.

« Ne le sommes-nous pas, nous ? » demanda Stilgar.

Gurney le regarda, fronçant les sourcils.

« Tu n'as pas vécu avec le rêve fremen, lui dit Paul. Stilgar pense à toute l'eau que nous avons dépensée pour la corruption, à toutes ces années d'attente dans l'espoir de voir naître Arrakis. Il n'est pas...j

« Baahh », fit Gurney.

« Pourquoi est-il si sombre ? » demanda Stilgar.

« Il l'est toujours avant la bataille », dit Paul.

Lentement, un sourire de loup apparut sur le visage de Gurney. Ses dents brillèrent au-dessus de la mentonnière de son distille. « Ce qui me rend sombre, c'est la pensée de tous ces pauvres Harkonnens que nous allons laisser sans sépulture convenable. »

Stilgar sourit. « Il parle comme un Fedaykin. »

« Gurney est né pour les commandos de la mort », dit Paul. Et il songea : *Oui, qu'ils occupent leur esprit en bavardant avant que vienne l'heure de se lancer à l'attaque de cette force rassemblée dans la plaine.*

Il regarda dans la direction de la faille, puis, comme ses yeux se posaient à nouveau sur Gurney, il vit que le guerrier-troubadour fronçait toujours les sourcils.

« Le chagrin sape les forces, murmura-t-il. Tu m'as dit cela une fois, Gurney. »

« Mon Duc, je me préoccupe surtout des atomiques. Si vous les utilisez pour creuser une brèche dans le Bouclier... »

« Eux n'utiliseront pas les atomiques contre nous. Ils n'oseront pas... pour la même raison qui les empêche de courir le risque de voir l'épice détruit. »

« Mais l'injonction contre. . »

« L'injonction ! lança Paul. C'est la peur, et non l'injonction, qui empêche les Grandes Maisons de s'attaquer à coups d'atomiques. Les termes de la Grande Convention sont assez

clairs : « L'usage d'atomiques contre des êtres humains amènera l'oblitération planétaire. » C'est le Bouclier que nous
allons attaquer, et non des humains. »

« La différence est subtile », dit Gurney.

« Les coupeurs de cheveux en quatre qui sont là-bas seront
heureux de la reconnaître, dit Paul. Ne parlons plus de cela. »

Il se détourna. Il aurait aimé se sentir vraiment aussi
confiant. « Et les gens de la cité ? demanda-t-il. Sont-ils en
position ? »

« Oui », murmura Stilgar.

Paul se tourna vers lui. « Qu'y a-t-il ? »

« Je n'ai jamais pensé que l'on pouvait se fier entièrement à
un homme de la cité », dit Stilgar.

« J'en étais un moi-même. »

Stilgar se raidit. L'afflux de sang assombrit son visage.
« Muad'Dib sait que je ne... »

« Je sais ce que tu voulais dire, Stil. Mais il ne s'agit pas de
ce que tu penses d'un homme. Il s'agit de ce qu'il fait
vraiment. Les gens de la cité sont de sang fremen. Seulement,
ils n'ont pas su comment se débarrasser de leurs liens. Nous le
leur apprendrons. »

Stilgar acquiesça et dit d'un ton grave : « La vie nous a
habitués à penser ainsi, Muad'Dib. C'est sur la Plaine Funèbre
que nous avons appris à mépriser les gens des communautés. »

Paul regarda Gurney et vit que celui-ci observait attentivement Stilgar. « Gurney, dit-il, explique-nous pourquoi les
gens de la cité ont été chassés de leurs maisons par les
Sardaukar ? »

« Un vieux truc, Mon Duc. Ils pensent que les réfugiés
seront un handicap pour nous. »

« Les dernières guérillas sont si lointaines que les puissants
ont oublié comment les combattre, dit Paul. Les Sardaukar
ont fait notre jeu. Ils ont enlevé quelques femmes des cités
pour se divertir, ils ont décoré leurs fanions avec les têtes des
hommes qui protestaient. Ainsi, ils ont déclenché une fièvre
haineuse chez des gens qui, autrement, n'auraient considéré
cette bataille que comme un inconvénient supplémentaire...

avec la possibilité d'un changement de maître. Les Sardaukar recrutent pour notre compte, Stil. »

« Les gens de la cité ont l'air décidé », admit Stilgar.

« Leur haine est fraîche et nette, dit Paul. C'est pour cela qu'ils constitueront nos troupes de choc. »

« Les pertes seront effrayantes », dit Gurney.

Stilgar hocha la tête.

« Nous le leur avons fait savoir, dit Paul. Ils savent que chaque Sardaukar qu'ils tueront sera autant de gagné pour nous. Voyez-vous, ils ont une raison pour mourir, maintenant. Ils ont découvert qu'ils formaient un peuple. Ils s'éveillent. »

L'homme qui veillait au télescope lança un appel étouffé. Paul se glissa jusqu'à la faille et demanda : « Que se passe-t-il ? »

« Une grande agitation, Muad'Dib. Dans cette monstrueuse tente de métal. Un véhicule de surface vient d'arriver de la Bordure Ouest et c'était comme si un faucon venait de fondre sur un nid de perdrix. »

« Nos prisonniers sardaukar », dit Paul.

« Ils viennent de placer un bouclier tout autour du terrain. Je vois l'air qui danse jusqu'aux parcs où est entreposée l'épice. »

« Maintenant, ils savent qui ils vont combattre, dit Gurney. Maintenant, les bêtes d'Harkonnen doivent trembler à l'idée qu'un Atréides vit encore. »

Paul s'adressa de nouveau au Fedaykin du télescope. « Surveille bien le mât porte-bannière du vaisseau impérial. Si mes couleurs apparaissent... »

« Impossible », dit Gurney.

Paul surprit le froncement de sourcils perplexe de Stilgar. « Si l'Empereur accepte ma réclamation, il le signalera en hissant la bannière des Atréides. En ce cas, nous appliquerons le second plan et nous n'attaquerons que les Harkonnens. Les Sardaukar se tiendront à l'écart et ils nous laisseront nous battre entre nous. »

« Je n'ai aucune expérience des choses des autres mondes,

dit Stilgar. J'en ai entendu parler, mais il me semble peu probable que... »

« Il n'est pas besoin d'expérience pour savoir ce qu'ils vont faire », dit Gurney

« Ils hissent une nouvelle bannière sur le vaisseau principal, annonça le Fedaykin. Il est jaune... avec un cercle rouge et noir au centre. »

« Très subtil, dit Paul. Les couleurs de la Compagnie C. H. O. M. »

« C'est la même bannière que celle des autres vaisseaux », dit encore le Fedaykin.

« Je ne comprends pas », fit Stilgar.

« Oui, très subtil, dit Gurney. S'il avait fait hisser la bannière des Atréides, il lui aurait fallu reconnaître ensuite tout ce que cela impliquait. Il y a trop d'observateurs. Il aurait également pu répondre par les couleurs d'Harkonnen. Mais non... il envoie l'emblème de la C. H. O. M. Ainsi, il dit aux gens de là-haut... (Gurney leva la main vers le ciel)... où se trouve le profit. Il leur dit qu'il lui importe peu que ce soit un Atréides ou un autre qui règne ici. »

« Dans combien de temps la tempête atteindra-t-elle le Bouclier ? » demanda Paul.

Stilgar se retourna et interrogea l'un des Fedaykin qui attendaient. Puis il dit : « Très bientôt, Muad'Dib. Bien plus tôt que nous l'attendions. C'est une arrière-arrière-grand-mère... Elle dépasse peut-être ce que tu espérais. »

« C'est ma tempête, dit Paul. (Et il vit l'expression de crainte respectueuse qui se peignait sur les visages des Fedaykin silencieux.) Viendrait-elle à secouer le monde qu'elle répondrait encore à mes désirs. Frappera-t-elle le Bouclier de plein fouet ? »

« Assez près pour que cela ne fasse aucune différence », dit Stilgar.

Un messager surgit du boyau qui accédait au repaire et lança : « Les patrouilles harkonnens et sardaukar se replient, Muad'Dib ! »

« Ils s'attendent à ce que la tempête interdise toute visibilité, dit Stilgar. Ils pensent que nous allons être paralysés, nous aussi. »

« Dis à nos tireurs de faire le point avec précision avant qu'ils ne puissent plus rien voir, dit Paul. Il faut qu'ils fracassent le nez de chacun de ces vaisseaux aussitôt que la tempête aura détruit les boucliers. »

Il marcha jusqu'à la paroi, tira une partie du camouflage et observa le ciel sombre où dansaient déjà les queues de cheval du sable emporté par le vent. Il remit la couverture en place et dit : « Que nos hommes commencent à descendre, Stil. »

« Tu ne viens pas avec nous ? » demanda Stilgar.

« Je vais attendre un moment avec les Fedaykin. »

Stilgar haussa les épaules d'un air entendu à l'adresse de Gurney et s'avança vers l'orifice obscur du boyau.

Paul s'adressa à Gurney : « La destruction du Bouclier est entre tes mains, Gurney. Je compte sur toi. »

« Je le détruirai. »

Paul se tourna vers un lieutenant des Fedaykin : « Otheym, retire les patrouilles de contrôle de la zone de destruction. Il faut qu'elles se soient éloignées avant que la tempête frappe. »

L'homme s'inclina et suivit Stilgar.

Gurney s'avança dans la faille et lança à l'adresse de l'homme du télescope : « Ne quitte pas le mur sud des yeux. Il sera sans aucune défense jusqu'à l'explosion. »

« Envoie un cielago », ordonna Paul.

« Des véhicules de surface se dirigent vers le mur sud, dit l'homme du télescope. Ils lancent des projectiles d'essai. Nos hommes utilisent les boucliers corporels comme vous l'avez ordonné. Les véhicules s'arrêtent... »

Dans le silence soudain, Paul entendit les démons du vent qui hurlaient dans le ciel. L'avant-garde de la tempête arrivait. Le sable commençait à s'infiltrer dans la cuvette par les trous du camouflage. Puis un souffle de vent arracha le tissu, le balaya.

Paul fit signe au Fedaykin de s'abriter puis se rendit vers les hommes groupés autour du matériel de communication, près de l'orifice du boyau. Gurney le suivit.

« Une arrière-arrière-*arrière*-grand-mère, Muad'
Dib », dit l'un des hommes.

Paul regarda le ciel sombre et dit : « Gurney, que l'on retire
les observateurs du mur sud. » Il dut répéter son ordre. La
tempête hurlait de plus en plus fort.

Gurney s'éloigna.

Paul ajusta le capuchon de son distille, resserra son filtre
facial.

Gurney revenait.

Paul lui toucha l'épaule et désigna le dispositif de déclenche-
ment de l'explosion, à l'entrée du boyau. Gurney s'avança et,
une main sur la commande, se retourna et regarda Paul.

« Aucun message, dit le radio. Rien que la statique. »

Paul acquiesça. Il gardait les yeux fixés sur le cadran gradué
en temps standard. Puis il regarda de nouveau Gurney, leva la
main, revint au cadran... Et abaissa la main en criant :
« Feu ! »

Gurney appuya sur la commande.

Il leur sembla qu'une seconde s'écoulait avant que le sol ne
se mette à trembler. Un grondement s'enfla et s'ajouta au
ronflement de la tempête.

L'homme du télescope apparut devant Paul. Il tenait
l'instrument replié sous le bras. « La brèche est ouverte,
Muad'Dib ! La tempête est sur eux et nos tireurs ouvrent déjà
le feu. »

Paul eut alors la vision de la tempête balayant le bassin
tandis que la muraille de sable chargée d'électricité détruisait
tous les boucliers du camp ennemi sur son passage.

« La tempête ! hurla une voix. Il faut nous abriter,
Muad'Dib ! »

Paul prit conscience des piqûres innombrables du sable sur
ses joues. Il mit un bras sur les épaules du radio : « Laissez le
matériel ! Il y en a dans le tunnel ! » Puis les Fedaykin se
groupèrent autour de lui pour le protéger, le poussèrent en
avant dans les profondeurs du boyau. Ce fut presque le
silence. Ils tournèrent un angle et se retrouvèrent dans un petit
réduit illuminé par des brilleurs. Un autre boyau s'y ouvrait.

Il y avait là un nouveau matériel radio et un opérateur à l'écoute.

« Beaucoup de statique », dit-il.

Un tourbillon de sable les environna.

« Scellez ce tunnel ! » cria Paul. Le silence s'établit. Son ordre avait été exécuté.

« Le chemin est-il libre jusqu'au bassin ? »

L'un des Fedaykin s'éloigna quelques secondes, revint et dit : « L'explosion a provoqué la chute d'un petit rocher, mais les ingénieurs disent que la voie est toujours libre. Ils la nettoient au laser. »

« Dis-leur de se servir de leurs mains ! Il y a encore des boucliers, là en bas ! »

« Ils font attention, Muad'Dib », dit l'homme, mais il repartit néanmoins pour transmettre l'ordre.

Les opérateurs radio de l'extérieur apparurent, portant le matériel.

« Je leur avais dit d'abandonner leur matériel, Muad' Dib », gronda l'un des Fedaykin.

« Les hommes ont plus d'importance que le matériel, en ce moment, dit Paul. Bientôt, nous aurons plus de matériel que nous pouvons en utiliser, ou alors nous n'en aurons plus besoin. »

Gurney s'avança : « Je les ai entendus dire que le chemin était libre. Nous sommes tout près de la surface, ici, Mon Seigneur. Si les Harkonnens se livraient à des représailles. »

« Ils ne sont pas en état de le faire, dit Paul. Ils viennent de s'apercevoir qu'ils n'ont plus de boucliers et qu'il leur est impossible de quitter Arrakis. »

« Mais le nouveau poste de commandement est prêt, Mon Seigneur. »

« Ils n'ont pas encore besoin de moi au poste de commandement. Le plan se déroule très bien sans ma présence. Nous devons attendre que... »

« Je capte un message, Muad'Dib, dit l'opérateur radio (Il secoua la tête.) Il y a trop de statique !» Puis il se mit à griffonner sur un bloc sans cesser de secouer la tête, s'arrêtant par instants, puis recommençant à écrire...

Paul s'approcha. L'un des Fedaykin s'écarta pour lui laisser le passage. Il se pencha sur l'opérateur, lut ce qui était inscrit sur le bloc :

« Raid... sur Sietch Tabr... prisonniers... Alia... familles des... morts sont... ils... fils de Muad'Dib... »

A nouveau, l'opérateur secoua la tête.

Paul releva les yeux Gurney le regardait.

« Le message n'est pas complet, dit-il. Le statique. Vous ne pouvez pas savoir... »

« Mon fils est mort, dit Paul. (Et il sut qu'il disait la vérité dans l'instant même où il prononçait ces mots.) Mon fils est mort... et Alia est prisonnière... une otage. » Il se sentait vide, vide comme un coquillage, sans aucune émotion. Tout ce qu'il touchait n'apportait que la mort et le chagrin. C'était comme une maladie, une lèpre qui pouvait se répandre sur tout l'univers.

Il éprouvait la sagesse d'un viel homme, faite de l'accumulation d'expériences innombrables, dans des vies possibles innombrables. Tout au fond de lui, quelqu'un semblait rire en se frottant les mains.

Et il pensa : *L'univers sait bien peu de choses de la véritable cruauté !*

> Et Muad'Dib se tint devant eux, et il dit : « Bien
> que nous pensions la captive morte, elle vit. Car sa
> graine est la mienne et sa voix est ma voix. Et elle
> voit au-delà des plus lointaines frontières du possi-
> ble. Oui, elle voit jusque dans le vallon de l'incon-
> naissable à cause de moi. »
>
> *Extrait de*
> L'Éveil d'Arrakis
> *par la Princesse Irulan*

LES yeux baissés, le baron Vladimir Harkonnen attendait dans le selamlik, la salle d'audience impériale ovale de l'Empereur Padishah. Furtivement, il avait observé la pièce aux parois de métal et ses occupants : noukkers, pages, gardes, Sardaukar alignés contre les murs dont la seule décoration était constituée par les bannières sanglantes et déchirées prises dans les batailles.

Puis des voix s'élevèrent, venant d'un haut passage qui s'ouvrait sur la droite. « Place ! Place à la Royale Personne ! »

Et l'Empereur Padishah Shaddam IV surgit dans la pièce à la tête de sa suite. Il s'immobilisa et attendit pendant que l'on apportait son trône, ignorant totalement le Baron comme tous ceux qui se trouvaient là.

Le Baron, quant à lui, ne pouvait ignorer la Royale Personne et guettait un quelconque signe de sa part, un quelconque indice qui pût lui permettre de deviner l'objet de cette audience. L'Empereur demeurait parfaitement immobile et calme. Sa silhouette maigre, élancée, était élégamment prise dans l'uniforme gris des Sardaukar, soutaché d'or et d'argent. Ses traits acérés et ses yeux froids, en cet instant, rappelèrent au Baron le duc Leto depuis longtemps défunt. L'Empereur, lui aussi, évoquait un oiseau rapace. Mais il avait les cheveux roux, et non pas bruns, et il portait le casque noir de Burseg dont la couronne était sommée de la crête impériale d'or

Des pages surgirent, portant le trône massif taillé dans un bloc de quartz de Hagal. La pierre bleu-vert lançait des étincelles jaunes. Le siège fut placé sur le dais et l'Empereur put y prendre place.

Une vieille femme en robe aba dont le capuchon était rabattu sur son front quitta alors la suite impériale et vint prendre place derrière le trône. Elle posa une main noueuse sur le dossier de quartz. Son visage, dans l'ombre du capuchon, était la caricature de celui d'une sorcière. Ses joues étaient creusées, ses yeux enfoncés dans les orbites, son nez protubérant et sa peau grêlée était marquée de veines saillantes.

Comme il levait les yeux sur elle, le Baron cessa de trembler. La présence de la Révérende Mère Gaius Helen Mohiam, Diseuse de Vérité de l'Empereur, révélait l'importance véritable de cette audience. Il observa la suite. Deux agents de la Guilde étaient présents, un personnage gras et grand et un autre petit et gras. Tous deux avaient des yeux au regard gris et doux. Parmi les laquais apparaissait l'une des filles de l'Empereur, la Princesse Irulan, une femme que l'on disait éduquée selon la plus absolue discipline Bene Gesserit et destinée à devenir Révérende Mère. Elle était grande, blonde, d'une beauté fragile, avec des yeux verts qui semblaient regarder bien au-delà du Baron.

« Mon cher Baron… »

L'Empereur daignait s'apercevoir de sa présence. Sa voix au timbre de baryton était admirablement contrôlée et il parvenait, par son ton seul, à congédier le Baron tout en l'accueillant.

Le Baron s'inclina profondément et s'avança jusqu'à dix pas du dais, selon l'usage. « Je suis accouru selon votre volonté, Majesté. »

« Votre volonté ! » railla la vieille sorcière.

« Allons, Révérende Mère, dit l'Empereur. Mais il souriait du trouble du Baron en poursuivant : Tout d'abord, dites-moi où vous avez envoyé votre mignon, Thufir Hawat. »

Le regard du Baron alla de droite à gauche. Il s'en voulait d'être ainsi venu sans ses gardes personnels. Bien sûr, ceux-ci eussent été de peu d'utilité face aux Sardaukar. Cependant..

« Eh bien ? »

« Il est parti depuis cinq jours, Majesté. (Le Baron jeta un rapide coup d'œil aux agents de la Guilde avant de revenir à l'Empereur.) Il devait se rendre dans une base de contrebandiers et essayer d'infiltrer ses hommes dans le camp du Fremen fanatique, Muad'Dib. »

« Incroyable ! » s'exclama l'Empereur.

La main de rapace de la sorcière se referma sur l'épaule de l'Empereur. Elle se pencha en avant et chuchota à son oreille.

L'Empereur acquiesça et dit : « Depuis cinq jours, Baron.. Dites-moi, pourquoi ne vous êtes-vous pas soucié de son absence ? »

« Mais je suis inquiet, Majesté ! »

L'Empereur ne le quitta pas du regard. La Révérende Mère émit un rire caquetant.

« Ce que je veux dire, Majesté, reprit le Baron, c'est que Hawat mourra dans quelques heures. » Et il expliqua alors ce qu'il en était du poison latent et de l'antidote.

« Très habile, Baron, dit l'Empereur. Et où sont donc vos neveux, Rabban et le jeune Feyd-Rautha ? »

« La tempête arrive, Majesté. Je les ai envoyés inspecter notre périmètre, craignant une attaque fremen. »

« Le périmètre... dit l'Empereur. (Il semblait avoir craché le mot.) La tempête n'affectera guère ce bassin, et la racaille fremen n'attaquera pas aussi longtemps que je serai là avec mes cinq légions de Sardaukar. »

« Certainement pas, Majesté, dit le Baron, mais la sécurité doit tenir compte de l'erreur. »

« Ahh, fit l'Empereur. Il faut en tenir compte, oui. Alors, que dire de tout le temps que cette comédie d'Arrakis m'a coûté ? Et je ne parle pas des bénéfices de la C. H. O. M. qui s'engloutissent dans ce trou de rat. Ni des problèmes d'État et de juridiction que j'ai dû retarder ou annuler à cause de cette stupide histoire.. »

Le Baron baissa la tête, effrayé par la colère impériale. Il était seul ici, il ne dépendait plus que de la Convention et du dictum familia des Grandes Maisons, et cela le mettait mal à l'aise.

Est-ce qu'il a l'intention de me tuer ? se demanda-t-il. *Non, il ne le peut pas ! Pas avec les Grandes Maisons qui le guettent et qui attendent de tirer un quelconque profit de cette crise.*

« Avez-vous capturé des otages ? » demanda l'Empereur.

« C'est inutile, Majesté, dit le Baron. Ces fous de Fremen honorent chaque prisonnier selon le cérémonial funèbre et se comportent comme s'il était déjà mort. »

« Vraiment ? » dit l'Empereur.

Et le Baron attendit, regardant furtivement les murs de métal du selamlik, songeant à la monstrueuse tente qui s'étendait autour de lui, s'élevait au-dessus de lui, songeant aussi à la richesse que cela représentait. *Il amène des pages,* songea le Baron, *et des laquais inutiles, ses femmes et ses compagnons, ses coiffeurs, ses dessinateurs, tout. Tous les parasites de la Cour jusqu'aux plus infimes. Ils sont tous là... Ils grouillent, ils complotent leurs petites intrigues, ils tournent autour de lui... Ils sont là pour le voir mettre un terme à cette affaire, pour écrire des épigrammes sur la bataille et idolâtrer les blessés.*

« Peut-être, dit l'Empereur, n'avez-vous pas songé aux otages qui convenaient. »

Il sait quelque chose, pensa immédiatement le Baron. Et la peur pesa sur son estomac, comme une pierre très lourde, très

316

froide. C'était comme la faim et le désir de commander immédiatement à manger lui vint et il le repoussa, tremblant entre ses suspenseurs. Autour de lui, il n'y avait personne pour obéir à ses ordres.

« Selon vous, Baron, qui peut bien être ce Muad'Dib ? » demanda l'Empereur.

« Certainement un Umma, un fanatique, un aventurier. Ils apparaissent régulièrement sur ces frontières. Votre Majesté sait bien cela. »

L'Empereur regarda sa Diseuse de Vérité puis ses yeux revinrent sur le Baron. « Et vous n'avez aucun autre renseignement sur ce Muad'Dib ? »

« Un fou, dit le Baron. Mais tous les Fremen sont un peu fous. »

« Fous ? »

« Ils crient son nom quand ils vont au combat. Les femmes lancent leurs bébés sur nos hommes et s'empalent sur nos couteaux pour ouvrir une brèche à leurs hommes quand ils attaquent. Ils n'ont pas… de… de décence ! »

« C'est grave, dit l'Empereur. (Et la dérision qui imprégnait ses paroles n'échappa pas au Baron.) Dites-moi, mon cher Baron, avez-vous exploré les régions du sud polaire d'Arrakis ? »

Le Baron le regarda, surpris par le soudain changement de sujet. « Mais… Mais, Votre Majesté sait bien que toute cette région est inhabitable, entièrement livrée au vent et aux vers. Il n'y a même pas d'épice sous ces latitudes. »

« Jamais aucun équipage des vaisseaux à épice ne vous a rapporté avoir aperçu des zones vertes dans ces régions ? »

« Oui, il y a eu de tels rapports. Certains ont donné lieu à des enquêtes… il y a longtemps. On a décelé quelque végétation. Beaucoup d'ornithoptères ont été perdus. Beaucoup trop. Cela coûte cher, Votre Majesté. Les hommes ne peuvent survivre longtemps dans un tel territoire. »

« Certainement », dit l'Empereur. Il claqua les doigts et une porte s'ouvrit à gauche, derrière le trône. Deux Sardaukar apparurent, escortant une fillette qui ne semblait pas avoir plus de quatre ans. Elle portait une aba noire dont le capuchon était rejeté en arrière, révélant les fixations d'un distille. Ses yeux bleus étaient ceux des Fremen. Son visage était rond, avec des traits doux. Elle ne semblait pas éprouver la moindre peur et il y avait même dans son regard quelque chose qui mit le Baron mal à l'aise.

La vieille Diseuse de Vérité elle-même fit un pas en arrière lorsque l'enfant passa devant elle et elle esquissa un signe dans sa direction.

L'Empereur s'éclaircit la gorge pour parler, mais ce fut la fillette qui prit la parole. Sa voix était aiguë avec un très léger zézaiement enfantin, mais claire et nette, pourtant. « Ainsi c'est lui, dit-elle. (Elle s'avança au bord du dais.) Il n'a pas grande allure, non ? Un vieil homme empli de peur, trop faible pour supporter sa propre graisse sans l'aide des suspenseurs. »

Ces paroles étaient si inattendues de la part d'une enfant de cet âge que le Baron ne put que la regarder en silence, en dépit de sa fureur. *Est-ce une naine ?* se demanda-t-il.

« Mon cher Baron, dit enfin l'Empereur, je vous présente la sœur de Muad'Dib. »

« La sœur de... (Le Baron regarda l'Empereur.) Je ne comprends pas... »

« Moi aussi, parfois, je joue la prudence, dit l'Empereur. On m'a rapporté que vos régions polaires méridionales inhabitées présentaient des signes évidents d'activité humaine. »

« Mais c'est impossible ! s'exclama le Baron Les vers... Il n'y a que du sable jusqu'à... »

« Ces gens semblent en mesure d'éviter les vers », dit l'Empereur.

La fillette s'assit au bord du dais et balança ses pieds dans le vide en examinant les lieux avec un air de totale assurance.

Le Baron ne pouvait détacher son regard de ces petits pieds, soudain, des jambes qui jouaient sous la robe noire.

« Malheureusement, reprit l'Empereur, je n'ai envoyé que cinq transports de troupes avec une force d'attaque réduite pour capturer des prisonniers afin de les interroger. Nous

318

avons eu grand-peine à ramener trois prisonniers et un seul transport de troupes. Oui, Baron, mes Sardaukar ont bien failli être balayés par une force défensive qui se composait en grande partie de femmes, d'enfants et de vieillards. Cette enfant ici présente dirigeait l'un des groupes de combat. »

« Vous voyez, Majesté ! s'exclama le Baron. Vous voyez comment ils sont ! »

« Je me suis laissé capturer, dit la fillette. Je ne voulais pas affronter mon frère et lui dire que son fils avait été tué. »

« Seule une poignée de mes hommes est revenue, dit l'Empereur. Une poignée, entendez-vous ? »

« Nous aurions pu les avoir, s'il n'y avait eu les flammes », commenta l'enfant.

« Mes Sardaukar se sont servis des fusées de leurs appareils comme de lance-flammes, expliqua l'Empereur. Ce n'est que grâce à cela qu'ils ont pu se replier avec leur trois prisonniers. Comprenez bien ceci, Baron : des Sardaukar ont été forcés de battre en retraite devant des femmes, des enfants et des vieillards ! »

« Nous devons attaquer en masse, gronda le Baron. Nous devons détruire jusqu'au dernier vestige de... »

« Silence ! gronda l'Empereur. (Il se dressa.) N'abusez pas plus longtemps de mon intelligence ! Vous restez là devant moi comme un idiot et... »

« Majesté ! » dit la vieille Diseuse de Vérité.

Il eut un geste impératif. « Vous me dites que vous ne savez rien de ce que nous avons découvert, ni des magnifiques qualités de combat de ce peuple ! Pour qui me prenez-vous, Baron ? »

Le Baron fit deux pas en arrière. Il songea : *C'est Rabban. C'est lui qui a provoqué cela. Il m'a...*

« Et cette fausse lutte avec le duc Leto, Baron, grommela l'Empereur en se rasseyant. Comme c'était bien manœuvré... »

« Majesté, commença le Baron. Que cherchez-vous à... »

« Silence ! »

La vieille Bene Gesserit, encore une fois, plaça une main sur l'épaule de l'Empereur et se pencha pour murmurer à son oreille.

La fillette, à cet instant, cessa de balancer les pieds et dit « Effrayez-le encore un peu plus, Shaddam. Je ne devrais pas y prendre plaisir, mais je ne peux m'en empêcher. »

« Silence, enfant, dit l'Empereur (Il se pencha en avant, posa la main sur sa tête et regarda le Baron.) Est-ce possible, Baron ? Pourriez-vous être aussi simple d'esprit que le suggère ma Diseuse de Vérité ? Ne reconnaissez-vous pas cette enfant, ne reconnaissez-vous pas la fille de votre allié, le duc Leto ? »

« Jamais mon père n'a été son allié, dit la fillette. Mon père est mort et jamais cette vieille bête d'Harkonnen ne m'a vue. »

Le Baron demeura pétrifié de stupéfaction. Lorsqu'il retrouva sa voix, il ne put que bredouiller : « Qui ? »

« Je suis Alia, fille du duc Leto et de Dame Jessica, sœur du duc Paul-Muad'Dib, répondit la fillette. (Elle se redressa et sauta sur le parquet de la salle d'audience.) Mon frère a juré de placer votre tête sur son emblème de bataille et je crois qu'il le fera. »

« Tais-toi, enfant », dit l'Empereur. Et il se laissa aller au fond de son trône, la main sous le menton, examinant le Baron.

« Je ne reçois pas d'ordre de l'Empereur, dit Alia. (Elle se retourna et leva les yeux vers la Révérende Mère.) Elle sait. »

L'Empereur se tourna vers sa Diseuse de Vérité. « Que veut-elle dire ? »

« Cette enfant est une abomination ! s'exclama la vieille femme. Sa mère mérite la punition la plus sévère que l'Histoire ait jamais connue. La mort ne peut être trop rapide pour cette *enfant* et celle qui l'a engendrée ! (Elle pointa l'index vers Alia.) Sors de mon esprit ! »

« Télépathie ? souffla l'Empereur. (Il reporta son attention sur la fillette.) Par la Grande Mère ! »

« Vous ne comprenez pas, Majesté, dit la vieille femme. Ce n'est pas de la télépathie ; elle est vraiment dans mon esprit.

Elle est comme toutes celles qui m'ont précédée et qui m'ont laissé leurs souvenirs. Elle est à l'intérieur de mon esprit ! »

« Quelles autres ? demanda l'Empereur. Qu'est-ce que cette histoire absurde ? »

La vieille femme se redressa et tendit la main. « J'en ai trop dit, mais il n'en reste pas moins que cette *enfant* qui n'en est pas une doit être détruite. Depuis longtemps nous sommes avertis de ce qu'il faut faire pour empêcher une telle naissance, mais l'une des nôtres nous a trahies ! »

« Vous radotez, vieille femme, dit Alia. Vous ne savez même pas ce dont il s'agit. » Elle ferma les yeux, prit une profonde inspiration et la garda.

La vieille Révérende Mère grommela et vacilla.

Alia ouvrit les yeux. « Cela s'est passé ainsi, dit-elle. C'était un accident cosmique.. et vous y avez joué un rôle. »

La Révérende Mère leva les mains comme pour repousser la fillette

« Que se passe-t-il donc ici ? demanda l'Empereur. Enfant, est-il vrai que tu puisses projeter tes pensées dans un autre esprit ? »

« Ce n'est pas du tout cela, dit Alia. Si je ne suis pas née comme vous, je ne peux donc penser comme vous. »

« Tuez-la, marmonna la vieille femme en s'appuyant au dossier du trône. Tuez-la ! » Ses yeux profondément enfoncés et luisants étaient fixés sur Alia.

« Silence ! ordonna l'Empereur. (Il observa la fillette.) Peux-tu entrer en communication avec ton frère ? »

« Mon frère sait que je suis ici. »

« Peux-tu lui demander de se rendre en échange de ta vie ? »

Alia sourit avec innocence. « Non, je ne ferai pas cela », dit-elle.

Le Baron s'avança. « Majesté... Je ne sais rien de... »

« Baron, dit l'Empereur, à la prochaine interruption, je vous ôte l'usage de la parole. pour toujours. (Ses yeux ne quittaient pas le petit visage d'Alia sous ses paupières à demi fermées.) Tu refuses, hein ? Peux-tu lire dans mon esprit ce que je vais faire si tu ne m'obéis pas ? »

« J'ai déjà dit que je ne peux lire dans les esprits, dit l'enfant. Mais il n'est pas besoin d'être télépathe pour connaître vos intentions. »

L'Empereur se renfrogna. « Enfant, ta cause est sans espoir. Il ne me reste qu'à rassembler mes forces et à réduire cette planète en... »

« Ce n'est pas aussi simple, dit Alia. (Elle regarda les deux hommes de la Guilde.) Demandez-leur donc. »

« Il n'est pas raisonnable de s'opposer à mes désirs, dit l'Empereur. Tu ne peux rien me refuser. »

« Mon frère arrive, dit Alia. Même un Empereur doit trembler devant Muad'Dib, car sa force est celle du bon droit et le ciel lui sourit. »

L'Empereur bondit sur ses pieds. « Ce jeu a suffisamment duré. Je vais me charger de ton frère en même temps que de cette planète et les broyer en... »

La pièce vibra et trembla autour d'eux dans un grondement sourd. Puis une cascade de sable s'abattit derrière le trône impérial, à la jonction de la tente de métal et du vaisseau. La pression de l'air augmenta brusquement. La peau des assistants frémit. Un bouclier de vastes dimensions venait d'être mis en batterie.

« Je vous ai dit que mon frère arrivait », dit Alia.

L'Empereur se tenait immobile devant son trône, la main droite contre l'oreille droite, écoutant son servo-récepteur. Le Baron se rapprocha d'Alia tandis que les Sardaukar prenaient position aux issues.

« Nous allons regagner l'espace et nous regrouper, dit l'Empereur. Baron, toutes mes excuses. Ces fous attaquent bel et bien sous le couvert de la tempête. Ils vont savoir ce qu'est la colère de l'Empereur. (Il désigna Alia.) Jetez-la dans la tempête. »

A ces mots, Alia se rejeta en arrière, feignant la terreur. « Que la tempête prenne ce qu'elle pourra ! » cria-t-elle. Et elle se jeta dans les bras du Baron.

« Je la tiens, Majesté ! lança celui-ci. Faut-il que je la jette au-dehors mainte... Aaaahhh ! » Il la projeta sur le sol et serra son bras gauche.

« Désolée, grand-père, dit Alia. Vous avez fait la connaissance du gom jabbar des Atréides. » Elle se releva et une goutte sombre tomba de sa main.

Le Baron s'effondra. Ses yeux exorbités se portèrent sur la trace rouge qui apparaissait sur sa paume. « Tu... » souffla-t-il. Il roula entre ses suspenseurs et ne fut plus qu'une masse énorme de chair flasque. Sa tête ballotta encore quelques secondes tandis que s'ouvrait sa bouche.

« Ces gens sont fous ! gronda l'Empereur. Vite ! A bord du vaisseau ! Nous allons purger cette planète de tous ses... »

Quelque chose étincela sur sa gauche. Une boule de foudre jaillit de la paroi et crépita en touchant le sol. Une odeur de feu se répandit dans le selamlik.

« Le bouclier ! cria l'un des officiers sardaukar. Le bouclier extérieur est abattu ! Ils... »

Le reste de ses paroles fut noyé dans un rugissement métallique tandis que la coque du vaisseau, derrière l'Empereur, vacillait et frémissait.

« Ils ont détruit le nez du vaisseau ! » hurla une voix.

Un nuage de poussière s'engouffra dans la pièce. Alia s'élança vers la porte.

L'Empereur se retourna alors et fit signe à ses gens de gagner l'issue de secours qui s'était ouverte derrière son trône. Au travers de la poussière, il leva la main à l'adresse d'un officier sardaukar. « Nous résisterons ici ! » ordonna-t-il.

Une autre commotion secoua la tente de métal. Les doubles portes claquèrent violemment à l'extrémité de la pièce, livrant passage à un torrent de sable tandis que retentissaient des cris innombrables. Un instant, chacun put entrevoir une petite silhouette en robe noire dans la lumière. Alia se ruait au-dehors pour se procurer un couteau et, comme le voulait son éducation fremen, achever tous les blessés, Harkonnens et Sardaukar. Les Sardaukar de la suite impériale se déployèrent alors dans la brume jaunâtre, formant un arc de cercle pour protéger la retraite de l'Empereur.

« Au vaisseau ! cria un Sardaukar. Sauvez-vous, Sire ! »

Mais l'Empereur demeurait seul, la main tendue vers les portes. La paroi s'était abattue sur quarante mètres et les portes du selamlik s'ouvraient sur le sable en furie. Depuis des distances infinies et pastel, un nuage de poussière soufflait sur le monde. Il crépitait d'éclairs d'électricité statique qui s'ajoutaient aux étincelles des boucliers qui, l'un après l'autre, succombaient à la tempête. Sur toute la plaine, des silhouettes s'affrontaient, des Sardaukar et des hommes en robe qui semblaient surgir sans cesse du cœur de la tempête et qui sautaient et tourbillonnaient.

Tout cela, l'Empereur le désignait de sa main tendue.

De la brume ocre surgit alors une rangée de formes rondes et mouvantes, étincelantes, bardées de crocs cristallins, une rangée de vers de sable aux gueules béantes, une muraille vivante de monstres que chevauchaient des guerriers fremen. Ils arrivaient dans un crissement, un sifflement, dans le frisson noir des robes dans le vent. Ils s'avançaient, écartaient, écrasaient la mêlée furieuse répandue sur la plaine. Ils venaient droit sur la grande tente impériale et les Sardaukar les regardaient approcher, pétrifiés de peur pour la première fois de leur histoire, ne parvenant pas à croire à une telle attaque.

Mais les silhouettes qui dansaient sur le dos des monstres étaient celles de Fremen et les lames qu'ils brandissaient et qui jetaient des éclairs dans la menaçante clarté jaune de la tempête étaient familières aux Sardaukar. Ils se lancèrent à l'attaque. Et le combat s'engagea tandis qu'un Sardaukar poussait l'Empereur vers le vaisseau, scellait la porte et se préparait à mourir à ce poste.

A l'intérieur du vaisseau, c'était presque le silence. Le regard de l'Empereur se porta sur les visages blêmes des gens de sa suite. Sa fille aînée semblait épuisée et ses joues étaient empourprées. La vieille Diseuse de Vérité n'était plus qu'une ombre noire. L'Empereur découvrit alors les deux silhouettes qu'il cherchait, les deux hommes de la Guilde en uniforme gris, strict, qui ne se départissaient pas de leur calme.

Le plus grand des deux, pourtant, gardait une main sur son œil gauche. Tandis que l'Empereur l'observait, quelqu'un le bouscula, sa main glissa et l'œil apparut. L'homme de la Guilde avait perdu son verre de contact et l'Empereur vit l'œil tel qu'il était, totalement bleu, d'un bleu si sombre qu'il semblait noir.

Le plus petit des deux s'avança vers l'Empereur et dit : « Nous ne pouvons prévoir l'issue. » Et son compagnon, ayant maintenant remis la main sur son œil bleu, ajouta d'un ton froid : « Mais ce Muad'Dib non plus. »

Ces mots produisirent un choc dans l'esprit de l'Empereur et il sortit de sa torpeur. Il se retint à grand-peine d'exprimer son mépris pour ce navigateur de la Guilde incapable de deviner le proche avenir qui se formait, là, au-dehors. Ces gens dépendaient-ils à ce point de leur *faculté* qu'ils avaient perdu tout à la fois la vue et la raison ?

« Révérende Mère, dit-il. Nous devons mettre un plan au point. »

Elle rejeta son capuchon en arrière et affronta son regard. Une totale compréhension s'établit entre eux, à cet instant. Ils savaient qu'il leur restait encore une arme : la traîtrise.

« Convoquez le comte Fenring », dit la Révérende Mère.

L'Empereur acquiesça et fit signe à l'un de ses lieutenants.

> Il était guerrier et mystique, féroce et saint ; il était retors et innocent, chevaleresque, sans pitié, moins qu'un dieu, plus qu'un homme. On ne peut mesurer Muad'Dib selon les données ordinaires. Au moment de son triomphe, il devina que la mort le guettait et accepta pourtant la traîtrise. Peut-on dire qu'il le fit pour obéir à son sens de la justice ? Quelle justice, en ce cas ? Car, souvenez-vous bien : nous parlons du Muad'Dib qui revêtit ses tambours de la peau de ses ennemis, qui rejeta toutes les conventions de son passé ducal en déclarant simplement : « Je suis le Kwisatz Haderach. Cette raison me suffit. »
>
> *Extrait de*
> L'Éveil d'Arrakis,
> *par la Princesse Irulan.*

Au soir de la victoire, ce fut jusqu'à la résidence gouvernementale, l'ancienne demeure des Atréides, qu'ils escortèrent Paul-Muad'Dib. L'édifice était tel que Rabban l'avait restauré. Il n'avait souffert en rien des combats bien que la population de la cité l'eût pillé. Certains des meubles, dans le grand hall, avaient été renversés et brisés.

Paul franchit la porte principale, suivi de Gurney Halleck et de Stilgar. Leur escorte se dispersa dans le Grand Hall et ménagea un espace sûr pour Muad'Dib. Un groupe se mit en quête de pièges.

« Je me souviens du jour où nous sommes arrivés ici avec votre père, dit Gurney. (Il leva les yeux sur les larges poutres et les hautes fenêtres.) Cet endroit ne m'a pas plu alors, et il ne me plaît pas plus maintenant. Nos grottes sont plus sûres. »

« Voilà qui est parlé. Vous êtes un vrai Fremen, dit Stilgar (Il remarqua le sourire froid qui apparut sur les lèvres de Muad'Dib.) Muad'Dib, accepteras-tu de changer d'idée ? »

« Cet endroit est un symbole. Rabban vivait ici. En l'occupant, je scelle ma victoire aux yeux de tous. Que l'on envoie des hommes dans toute la place. Qu'ils ne touchent à rien. Qu'ils s'assurent simplement qu'il ne reste aucun Harkonnen ici. »

« Comme tu voudras », dit Stilgar, et il se détourna avec réticence.

L'équipe de radio surgit dans la salle et se mit à installer le matériel près de la grande cheminée. Les Fremen qui s'étaient joints aux Fedaykin prirent position autour de la salle. L'ennemi avait trop longtemps résidé en ce lieu pour qu'ils relâchent leur vigilance.

« Gurney, qu'une escorte aille chercher ma mère et Chani, dit Paul. Chani sait-elle, pour notre fils ? »

« Le message a été envoyé, Mon Seigneur. »

« Les faiseurs ont-ils été retirés du bassin ? »

« Oui, Mon Seigneur. La tempête est presque finie. »

« Quels sont les dégâts ? »

« Très importants sur le chemin direct, c'est-à-dire sur le terrain de débarquement et les parcs à épice de la plaine. Autant par la bataille que par la tempête, d'ailleurs. »

« Rien que l'argent ne puisse réparer, je pense », dit Paul.

« Rien si ce n'est les vies, Mon Seigneur. » Et il y avait un accent de reproche dans la voix de Gurney, comme s'il voulait dire : « *Depuis quand un Atréides se soucie-t-il des choses alors que des vies humaines étaient en jeu ?* »

Mais l'attention de Paul était tout entière fixée sur son œil intérieur, sur la muraille du temps où apparaissaient des brèches. Par chacune de ces brèches, le jihad se ruait au travers des corridors de l'avenir.

Il soupira, traversa le hall et vit une chaise contre le mur Elle s'était autrefois trouvée dans la salle à manger et son père avait pu y prendre place. En cet instant, cependant, ce n'était qu'un siège offert à sa fatigue et à son désir d'isolement. Il s'y assit, ramena sa robe sur ses jambes et desserra les fixations de son distille.

« L'Empereur se terre toujours dans les débris de son vaisseau », dit Gurney.

« Jusqu'à nouvel ordre, qu'il y reste, dit Paul. A-t-on retrouvé les Harkonnens ? »

« On examine toujours les morts. »

« Et qu'ont répondu les vaisseaux, là-haut ? » Il leva le menton.

« Encore rien, Mon Seigneur. »

Paul soupira et s'appuya au dossier. « Amène-moi un prisonnier sardaukar. Il faut que nous fassions parvenir un message à l'Empereur. Il est temps de discuter des termes de la reddition. »

« Oui, Mon Seigneur. »

Gurney se retourna et, d'un geste, ordonna à l'un des Fedaykin de prendre position auprès de Paul.

« Gurney, souffla Paul. Depuis que nous nous sommes retrouvés, j'attends que tu trouves la citation appropriée à l'événement. » Se retournant, il vit l'expression sombre de Gurney, le raidissement des muscles sur ses mâchoires.

« Comme vous le désirez, Mon Seigneur. (Il s'éclaircit la gorge et dit) : Et la victoire en ce jour se changea en deuil pour tout le peuple, car le peuple sut ce jour que le roi pleurait son fils. »

Paul ferma les yeux, essayant de chasser le chagrin, d'attendre que vienne le temps de pleurer, tout comme il avait attendu pour pleurer son père. Il concentra ses pensées sur toutes les découvertes qu'il avait faites en ce jour, sur les avenirs qui se mêlaient et la *présence* d'Alia dans son esprit De toutes les particularités de la vision temporelle, celle-ci était la plus étrange. « Je peux maîtriser le temps afin que mes paroles ne parviennent qu'à toi, avait dit Alia. Même toi, mon frère, tu ne peux faire cela. Je trouve ce jeu intéressant. Et… oh oui… j'ai tué notre grand-père, ce vieux baron dément. Il a peu souffert. »

Silence. Sa perception temporelle lui disait qu'Alia s'était retirée de lui.

« Muad'Dib ! »

Il ouvrit les yeux et vit le visage de Stilgar. Les yeux sombres au-dessus de la barbe sombre étaient fixés sur lui dans les lueurs de la bataille.

« Tu as trouvé le corps du Baron », dit Paul.

« Comment peux-tu savoir ? murmura Stilgar. Nous venons seulement de retrouver son corps dans ce grand tas de métal édifié par l'Empereur. »

Paul parut ne pas entendre la question. Gurney revenait, suivi de deux Fremen qui escortaient un prisonnier sardaukar.

« En voici un, Mon Seigneur », dit Gurney. D'un geste, il ordonna aux gardes de s'arrêter avec le prisonnier à cinq pas de Paul.

Paul remarqua aussitôt que l'homme était encore sous l'effet d'un choc. Ses yeux avaient un regard terne et une marque sombre allait de son nez à sa bouche. Il était blond avec ces traits acérés qui semblaient caractériser les hommes de haut rang parmi les Sardaukar. Son uniforme, cependant, était vierge d'insignes. Il ne portait que les boutons dorés marqués de la crête impériale.

« Je pense que c'est un officier, Mon Seigneur », dit Gurney

Paul acquiesça et dit : « Je suis le duc Paul Atréides. Comprends-tu cela ? »

Le Sardaukar le regarda sans répondre, sans esquisser un mouvement

« Parle, dit Paul. Ou il se pourrait bien que ton Empereur meure »

L'homme cligna des paupières et se raidit

« Qui suis-je ? » demanda Paul

« Vous êtes le duc Paul Atréides », répondit le Sardaukar d'une voix étranglée.

Paul eut l'impression qu'il se soumettait trop aisément mais, à bien y songer, les Sardaukar ne s'étaient jamais attendu aux événements qui venaient de marquer la journée. Ils n'avaient jamais connu rien d'autre que la victoire, ce qui, se dit Paul, pouvait être une forme de faiblesse. Il écarta cette pensée en se promettant d'y revenir plus tard.

« Je veux que tu portes un message à l'Empereur, dit-il. (Et il prononça l'ancienne formule.) Moi, Duc de Grande Maison, Sujet Impérial, fais serment de fidélité à la Convention. Si l'Empereur et les siens baissent les bras et viennent à moi, je garderai leur vie comme la mienne. (Il leva la main gauche pour que le Sardaukar pût voir l'anneau ducal.) Par cela, je le jure. »

L'homme s'humecta les lèvres, regarda Gurney.

« Oui, dit Paul, qui d'autre qu'un Atréides pourrait s'assurer l'allégeance de Gurney Halleck. »

« Je porterai votre message », dit le Sardaukar.

« Qu'on l'emmène au poste de commandement avancé », dit Paul.

« Oui, Mon Seigneur. » Gurney transmit l'ordre aux gardes et les précéda vers la porte.

Paul se tourna vers Stilgar.

« Chani et ta mère sont arrivées, dit celui-ci. Chani a demandé de rester quelque temps seule avec son chagrin. La Révérende Mère est demeurée un moment dans la chambre étrange. J'ignore pourquoi. »

« Ma mère regrette ce monde qu'elle ne reverra peut-être jamais, dit Paul, où l'eau tombe du ciel et où les plantes poussent si denses que, parfois, on ne peut marcher entre elles. »

« De l'eau qui tombe du ciel », souffla Stilgar.

Et, en cet instant, Paul prit conscience de la transformation qui s'était opérée en Stilgar. Le naïb fremen était devenu la créature du Lisan al-Gaib, pleine d'obéissance et d'adoration.

Ce n'était plus vraiment là un homme et Paul sentit en lui le premier souffle de vent fantomatique du jihad.

J'ai vu un ami se changer en adorateur, songea-t-il.

Il éprouva tout à coup une impression de profonde solitude. Il promena son regard sur la salle et vit à quel point l'attitude des gardes s'était modifiée en sa présence. Ils avaient rectifié leur tenue et se tenaient comme à la parade, se livrant à une sorte de compétition dans l'espoir d'attirer l'attention de Muad'Dib.

Muad'Dib de qui vient toute bénédiction, pensa-t-il, et c'était bien la pensée la plus amère de sa vie. *Ils se disent que je dois m'emparer du trône. Mais ils ne savent pas que je ne le fais que pour empêcher le jihad.*

« Rabban aussi est mort », dit Stilgar.

Paul acquiesça.

Sur la droite, soudain, les hommes se mirent au garde-à-vous pour livrer passage à Jessica. Elle portait l'aba noire et semblait encore marcher sur le sable. Mais Paul remarqua que quelque chose semblait être revenu en elle, quelque chose qui datait du temps où elle vivait ici, concubine du duc régnant. Un peu de son ancienne assurance.

Elle s'arrêta devant son fils et le regarda. Elle comprit sa fatigue, elle vit qu'il la cachait, mais elle ne ressentit aucune compassion pour lui. C'était comme si elle était désormais incapable de toute émotion à l'égard de son fils.

En pénétrant dans le Grand Hall, elle s'était demandé pourquoi les lieux refusaient de reprendre leur place dans ses souvenirs. Cette salle demeurait étrangère, comme si elle n'y avait jamais pénétré, comme si elle ne l'avait jamais traversée au bras de son Duc bien-aimé, comme si elle n'avait jamais affronté là, certain soir, un Duncan Idaho complètement ivre… Comme si jamais… jamais… jamais…

Il devrait exister une tension-mot directement opposée à l'adab, la mémoire qui exige, se dit-elle. *Il devrait exister un mot pour désigner les souvenirs qui se renient.*

« Où est Alia ? » demanda-t-elle.

« Au-dehors, répondit Paul. Elle fait ce que tout bon enfant de Fremen fait en de telles circonstances. Elle achève les ennemis blessés et marque leurs corps pour l'équipe de récupération d'eau. »

« Paul ! »

« Il faut que vous compreniez qu'elle agit par bonté. N'est-il pas étrange que nous puissions ne pas comprendre l'unité cachée de la bonté et de la cruauté ? »

Jessica ne put que regarder son fils, bouleversée par le changement qui s'était opéré en lui. *Est-ce la mort de son enfant qui a fait cela ?* se demanda-t-elle. Et elle dit : « Les hommes racontent d'étranges histoires à ton propos, Paul. Ils disent que tu as tous les pouvoirs de la légende, que rien ne peut te rester caché, que tu vois là où les autres ne peuvent voir. »

« Une Bene Gesserit qui pose des questions à propos de légendes ? » dit-il.

« J'ai ma responsabilité dans ce que tu es, dit-elle. Mais n'espère pas que je.. »

« Que diriez-vous de vivre des milliards et des milliards d'existences ? demanda Paul. Quel réservoir de légendes ! Pensez à toutes les expériences, à toute la sagesse qu'il peut en résulter. Mais la sagesse atténue l'amour, n'est-ce pas ? Et elle donne une forme nouvelle à la haine... Comment savoir ce qui est impitoyable si l'on n'a pas exploré les tréfonds de la cruauté comme ceux de la bonté ? Vous devriez me redouter, Mère. Je suis le Kwisatz Haderach. »

Jessica avait la gorge sèche. « Une fois, dit-elle, tu as nié l'être. »

Il secoua la tête. « Je ne le peux plus. (Il affronta son regard.) L'Empereur et ses gens arrivent, maintenant. Dans un instant, on les annoncera. Restez à mes côtés. Je désire les voir pleinement, clairement. Ma future épouse sera parmi eux. »

'« Paul ! Ne commets pas la faute de ton père ! »

« C'est une princesse, dit-il. Elle m'ouvre le chemin du trône et c'est tout. Une faute ? Vous croyez que, parce que je suis tel que vous m'avez fait, je ne puis éprouver le besoin de me venger ? »

« Même sur les innocents ? » demanda-t-elle Et elle pensa . *Il ne faut pas qu'il commette les fautes que j'ai commises.*

« Il n'y a plus d'innocents », dit-il.

« Dis cela à Chani », répondit Jessica, et elle tendit la main vers le couloir qui accédait à l'arrière de la demeure.

Chani arrivait. Elle pénétrait dans le Grand Hall entre les gardes fremen comme si elle ne les voyait pas. Son capuchon était rejeté en arrière et son masque facial abaissé. Sa démarche semblait fragile, incertaine, comme elle s'avançait et s'arrêtait auprès de Jessica.

Paul vit les traces des larmes sur ses joues. *Elle donne l'eau aux morts.* A nouveau, il sentit le chagrin monter en lui, comme éveillé par la présence de Chani.

« Il est mort, bien-aimé, dit Chani. Notre fils est mort. »

Paul se leva. Il maintenait un contrôle absolu sur lui-même. Il tendit la main, toucha la joue de Chani, l'humidité sur sa peau.

« On ne peut le remplacer, dit-il, mais il y aura d'autres fils. Usul te le promet. » Doucement, il l'éloigna, puis fit signe à Stilgar.

« Muad'Dib », dit Stilgar.

« Ils arrivent du vaisseau, l'Empereur et tous les siens. Je vais les attendre ici. Rassemble tous les prisonniers au centre de la salle. Qu'ils demeurent à dix mètres de moi sauf ordre contraire. »

« A tes ordres, Muad'Dib. »

Comme Stilgar s'éloignait, Paul perçut les murmures des gardes fremen. « Vous voyez ? Il sait ! Personne ne lui a rien dit, mais il sait ! »

Et maintenant, on pouvait entendre approcher les Sardaukar Ils fredonnaient une chanson de marche. Puis il y eut un vaste murmure de voix dans l'entrée et Gurney Halleck surgit, s'approcha d'abord de Stilgar, puis vint vers Paul Il avait un regard étrange

Vais-je perdre Gurney aussi ? se demanda Paul. *Tout comme j'ai perdu Stilgar... Je vais perdre encore un ami pour gagner une créature ?*

« Ils n'ont aucune arme de jet, dit Gurney. Je m'en suis assuré moi-même. (Il promena les yeux sur la salle, observant les préparatifs ordonnés par Paul.) Feyd-Rautha Harkonnen est avec eux. Faut-il que je l'isole ? »

« Laisse-le. »

« Il y a aussi des gens de la Guilde. Ils demandent des privilèges spéciaux et menacent de déclencher l'embargo sur Arrakis. Je leur ai dit que je transmettrais leur message. »

« Qu'ils menacent donc. »

« Paul ! souffla Jessica. C'est de la Guilde qu'il s'agit ! »

« Je vais lui ôter ses crocs », dit-il.

Il songea alors à la Guilde, à cette puissance qui s'était spécialisée depuis si longtemps qu'elle était devenue un parasite, incapable d'exister indépendamment de cette vie dont elle se nourrissait. Jamais la Guilde n'avait osé brandir l'épée... et maintenant elle ne le pouvait plus.

Ses navigateurs dépendent exclusivement du Mélange. Quand elle a compris l'erreur que cela signifiait, elle aurait dû s'emparer d'Arrakis. Elle aurait pu réussir, connaître son jour de gloire et mourir. Au lieu de cela, elle prolonge son existence d'instant en instant, espérant que les mers qu'elle parcourt pourront produire un hôte nouveau quand l'ancien mourra.

Les navigateurs de la Guilde, avec leur prescience limitée, avaient fait un choix fatal : ils s'étaient engagés sur le chemin le plus facile, le plus sûr, celui qui conduit à la stagnation.

Qu'ils regardent attentivement ce nouvel hôte, pensa Paul.

« Il y a aussi une Révérende Mère Bene Gesserit qui déclare être une amie de votre mère », dit Gurney.

« Ma mère n'a pas d'amies parmi les Bene Gesserit. »

A nouveau, Gurney examina le Grand Hall, puis se pencha à l'oreille de Paul. « Thufir Hawat est avec eux, Mon Seigneur. Je n'ai pu le voir seul, mais il m'a expliqué avec nos anciens signes de code qu'il avait travaillé pour les Harkonnens et qu'il vous avait cru mort. Il dit qu'il doit rester avec eux. »

« Tu as laissé Thufir avec ces... »

« C'est ce qu'il voulait... et j'ai pensé que c'était mieux ainsi. S'il... si quelque chose n'allait pas, il est dans une position où il peut nous rendre service. »

Paul se souvint alors de brèves visions prescientes des avenirs possibles. Dans l'une, en particulier, Thufir Hawat portait une aiguille empoisonnée que l'Empereur lui avait ordonné d'utiliser contre « ce duc révolté ».

Les gardes postés à l'entrée s'écartèrent et formèrent un étroit couloir de lances. Il y eut un bruit confus fait du froissement des étoffes, des pieds crissant dans le sable.

L'Empereur Padishah Shaddam IV apparut à la tête de ses gens. Il n'avait plus son casque de burseg et sa chevelure rousse était en désordre. La manche gauche de son uniforme avait été déchirée tout au long de la couture intérieure. Il était sans ceinture, sans armes mais, par sa seule personnalité, il semblait créer un bouclier autour de lui.

Une lance fremen s'abaissa devant lui, l'arrêtant à la distance indiquée par Paul. Les gens de sa suite se groupèrent derrière lui, visages confondus, étoffes multicolores et mêlées.

Paul leva son regard sur eux. Il vit des femmes qui essayaient de dissimuler leurs larmes, il vit des valets qui n'étaient venus sur Arrakis que pour assister à une nouvelle victoire des Sardaukar et que la défaite avait rendus muets. Il vit les yeux d'oiseau brillants de la Révérende Mère Gaius Helen Mohiam qui l'épiaient sous le capuchon noir et, auprès d'elle, la silhouette étroite, effacée, de Feyd-Rautha Harkonnen.

Puis, derrière Feyd-Rautha, son regard fut attiré par un mouvement. Il découvrit un visage mince, des traits de fouine qu'il n'avait encore jamais vus. Pourtant, c'était comme s'il devait connaître ce visage.

Le temps me l'a caché, se dit-il.

Cette pensée était teintée de peur.

Pourquoi devrais-je avoir peur de cet homme ?

Il se pencha vers sa mère et murmura : « Cet homme, là-bas, à gauche de la Révérende Mère ?... Qui est-ce ? »

Jessica reconnut le visage pour l'avoir vu dans les dossiers de son Duc. « Le comte Fenring, dit-elle. Celui qui nous a précédés sur Arrakis. Un eunuque-génétique... un tueur. »

Le commis de l'Empereur, songea Paul. Et il éprouva comme un choc au plus profond de sa conscience car s'il avait eu la vision d'innombrables avenirs possibles où l'Empereur était présent, jamais il n'avait vu le comte Fenring.

Il avait également vu son propre cadavre en de multiples points de la trame du temps, mais il n'avait jamais assisté à sa mort.

Cet homme m'est-il demeuré caché parce qu'il est précisément celui qui doit me tuer ? se demanda-t-il.

Cette pensée lui amena un sentiment d'appréhension. Il détacha son attention de Fenring et observa les Sardaukar, leurs visages amers, désespérés. Parmi eux, certains étaient vigilants. Ils examinaient et sondaient la salle en quête d'un moyen qui leur permettrait de changer la défaite en victoire.

Finalement, le regard de Paul se posa sur une grande femme blonde aux yeux verts, d'une beauté patricienne. Son visage plein de dignité ne portait aucune trace de larmes. Paul sut aussitôt qui elle était . la Princesse Royale Bene Gesserit Irulan dont le visage lui était apparu dans bien des situations

La clé du trône, se dit-il.

Puis il se produisit un mouvement au sein de la suite impériale et un homme en émergea : Thufir Hawat. Ses lèvres étaient toujours aussi noires dans son visage ancien, ses épaules toujours aussi voûtées, son apparence aussi fragile.

« Voici Thufir, dit Paul. Qu'il aille librement, Gurney. »

« Mon Seigneur ! »

« Qu'il aille librement », répéta Paul.

Gurney acquiesça.

Hawat s'avançait. Une lance fremen se releva puis se rabaissa derrière lui. Ses yeux chassieux étaient fixés sur Paul. Ils cherchaient, mesuraient.

Paul fit un pas en avant et perçut la tension, l'attente de l'Empereur et de ses gens.

Le regard de Hawat se porta au-delà de Paul et il dit : « Dame Jessica, je n'ai appris qu'aujourd'hui quelle était mon erreur. Il est inutile de me pardonner. »

Paul attendit. Sa mère demeurait silencieuse.

« Thufir, mon vieil ami, dit-il, comme tu le vois, je ne tourne le dos à aucune porte. »

« L'univers est plein de portes », dit Hawat.

« Suis-je le fils de mon père ? »

« Tu ressembles plus à ton grand-père, dit Hawat d'une voix rauque. Tu en as le regard et les manières. »

« Pourtant, je suis le fils de mon père, dit Paul. Je te le dis, Thufir : pour toutes ces années où tu as servi ma famille, tu peux maintenant me demander ce que tu veux. Tout ce que tu veux. Est-ce ma vie que tu veux ? Elle est à toi. » Et il fit encore un pas en avant, les mains au long du corps. Il vit alors la compréhension qui s'éveillait dans le regard de Thufir.

Il sait que j'ai deviné le piège, pensa-t-il.

Il réduisit alors sa voix à un simple chuchotement qui ne pouvait être perçu que de Hawat : « Je parle sincèrement, Thufir. Si tu dois me frapper, frappe maintenant. »

« Je voulais seulement reparaître une fois devant toi, Mon Duc », dit Hawat. Et Paul, pour la première fois, vit l'effort que faisait le vieil homme pour ne pas tomber. Il s'avança, le prit par les épaules et sentit frémir les muscles sous ses doigts.

« Tu souffres, mon vieil ami ? »

« Je souffre, Mon Duc, mais le plaisir n'en est que plus grand, dit Hawat. (Il se tourna à demi entre les bras de Paul, tendit sa main gauche, la paume vers le haut, en direction de l'Empereur et révéla l'aiguille minuscule serrée entre ses doigts.) Vous voyez, Majesté ? Vous voyez l'aiguille de votre traître ? Croyez-vous que celui qui avait voué sa vie au service des Atréides pouvait leur offrir moins que cela aujourd'hui ? »

Paul trébucha comme le vieil homme s'effondrait entre ses bras. Il reconnut la flacidité de la mort. Lentement, il étendit

Hawat sur le sol, puis se redressa et, d'un geste, ordonna à ses gardes d'emporter le corps.

Un silence total s'était établi sur le Grand Hall.

Paul regarda l'Empereur et lut enfin la peur dans ses yeux, une expression d'attente angoissée sur son visage.

« Majesté », dit-il. Il vit l'expression de surprise de la Princesse Royale. Il avait mis dans ce mot qu'il venait de prononcer les intonations contrôlées du Bene Gesserit afin qu'il fût chargé de tout le mépris possible.

C'est bien une Bene Gesserit, songea-t-il.

L'Empereur s'éclaircit la gorge et dit : « Sans doute mon sujet respecté croit-il maintenant que tout s'arrange selon ses désirs. Mais rien ne saurait être plus faux. Vous avez violé la Convention, usé des atomiques contre... »

« J'ai usé des atomiques contre un obstacle naturel du désert, dit Paul. Il se trouvait sur mon passage, Majesté, et j'avais grande hâte de vous joindre, afin de vous demander quelques explications sur vos étranges activités. »

« L'armada des Grandes Maisons attend dans l'espace au-dessus d'Arrakis en ce moment même, dit l'Empereur. Il me suffit d'un mot pour... »

« Ah oui, dit Paul, je les avais presque oubliées. » Son regard se porta sur les gens de la suite impériale et il aperçut les visages des deux représentants de la Guilde. Il s'adressa alors à Gurney : « Ce sont bien les hommes de la Guilde, n'est-ce pas, Gurney ? Ces deux gros en gris ? »

« Oui, Mon Seigneur. »

« Vous deux, appela-t-il, la main tendue. Sortez immédiatement de là et renvoyez cette flotte d'où elle vient. Après cela, vous attendrez mon autorisation pour... »

« La Guilde n'accepte pas vos ordres ! » lança le plus grand des deux. Ils s'avancèrent et, sur un signe de Paul, les lances furent levées devant eux. Le plus grand s'adressa de nouveau à Paul en levant le bras : « Vous pourriez bien connaître l'embargo pour cette... »

« Si j'entends encore une autre absurdité, dit Paul, je donne

338

l'ordre de détruire toute la production d'épice d'Arrakis à tout jamais. »

« Êtes-vous fou ? » L'homme de la Guilde fit un pas en arrière.

« Ainsi, vous admettez que j'ai le pouvoir de le faire ? » demanda Paul.

Durant un instant, l'homme parut sonder l'espace du regard, puis il répondit : « Oui, vous pourriez le faire, mais vous ne le ferez pas. »

« Ah... (Paul hocha la tête.) Vous êtes tous deux des navigateurs de la Guilde, n'est-ce pas ? »

« Oui. »

Le plus petit ajouta : « Vous aussi, vous seriez aveugle et comme nous condamné à la mort lente. Savez-vous seulement ce que cela représente que d'être privé de la liqueur d'épice lorsqu'on y est accoutumé ? »

« L'œil qui choisit le chemin le plus sûr à jamais fermé, dit Paul. La Guilde devenue infirme. Les humains forment de petits îlots isolés sur leurs planètes. Je pourrais le faire, savez-vous, par simple dépit, ou par ennui. »

« Nous devons parler en privé, dit le plus grand. Je suis certain que nous pouvons arriver à quelque compromis qui... »

« Envoyez le message à ceux qui attendent au-dessus d'Arrakis, dit Paul. Cette discussion commence à me lasser. Si cette flotte ne repart pas très vite, il sera inutile de discuter plus longtemps. (Il se tourna vers les hommes de la radio qui attendaient à l'extrémité du hall.) Vous pouvez vous servir de cette installation. »

« Il faut d'abord que nous discutions, dit l'homme de la Guilde. Nous ne pouvons pas simplement... »

« Envoyez ce message ! Être en mesure de détruire une chose revient à la contrôler de façon absolue. Vous avez admis que je dispose de ce pouvoir. Nous ne sommes pas ici pour discuter, négocier ou atteindre un compromis. Vous allez exécuter mes ordres ou bien vous en subirez les conséquences immédiates ! »

« Il le ferait », dit le plus petit des deux agents. Et Paul vit qu'ils avaient peur, maintenant. Lentement, ils se dirigèrent vers la radio.

« Vont-ils obéir ? » demanda Gurney.

« Leur vision du temps se rétrécit. Ils ne voient plus qu'un mur nu où s'inscrivent les conséquences de leur désobéissance Et à bord de chaque vaisseau, chaque navigateur de la Guilde peut voir ce même mur. Ils vont obéir. »

Il se retourna vers l'Empereur : « Lorsqu'ils vous ont permis de monter sur le trône de votre père, ce n'était qu'avec l'assurance que l'épice continuerait de se déverser Vous avez trahi votre engagement, Majesté. Savez-vous ce qui vous attend ? »

« Personne ne m'a *permis* de... »

« Cessez de faire l'idiot. La Guilde est comme un village au bord d'un fleuve. Elle a besoin de l'eau mais ne peut en prendre qu'un minimum. Impossible de construire un barrage car cela attirerait l'attention sur ce petit prélèvement. Cela pourrait même amener la destruction. Ce fleuve, c'est l'épice, et j'ai construit un barrage sur ce fleuve. Je l'ai construit de telle façon que vous ne pouvez le détruire sans éliminer le fleuve. »

L'Empereur passa la main dans ses cheveux roux et regarda les deux hommes de la Guilde.

« Votre Bene Gesserit elle-même tremble, reprit Paul. Il est bien d'autres poisons que les Révérendes Mères peuvent utiliser pour leurs tours, mais, quand elles se sont servies de la liqueur d'épice, ces autres poisons restent sans effet. »

La vieille femme drapa autour d'elle sa robe informe et s'avança jusqu'à rencontrer les lances.

« Révérende Mère Gaius Helen Mohiam, dit Paul. Bien du temps a passé depuis Caladan, n'est-ce pas ? »

Elle regarda au-delà de lui, en direction de sa mère. « Eh bien, Jessica, dit-elle, je vois que ton fils est bien celui que nous cherchions. Pour cela, il peut t'être pardonné cette abomination qu'est ta fille. »

Paul réprima la colère froide qui montait soudain en lui.

« Vous n'avez ni droit ni raison pour pardonner quoi que ce soit à ma mère ! »

La vieille femme affronta son regard.

« Essayez donc vos tours sur moi, vieille sorcière, dit-il. Où est donc votre gom jabbar ? Essayez de plonger votre regard en ce lieu où vous ne pouvez regarder ! Vous m'y verrez ! »

La vieille femme baissa les yeux.

« N'avez-vous rien à dire ? » demanda Paul.

« Je t'accueille dans les rangs des humains, marmonna-t elle. Ne raille pas. »

Il éleva la voix : « Observez bien, mes amis ! Voici une Révérende Mère Bene Gesserit, le plus patient des êtres au service de la plus patiente des causes ! Elle a pu attendre avec ses sœurs durant quatre-vingt-dix générations que se produise cette idéale combinaison des gènes et de l'environnement d'où devait naître celui qu'exigeaient leurs plans. Observez-la bien, mes amis ! Maintenant, elle sait que les quatre-vingt-dix générations ont passé et que le but est atteint. Je suis là... mais... je... ne... me... plierai... pas... à... son... désir ! »

« Jessica ! s'exclama la Révérende Mère. Fais-le taire ! »

« Faites-le taire vous-même », dit Jessica.

Paul posa sur la vieille femme un regard flamboyant. « Pour la part que vous avez prise dans tout ceci, je vous ferais étrangler avec joie, dit-il, et vous ne pourriez m'échapper ! (Elle se raidit de fureur.) Mais je pense qu'il est mieux de vous laisser vivre sans que jamais vous puissiez porter la main sur moi, sans qu'il vous soit possible de me faire agir selon vos plans. »

« Jessica, qu'as-tu fait ? » s'exclama la Révérende Mère.

« Je ne vous accorderai qu'une chose, poursuivit Paul. Vous avez su voir en partie quels étaient les besoins de la race, mais combien pauvrement. Vous croyez contrôler l'évolution humaine par quelques accouplements dirigés selon votre maître-plan ! Vous comprenez bien mal ce que... »

« Vous ne devez pas parler de ces choses ! » siffla la Révérende Mère.

« Silence ! » gronda Paul. Et le mot parut acquérir de la substance sous son contrôle.

La vieille femme battit en retraite, le visage blême devant cette puissance qui venait d'agresser sa psyché.

« Jessica, murmura-t-elle. Jessica ! »

« Je me souviens de votre gom jabbar, dit Paul. N'oubliez pas le mien. D'un mot, je peux vous tuer. »

Tout autour du hall, les Fremen se regardèrent. La légende ne disait-elle pas : « *Et sa parole portera la mort éternelle dans les rangs de ceux qui se dresseront contre le droit.* »

Paul se tourna vers la Princesse Royale qui se tenait à côté de son père. Il dit, sans la quitter des yeux : « Majesté, nous connaissons tous deux la clé de nos problèmes. »

L'Empereur jeta un coup d'œil à sa fille, puis revint à Paul : « Vous osez ? Un aventurier sans famille, un... »

« Cessez cette comédie, dit Paul. Vous m'avez reconnu comme sujet impérial. Ce sont vos propres paroles. »

« Je suis votre maître », dit l'Empereur.

Paul se tourna vers les hommes de la Guilde qui, immobiles près de la radio, le regardaient. L'un d'eux acquiesça.

« Je pourrais employer la force », dit Paul.

« Vous n'oserez pas ! »

Paul se contenta de le regarder en silence.

La Princesse mit une main sur le bras de son père. « Père », dit-elle, et sa voix était pleine d'une douceur soyeuse, apaisante.

« N'essayez pas vos tours sur moi, dit l'Empereur. (Il regarda sa fille.) Il est inutile que vous fassiez cela, Ma Fille. Nous avons d'autres ressources qui... »

« Mais cet homme que voici est fait pour être votre fils », dit-elle.

La Révérende Mère, qui avait retrouvé sa dignité, s'approcha de l'Empereur et se pencha à son oreille.

« Elle défend ta cause », dit Jessica.

Paul ne quittait pas des yeux la princesse aux cheveux dorés.

« C'est Irulan, l'aînée, n'est-ce pas ? »

« Oui. »

Chani s'approcha : « Veux-tu que je me retire, Muad'Dib ? »

Il la regarda. « Te retirer ? Jamais tu ne quitteras mon côté. »

« Il n'existe aucun lien entre nous. »

Il baissa les yeux sur elle et, lentement, répondit : « Ne parle jamais que le langage de la vérité avec moi, ma Sihaya. (Et, comme elle s'apprêtait à répondre, il posa un doigt sur ses lèvres.) Le lien qui nous unit ne peut se rompre. Maintenant, observe avec attention car, plus tard, je désirerai voir cette salle par les yeux de ta sagesse. »

L'Empereur et sa Diseuse de Vérité discutaient à voix basse, sur un ton vif.

Paul s'adressa à sa mère. « Elle lui rappelle que, selon leur accord, il a accepté de laisser monter une Bene Gesserit sur le trône et que c'est Irulan qu'ils avaient pressentie. »

« C'était donc leur plan ? »

« N'est-ce pas évident ? » dit-il.

« Je sais lire les signes ! dit-elle. Ma question ne visait qu'à te rappeler de ne pas chercher à m'enseigner ce que je t'ai inculqué moi-même. »

Paul la regarda et vit s'esquisser un sourire froid sur ses lèvres.

Gurney Halleck se pencha entre eux. « Je vous rappelle, Mon Seigneur, qu'il y a un Harkonnen dans cette bande. (Il leva le menton vers Feyd-Rautha qui, sur la gauche, s'appuyait à une lance.) Celui-là, là-bas. Il a le visage le plus fourbe que j'aie jamais vu. Vous m'avez promis de... »

« Je te remercie, Gurney », dit Paul.

« C'est le na-Baron... Il est Baron, maintenant que le vieil homme est mort. Il conviendra très bien à ce que je.. »

« Tu peux le vaincre, Gurney ? »

« Mon Seigneur plaisante ! »

« Cette discussion entre l'Empereur et sa sorcière a suffisamment duré, ne croyez-vous pas, Mère ? »

Elle acquiesça. « Oui, certainement. »

Paul éleva la voix : « Majesté, y a-t-il un Harkonnen parmi ces gens ? »

L'Empereur se détourna avec un royal mépris pour lui répondre. « Je croyais que ma suite était placée sous la protection de la parole ducale », dit-il.

« Ma question n'appelait qu'un simple renseignement, dit Paul. Je voulais savoir si un Harkonnen faisait officiellement partie de votre suite ou s'il s'y cachait par lâcheté. »

L'Empereur eut un sourire calculé. « Quiconque est accepté dans ma suite est membre de mes gens. »

« Vous avez la parole d'un duc, dit Paul. Mais cela ne saurait concerner Muad'Dib. *Lui,* il n'a pas connaissance de ce que vous entendez par *vos gens.* Mon ami Gurney souhaite tuer un Harkonnen. S'il... »

« Rétribution ! cria Feyd-Rautha. (Il essaya de repousser la lance.) C'est le mot qu'a employé votre père Atréides. Vous me traitez de lâche alors que vous vous cachez parmi vos femmes et que vous envoyez un laquais contre moi ! »

La Révérende Mère chuchota quelques paroles sur un ton vif à l'oreille de l'Empereur mais il la repoussa et dit : « Rétribution, vraiment ? Les règles de la rétribution sont strictes. »

« Paul, mets un terme à cela », dit Jessica.

« Mon Seigneur, dit Gurney, vous m'avez promis que j'aurais mon heure face aux Harkonnens. »

« Tu as eu toute une journée », dit Paul, et il sentit que ses émotions refluaient sous l'impulsion. Il ôta sa robe et son capuchon et les tendit à sa mère avec sa ceinture et son krys avant d'enlever son distille.

Tout l'univers se concentrait sur cet instant. Il le sentait.

« Paul, c'est inutile, dit Jessica. Il existe d'autres moyens, plus faciles. »

Il se débarrassa de son distille et sortit le krys du fourreau que sa mère serrait dans ses mains.

« Je sais, dit-il. Le poison, les assassins, tous les moyens habituels. »

« Vous m'avez promis un Harkonnen ! souffla Gurney

(Paul lut la fureur sur le visage de son compagnon. Il vit que la cicatrice de vinencre était sombre sur sa mâchoire.) Vous me le devez, Mon Seigneur ! »

« As-tu plus souffert d'eux que moi ? » demanda Paul.

« Ma sœur, dit Gurney d'une voix rauque. Les années que j'ai passées dans leurs puits d'esclaves... »

« Mon père. Mes amis, mes compagnons, Thufir Hawat et Duncan Idaho. Ces années où je n'étais plus qu'un fugitif sans aucun rang... Autre chose encore, Gurney. Il s'agit maintenant de rétribution et tu en connais aussi bien que moi les règles. »

Les épaules d'Halleck s'affaissèrent. « Mon Seigneur, si ce porc... Ce n'est rien de plus qu'une bête. Vous pourriez l'écraser au pied et jeter ensuite votre chaussure car elle serait contaminée. Appelez un bourreau, si vous le désirez, ou laissez-moi faire, mais ne vous offrez pas vous-même pour cette... »

« Muad'Dib n'a aucune raison de faire cela », dit Chani.

Il la regarda et lut la peur dans ses yeux. « Mais le Duc Paul, lui, en a une. »

« Ce n'est qu'une bête harkonnen ! » gronda Gurney.

Paul hésita. Il était sur le point de révéler son ascendance harkonnen mais il en fut empêché par le regard acéré de sa mère et dit simplement : « Mais cette chose a forme humaine, Gurney, et doit bénéficier du doute humain. »

« S'il est assez pour... » commença Gurney.

« Je t'en prie, tiens-toi à l'écart », dit Paul. Il leva son krys et repoussa doucement Gurney.

« Gurney ! dit Jessica. (Elle lui toucha le bras.) Il est comme son grand-père. Ne le distrayez pas. C'est tout ce qu'il vous reste à faire pour lui maintenant. » Et elle pensa : *Grande Mère ! Quelle ironie !*

L'Empereur observait Feyd-Rautha, ses épaules lourdes, ses muscles épais. Puis il se retourna vers Paul et vit ce corps mince, noueux, qui n'était pas aussi ascétique que celui d'un Fremen mais dont on voyait les côtes au-dessus des flancs creux. Le jeu des muscles était parfaitement visible sous la peau tendue.

Jessica se pencha vers son fils et murmura pour lui seul : « Encore une chose, Fils. Parfois, les gens dangereux sont préparés par le Bene Gesserit. Un mot est implanté dans les couches profondes de leur esprit selon la vieille méthode de la souffrance et du plaisir. Le mot le plus fréquemment utilisé est Uroshnor. Si celui-là a été préparé, et je pense qu'il l'est, il suffit de prononcer le mot près de son oreille pour que ses muscles deviennent flasques et... »

« Je n'ai besoin d'aucun avantage spécial, dit Paul. Écartez-vous, Mère. »

« Pourquoi fait-il cela ? demanda Gurney à Jessica. Pense-t-il être tué et devenir ainsi un martyr ? Est-ce que tout ce radotage religieux des Fremen lui a obscurci la raison ? »

Jessica mit son visage dans ses mains, prenant conscience soudain qu'elle ignorait ce qui poussait Paul à agir ainsi. Dans cette salle, elle pouvait sentir la mort partout et elle savait maintenant que ce Paul nouveau, transformé, était capable de ce que suggérait Gurney. Elle concentrait tous ses talents sur le désir qu'elle éprouvait de protéger son fils, mais il n'était rien qu'elle pût faire.

« Est-ce que c'est ce radotage religieux ? » demanda Gurney.

« Silence ! murmura-t-elle. Priez ! »

Brusquement, un sourire apparut sur le visage de l'Empereur. « Si tel est le désir de Feyd-Rautha... de ma suite, dit-il. Je le libère de tout lien et le laisse libre d'agir à son gré. (Il leva la main à l'adresse des Fedaykin de Paul.) L'une de vos canailles détient ma ceinture et mon poignard. Si Feyd-Rautha le désire, il peut vous affronter avec ma propre lame. »

« Je le désire », dit Feyd-Rautha, et Paul lut nettement une expression de soulagement sur son visage.

Il est trop confiant, songea-t-il. *C'est un avantage naturel que je peux accepter.*

« Posez la lame de l'Empereur sur le sol, là », ordonna Paul en désignant un endroit précis du bout de son pied tendu. Que la racaille impériale se replie jusqu'au mur et que l'Harkonnen demeure seul. »

Des voix murmurèrent, protestèrent. Dans un froissement de robes, un piétinement sourd, on obéit à Paul. Les hommes de la Guilde demeurèrent à proximité de la radio, observant Paul d'un air indécis.

Ils ont l'habitude de voir l'avenir, se dit Paul. *Mais ici, en cet instant, ils sont aveugles... aussi aveugles que moi.* Et il essaya de sonder les vents du temps, il perçut le tourbillon, le nexus, dont le centre était l'instant présent, ce lieu précis. C'était le jihad, il le savait, le jihad qui était encore à naître, la conscience raciale qu'il avait autrefois décelée comme un but terrible. C'était assez pour que le Kwisatz Haderach ou le Lisan al-Gaib survienne, assez pour qu'il soit mis un terme aux plans Bene Gesserit. La race des humains avait pris conscience de sa stase malsaine et elle ne voyait qu'une issue : le tourbillon qui brasserait les gènes et d'où surgiraient de nouveaux mélanges. En cet instant, tous les humains ne formaient qu'un seul organisme inconscient qui ressentait un besoin sexuel susceptible de renverser n'importe quelle barrière. Et Paul comprit la futilité de ses efforts pour modifier même en partie ce qui se passait. Il avait cru pouvoir s'opposer au jihad, seul, mais le jihad serait. Même sans lui, les légions fondraient sur l'univers depuis Arrakis. Il ne leur fallait que cette légende que, déjà, il était devenu. Il avait montré la voie, il leur avait permis de dominer la Guilde elle-même, qui avait besoin de l'épice pour survivre.

Il eut le sentiment d'un échec puis vit que Feyd-Rautha avait ôté son uniforme déchiré pour apparaître vêtu d'un simple corset de combat à cotte de maille.

C'est le moment décisif, se dit Paul. *A partir d'ici, l'avenir s'ouvre, les nuages s'écartent pour livrer passage à une sorte de jour glorieux. Si je meurs, ils diront que je me suis sacrifié afin que mon esprit les guide. Si je vis, ils décideront que rien ne peut s'opposer à Muad'Dib.*

« L'Atréides est-il prêt ? » demanda Feyd-Rautha selon l'ancien rituel de rétribution.

Paul choisit de lui répondre selon la tradition fremen « Puisse ton couteau s'effriter ! » Et il désigna la lame de l'Empereur sur le sol, indiquant à Feyd-Rautha qu'il pouvait venir la prendre.

Sans le quitter des yeux, Feyd-Rautha s'avança, saisit l'arme et la balança un instant entre ses doigts pour en éprouver le contact. L'excitation montait en lui. C'était le combat dont il avait toujours rêvé, d'homme à homme, un affrontement où les boucliers n'intervenaient pas, où seule jouait l'habileté. Et ce combat pouvait lui donner la puissance car l'Empereur récompenserait certainement celui qui tuerait ce duc si gênant. Il se pouvait même que la récompense fût constituée par sa hautaine fille et une partie du trône. Et ce duc-bandit, cet aventurier ne pouvait être un adversaire sérieux pour un Harkonnen qui avait connu le combat dans un millier d'arènes et qui avait été entraîné à toutes les armes et à toutes les feintes. Ce manant ne pouvait savoir qu'il allait affronter d'autres armes que ce simple couteau.

Voyons si tu es à l'épreuve du poison ! se dit Feyd-Rautha Il salua Paul avec la lame de l'Empereur et dit « Fou, regarde la mort ! »

« Allons-nous combattre enfin, cousin ? » demanda Paul Et il s'avança comme un chat, les yeux fixés sur la lame de son adversaire, le corps ployé, pointant son krys à l'éclat laiteux qui semblait en cet instant un prolongement naturel de son bras

Ils tournèrent en s'observant, guettant la plus petite ouverture, leurs pieds nus crissant parfois sur le sol.

« Tu danses bien », dit Feyd-Rautha.

Un bavard, songea Paul. *Autre faiblesse. Le silence le met mal à l'aise.*

« As-tu reçu l'absolution ? » demanda Feyd-Rautha.

Paul continua de se déplacer en silence.

Au premier rang, la vieille Révérende Mère se mit à trembler. Le jeune Atréides avait appelé « cousin » l'Harkonnen. Cela ne pouvait signifier qu'une chose : il connaissait son ascendance, et cela était facile à comprendre puisqu'il était le

Kwisatz Haderach. Mais ce simple mot prononcé par Paul lui faisait prendre conscience de la seule chose qui importait pour elle. Ce qui se passait ici pouvait être une catastrophe pour le plan de sélection Bene Gesserit.

Elle avait entrevu ce que Paul avait compris, que Feyd-Rautha pouvait le tuer mais sans être victorieux. Et une autre pensée lui vint, qui submergea presque son esprit. Là, devant elle, deux produits de ce long et coûteux programme de sélection étaient engagés dans un combat où ils pouvaient laisser la vie, l'un comme l'autre. Si tous deux mouraient ici, il ne resterait plus qu'une fille bâtarde de Feyd-Rautha, un bébé, un facteur inconnu, et Alia, cette abomination.

« Peut-être que vous ne connaissez que les rites païens, ici, dit Feyd-Rautha. Veux-tu que la Diseuse de Vérité de l'Empereur prépare ton âme au voyage ? »

Paul sourit tout en se portant sur la droite, les muscles tendus, ses sombres pensées repoussées par les impératifs de l'instant.

Feyd-Rautha bondit, feinta de la main droite mais, en un éclair, passa la lame dans sa main gauche.

Paul se déroba facilement et nota la brève hésitation de Feyd-Rautha, due à l'habitude du bouclier. Brève hésitation qui indiquait que Feyd-Rautha, pourtant, n'avait pas toujours combattu avec le bouclier, qu'il avait dû affronter, du moins, des adversaires qui n'en avaient pas.

« Est-ce qu'un Atréides court au lieu de combattre ? » demanda Feyd-Rautha.

Paul s'était remis à tourner en silence. Les paroles d'Idaho lui revinrent : « *Durant les premiers instants, étudie. Bien sûr, tu perds ainsi la possibilité d'une victoire rapide, mais l'étude de l'adversaire est une assurance de succès. Prends ton temps.* »

« Peut-être crois-tu que cette danse prolonge ta vie de quelques instants, dit Feyd-Rautha. Très bien. » Il s'arrêta, se redressa.

Paul en avait assez vu pour avoir une première approximation. Feyd-Rautha se portait maintenant sur la gauche, offrant sa hanche droite comme si la cotte de maille pouvait protéger tout son flanc. C'était l'attitude d'un homme habitué à combattre avec un bouclier et deux couteaux.

Ou... Paul hésita... *ou bien la cote de maille était plus que ce qu'elle semblait être.*

L'Harkonnen semblait trop confiant face à un homme dont les troupes, ce même jour, avaient triomphé des Sardaukar.

Feyd-Rautha s'aperçut de l'hésitation de son adversaire et lança : « Pourquoi retarder l'inévitable ? Tu ne fais que m'empêcher de faire valoir mes droits sur cette boule pouilleuse. »

Une aiguille, pensa Paul. *Elle est bien dissimulée. Aucune trace sur le corset.*

« Pourquoi ne dis-tu rien ? » lança Feyd-Rautha.

Paul se remit en marche. Le silence faisait son effet sur Feyd-Rautha. Il eut un sourire glacé.

« Tu souris, hein », dit Feyd-Rautha, et il bondit avant d'avoir achevé.

Paul s'était attendu à une hésitation et il faillit ne pas se dérober à temps devant le coup. La lame écorcha son bras gauche. Il repoussa la douleur qui jaillit en lui et comprit que la première hésitation qu'il avait notée n'avait été qu'une feinte habile. Son adversaire était plus rusé qu'il ne l'avait cru d'abord. Dans chacune de ses feintes, il devait dissimuler une autre feinte.

« C'est ton Thufir Hawat qui m'a enseigné certains de mes coups, dit Feyd-Rautha. Dommage que ce vieux fou n'ait pas vécu assez longtemps pour me voir. »

Et Paul se souvint alors de ce qu'Idaho lui avait dit une fois : « *Ne t'attends qu'à ce qui se passe dans le combat. Ainsi, tu ne seras jamais surpris.* »

A nouveau, ils tournaient l'un autour de l'autre, attentifs, le corps ployé.

Paul regarda le visage de son adversaire et y lut, une fois encore, la satisfaction. Feyd-Rautha pouvait-il donc attacher autant d'importance à une simple égratignure ? A moins qu'il n'y ait eu du poison sur la lame ! Mais comment était-ce possible ? Ses propres hommes avaient eu la lame entre les mains et l'avaient testée avant de la lui rendre. Ils avaient trop d'expérience pour que ce genre de chose leur échappe.

« Cette femme à qui tu parlais, dit Feyd-Rautha. Est-elle quelque chose pour toi ? Ton petit animal favori ? Faut-il que je lui réserve des attentions particulières ? »

Paul ne répondit pas. Ses sens internes examinaient le sang qui s'écoulait de l'estafilade sur son bras et découvrirent une trace de soporifique. Paul ajusta son métabolisme afin de repousser la menace et modifia la structure moléculaire du soporifique. Mais il ressentait encore un doute. Ils avaient enduit la lame de soporifique. Un soporifique qui pouvait tromper le goûte-poison mais qui était assez puissant, pourtant, pour ralentir les muscles. L'ennemi avait ses propres plans-gigognes, ses stratagèmes à tiroirs.

A nouveau, Feyd-Rautha bondit et frappa.

Paul, un sourire figé sur ses lèvres, feinta avec une lenteur calculée, comme s'il était sous l'effet de la drogue. A la dernière fraction de seconde, il frappa et la pointe du krys rencontra le bras de Feyd-Rautha.

Celui-ci se déroba et rompit, le couteau dans la main gauche, maintenant, le visage pâle. L'acide mordait la blessure.

Offrons-lui un moment de doute, se dit Paul. *Laissons-le croire au poison.*

« Traîtrise ! cria Feyd-Rautha. Il m'a empoisonné ! Je sens le poison dans mon bras ! »

Et Paul parla pour la première fois : « Ce n'est rien qu'un peu d'acide pour répondre au soporifique sur la lame de l'Empereur. »

Feyd-Rautha, le regard brillant de rage, leva son couteau en une dérision de salut.

Paul prit son krys dans la main gauche et se remit à tourner en silence.

Feyd-Rautha se rapprocha, brandissant haut la lame de l'Empereur. La colère se lisait dans ses yeux à demi fermés et la ligne de sa mâchoire. Il feinta sur la droite, un peu en dessous, et ils se retrouvèrent l'un contre l'autre, leurs lames liées.

Paul obligea son adversaire à pivoter. Il se méfiait de la hanche droite où devait se dissimuler une aiguille empoisonnée. A l'instant où elle pointa, il faillit ne pas la voir. Il fut alerté par un mouvement de Feyd-Rautha, un relâchement de ses muscles et l'aiguille ne le manqua que d'une infime fraction de centimètre.

Elle était sur la hanche gauche !

Piège sur piège, se dit Paul. Il utilisa le contrôle Bene Gesserit pour relâcher ses muscles afin de provoquer un réflexe de Feyd-Rautha mais, essayant d'échapper à la menaçante pointe, il trébucha, tomba sur le sol et Feyd-Rautha s'abattit sur lui.

« Tu la vois hein, là, sur ma hanche ? murmura-t-il. C'est ta mort, fou. (Il roula sur lui-même et l'aiguille se rapprocha du flanc de Paul.) Je vais d'abord paralyser tes muscles, puis mon couteau t'achèvera. Et il ne restera pas la moindre trace ! »

Tous les muscles de Paul luttaient tandis que, au fond de son esprit, s'élevaient les cris silencieux de ses ancêtres qui exigeaient qu'il prononce le mot-clé qui freinerait Feyd-Rautha et le sauverait, lui.

« Non, je ne le dirai pas ! » souffla-t-il.

Feyd-Rautha le regarda et il eut la plus infime hésitation. Ce qui suffit à Paul pour découvrir la faille dans l'équilibre de son adversaire et pour le faire basculer. Feyd-Rautha se retrouva sous lui, la hanche droite vers le haut, paralysé par l'aiguille qui, sur sa hanche gauche, était maintenant en contact avec le sol.

Paul libéra sa main gauche et son geste fut rendu plus aisé par le sang qui s'écoulait toujours de son bras. Puis il frappa Feyd-Rautha à hauteur de la mâchoire. La pointe du krys se fraya un chemin jusqu'au cerveau. Feyd-Rautha tressaillit et roula, maintenu sur le sol par l'aiguille qui s'y était enfoncée.

Respirant à fond pour retrouver son calme, Paul se redressa et se remit sur pied. Debout au-dessus du corps de Feyd-

Rautha, sans lâcher son couteau, il leva lentement les yeux vers l'Empereur.

« Majesté, votre troupe se trouve réduite encore d'un élément. Allons-nous maintenant cesser de tergiverser et de nous donner la comédie? Allons-nous discuter de mon mariage avec votre fille et de la part de trône qui reviendra ainsi aux Atréides? »

L'Empereur se retourna et regarda le comte Fenring. Et le comte Fenring affronta son regard. Tous les mots étaient inutiles entre eux, car ils se connaissaient depuis si longtemps que leurs yeux parlaient pour eux.

Tue-le pour moi, disait l'Empereur. *Cet Atréides est jeune et plein de ressources, oui... mais il est également fatigué et tu n'auras aucun mal à le vaincre. Défie-le maintenant... tout de suite. Tu sais comment faire. Et tue-le.*

Lentement, très lentement, Fenring détourna son regard et ses yeux vinrent enfin se poser sur Paul.

« Allez! » dit l'Empereur.

Le Comte regardait Paul ainsi que sa Dame Margot le lui avait enseigné, selon la Manière Bene Gesserit. Et il lut le mystère et la grandeur cachés qui habitaient ce jeune descendant des Atréides.

Je pourrais le tuer, oui, songea Fenring. Et il savait bien que c'était la vérité.

Dans ses profondeurs les plus secrètes, quelque chose, alors, retint le Comte. Il eut la vision brève, inadéquate, de sa supériorité vis-à-vis de Paul, du côté secret de sa personne, de la qualité furtive de ses motivations que nul ne pouvait pénétrer.

Et Paul, par le nexus bouillonnant du temps, comprit cela en partie, et il s'expliqua enfin pourquoi il n'avait jamais entrevu Fenring dans la trame des avenirs révélés par sa prescience. Fenring était un Kwisatz Haderach possible qu'une simple faille du schéma génétique avait rejeté, un eunuque dont les talents étaient furtifs, secrets, cachés. Il éprouva alors une compassion profonde pour le Comte, un sentiment de fraternité que jamais encore il n'avait connu.

353

Fenring s'aperçut de son émotion, la comprit et dit :
« Majesté, il me faut refuser. »

La fureur submergea Shaddam IV. Il fit deux pas entre ses
gens et gifla à toute volée Fenring.

Le visage du Comte devint sombre. Il leva les yeux, regarda
droit dans ceux de l'Empereur et déclara avec une tranquillité
délibérée : « Nous avons été amis, Majesté. Ce que je fais
maintenant, je ne le fais que par amitié. J'oublierai votre
geste. »

Paul s'éclaircit la gorge et dit : « Nous parlions du trône,
Majesté. »

L'Empereur se retourna, le regard flamboyant :

« C'est moi qui suis sur le trône ! » aboya-t-il.

« Vous en aurez un autre sur Salusa Secundus », dit Paul.

« J'ai baissé les bras et je suis venu ici avec votre parole !
cria l'Empereur. Vous osez me menacer... »

« Vous êtes en sécurité en ma présence, dit Paul. C'est un
Atréides qui vous l'a promis. Mais Muad'Dib, quant à lui,
vous condamne à résider sur votre planète-prison. Mais n'ayez
nulle crainte, Majesté : j'utiliserai tous les moyens dont je
dispose pour que ce lieu soit rendu moins rude. Il deviendra un
véritable monde-jardin, tout empli de choses charmantes. »

L'Empereur perçut le sens caché des paroles de Paul et le
regarda en grinçant : « A présent, je discerne vos motifs
véritables. »

« Évidemment », dit Paul.

« Et Arrakis ? En ferez-vous un autre monde-jardin plein de
choses charmantes ? »

« Les Fremen ont la parole de Muad'Dib, dit Paul. Sous le
ciel de ce monde il y aura de l'eau et de vertes oasis pleines de
bonnes choses. Mais nous devons aussi penser à l'épice. Il
faudra maintenir du désert sur Arrakis... et des vents violents,
des épreuves pour endurcir l'homme. Nous autres Fremen
avons une maxime : *Dieu a créé Arrakis pour former les fidèles.*
On ne peut aller contre la parole de Dieu. »

La Révérende Mère Gaius Helen Mohiam avait lu autre

chose dans les paroles de Paul. Elle avait entrevu le jihad et elle dit : « Vous ne pouvez lâcher ces gens sur l'univers ! »

« Vous regretterez les manières si douces des Sardaukar ! » lança Paul.

« Vous ne pouvez pas... »

« Vous êtes une Diseuse de Vérité, dit-il. Mesurez donc vos paroles. (Il se tourna vers la Princesse Royale, puis vers l'Empereur.) Le plus tôt sera le mieux, Majesté. »

L'Empereur, médusé, regarda sa fille. Elle lui toucha le bras et dit d'un ton apaisant : « J'ai été éduquée pour cela, Père. »

Il prit une profonde inspiration.

« Vous ne pouvez tolérer cela », marmonna la vieille Diseuse de Vérité.

L'Empereur se redressa, retrouvant un semblant de dignité.

« Qui négociera en votre nom, sujet ? » demanda-t-il.

Paul se retourna, il vit sa mère qui baissait les paupières aux côtés de Chani, dans un groupe de Fedaykin. Il s'approcha et s'arrêta devant Chani.

« Je connais tes raisons, dit-elle. S'il doit en être ainsi... Usul... »

Il perçut les larmes dans sa voix, leva la main et toucha sa joue. « Ma Sihaya n'aura jamais rien à craindre, jamais. (Il baissa le bras et se tourna vers sa mère.) Vous négocierez pour moi, Mère, avec Chani. Elle possède la sagesse et un regard acéré. Et l'on dit avec justesse que nul n'est plus dur en affaire qu'un Fremen. Pour moi, elle aura les yeux de l'amour et la pensée de ses fils à venir ne la quittera pas. Écoutez-la. »

Jessica devina les froids calculs qui se dissimulaient derrière les paroles de son fils et elle réprima un frisson. « Quelles sont tes instructions ? » demanda-t-elle.

« J'exige en dot la totalité des intérêts de l'Empereur dans la Compagnie des Honnêtes Ober Marchands. »

« La totalité ? » Elle avait du mal à trouver ses mots.

« Il doit être entièrement dépouillé. Je veux le titre de comte et un directorat de la C. H. O. M. pour Gurney Halleck, ainsi que le fief de Caladan. Des pouvoirs et des titres seront attribués à tous les gens d'Atréides, jusqu'au plus humble soldat. »

« Et les Fremen ? » demanda-t-elle.

« Les Fremen me concernent, moi, dit Paul. Ce qu'ils recevront leur sera donné par Muad'Dib. Et, tout d'abord, Stilgar sera Gouverneur d'Arrakis, mais cela peut attendre. »

« Et pour moi ? »

« Y a-t-il quelque chose que vous souhaitiez ? »

« Caladan, peut-être, dit Jessica en regardant Gurney. Je n'en suis pas sûre. Je suis devenue trop semblable aux Fremen.. Je suis une Révérende Mère. J'ai besoin d'une période de paix et de calme pour réfléchir. »

« Cela au moins vous l'aurez, dit Paul, et tout ce que Gurney et moi pourrons vous offrir. »

Elle hocha la tête. Elle se sentait tout à coup vieille et fatiguée. Elle regarda Chani. « Et pour la concubine royale ? »

« Aucun titre pour moi, dit Chani. Rien. Je vous en supplie. »

Paul rencontra son regard et il la revit soudain avec le petit Leto dans ses bras, leur fils qui avait trouvé la mort dans toute cette violence.

« Je te jure, dit-il, que tu n'as besoin d'aucun titre. Cette femme, là-bas, sera mon épouse et tu ne seras qu'une concubine parce que ceci est une affaire politique et que nous devons conclure la paix et rallier les Grandes Maisons du Landsraad. Il faut obéir aux usages. Mais cette princesse n'aura de moi que mon nom. Elle n'aura nul enfant, nul geste, nul regard, nul instant de désir. »

« Tu dis cela maintenant », dit Chani. Et, par-delà la salle, elle contempla la princesse aux cheveux dorés.

« Connais-tu si peu mon fils ? murmura Jessica. Vois donc cette princesse, là-bas, si hautaine, si confiante. On dit qu'elle a des prétentions littéraires. Espérons que cela remplit son existence car elle n'aura que peu de choses en dehors. (Un rire amer lui échappa.) Pense à cela, Chani, pense à cette princesse qui portera le nom mais qui sera moins qu'une concubine, qui ne connaîtra jamais un instant de tendresse avec l'homme auquel elle est liée. Alors que nous, Chani, nous que l'on nomme concubines... l'Histoire nous appellera : épouses. »

APPENDICES

NOTES CARTOGRAPHIQUES

Base pour la détermination de l'altitude : *le Grand Bled.*

Base pour la longitude : *méridien du Mont de l'Observatoire.*

Bordure Ouest : *escarpement élevé (4 600 m) au-dessus du Bouclier*

Carthag : *à 200 km environ au nord-est d'Arrakeen*

Faille Rouge, *à 1 582 m en dessous du niveau du Bled*

Fosse Polaire : *à 500 m en dessous du niveau du Bled*

Grand Bled : *vaste désert plat, par opposition aux zones de dunes. Le désert s'étend entre 60° de latitude nord et 70° de latitude sud. Il est composé surtout de sable et de rochers, avec de rares affleurements de la couche basique.*

Grande Étendue : *dépression d'erg et de rocher située à 100 m en dessous du niveau du Bled. C'est dans la Cuvette de la Grande Étendue que se trouve la Sietch Tabr, les affleurements rocheux du Sietch Tabr, les affleurements rocheux s'élèvent jusqu'à 200 m d'altitude*

Grotte des Oiseaux : *dans la Chaîne de Habbanya.*

Ligne du ver : *Indique la limite septentrionale d'observation des vers. C'est l'humidité, et non la température, qui est le facteur déterminant.*

Palmeraies du Sud : *elles n'apparaissent pas sur cette carte car elles sont situées vers le 40e degré de latitude sud.*

Passe de Harg : *cette passe est dominée par le Mausolée du crâne du duc Leto.*

Passe du Vent : *entourée de falaises, elle s'ouvre sur les villages des creux.*

Plaine Funèbre : *Grand erg.*

Vieille faille *fissure dans le Mur du Bouclier, proche d'Arrakeen, qui descend verticalement sur 2 400 m. Une explosion l'a emportée sur l'ordre de Paul Muad'Dib.*

◆ **Village Fyons**

✳ **Stations botaniques**

✳ **Communautés Sietch**

Map labels

Gara Kulon
Chaîne de Sihaya Altitude 234 m
La Fanta Rogga
Mesa Mulla
Bases des Contrebandiers
Sietch de Tuek
Erg Mineur
Faux Mur Sud
Le Bouclier 500 m
Le Trou du Roche
Le Mentor
Passe de Harg
Bassin ouest AK 6 240 m
Gouffre de OH
Arraken
Bassin
Bassin impérial
Carthag
À Terre Brisée 1 000 m
Mt de l'Observatoire 8 110 m
Ergg
Hagga
Bassin Hagga
Fosse polaire
PÔLE NORD
Mausolée
Ligne du vent
Rocher Bled
Rocher
Bassin Passou
Caverne des Chien
Sietch Tabr
de Tuono
Cirque de la Falaise
La Plaine Funèbre
Affleurements rocheux
Mi Nono 1 400 m
Faux Mur W
Alti 1 200 m
Dépression du cielego — 200 m
Erg Habbanya
Chaîne de Habbanya
La grotte des oiseaux
LA GRANDE
ÉTENDUE
180°
60°

ÉCOLOGIE DE DUNE

> Au-delà d'un point critique dans un espace fini, la liberté décroît comme s'accroît le nombre. Cela est aussi vrai des humains dans l'espace fini d'un écosystème planétaire que des molécules d'un gaz dans un flacon scellé. La question qui se pose pour les humains n'est pas de savoir combien d'entre eux survivront dans le système mais quel sera le genre d'existence de ceux qui survivront.
>
> Pardot Kynes
> *Premier Planétologiste d'Arrakis.*

Aux yeux du nouvel arrivant, Arrakis apparaît comme une terre d'une désolation absolue. L'étranger pense immédiatement que rien ne peut y vivre ou y pousser, qu'il a devant lui un désert qui n'a jamais connu la fertilité et ne la connaîtra jamais.

Pour Pardot Kynes, la planète n'était qu'une forme d'énergie, une machine mue par son soleil. Il suffisait de la façonner pour répondre aux besoins des hommes et, immédiatement, il pensa à la population humaine d'Arrakis qui se déplaçait librement à la surface d'Arrakis : les Fremen. Quel défi ils représentaient ! Et quel outil ! Une force écologique et géologique de potentiel quasi illimité.

Pardot Kynes était un homme simple et direct. Il lui fallait échapper aux contraintes harkonnens ? Qu'à cela ne tienne. Il épousa une femme fremen. Quand elle lui donna un fils, Liet-Kynes, il entreprit de lui inculquer, ainsi qu'aux autres enfants, les bases de l'écologie, créant pour cela un nouveau langage de symboles qui préparait l'esprit à la manipulation d'un paysage tout entier, de ses climats, de ses saisons, qui rejetait tout concept de force au profit d'une conscience claire de l'*ordre*.

« Sur toute planète favorable à l'homme, disait Kynes, il existe une sorte de beauté interne faite de mouvement et d'équilibre. Cette beauté produit un effet dynamique stabilisateur qui est essentiel à l'existence. Sa fonction est simple : maintenir et produire des schémas coordonnés de plus en plus diversifiés. C'est la vie qui augmente la capacité de tout système clos à entretenir la vie. La vie dans sa totalité est au service de la vie. Au fur et à mesure qu'elle se diversifie, les aliments nécessaires deviennent plus disponibles. Tout le paysage s'éveille, les relations s'établissent, s'interpénètrent. »

Ainsi parlait Pardot Kynes dans les classes des sietch.

Mais avant d'entreprendre ses cours, cependant, il lui avait fallu convaincre les Fremen. Pour comprendre comment ce fut possible, il faut savoir d'abord avec quelle innocence, quelle opiniâtreté il abordait tous les problèmes. Non pas qu'il fût naïf, mais il ne s'autorisait aucune distraction.

Il explorait Arrakis à bord d'un véhicule monoplace quand, par un après-midi torride, il fut témoin d'une scène déplorablement banale. Six mercenaires d'Harkonnen, lourdement armés et munis de boucliers, avaient cerné trois jeunes Fremen derrière la falaise du Bouclier, près du village du Sac-de-vent. Kynes eut d'abord l'impression d'assister à une escarmouche sans gravité jusqu'à ce qu'il se rendît compte que les Harkonnens avaient l'intention de tuer les Fremen. Déjà l'un des jeunes Fremen gisait à terre, une artère sectionnée et deux des mercenaires étaient hors de combat. Mais il restait quatre Harkonnens face à deux hommes du désert.

Kynes n'était pas vraiment courageux. Il était prudent et opiniâtre, c'est tout. Les Harkonnens tuaient des Fremen. Ils détruisaient les outils qu'il avait l'intention d'utiliser pour façonner la planète ! Il activa son propre bouclier, se lança dans la bataille et abattit les deux Harkonnens avant qu'ils sachent qui surgissait sur leurs arrières. Il esquiva l'attaque du troisième et lui trancha la gorge d'un *entretisser* impeccable, abandonnant le quatrième aux jeunes Fremen pour se porter au secours du blessé qui saignait sur le sol. Et il parvint à le sauver... au moment où périssait le sixième et dernier Harkonnen.

Et c'est là que l'affaire se complique ! Les Fremen ne savaient pas ce qu'ils devaient faire de Kynes. Bien sûr, ils savaient qui il était Nul homme ne pouvait arriver sur Arrakis sans que les Fremen soient en possession d'un dossier très complet le concernant. Ils savaient donc très bien qu'il était au service de l'Empereur.

Mais il venait de tuer des Harkonnens !

Des adultes auraient sans doute haussé les épaules avant de l'envoyer rejoindre les six Harkonnens. Mais ces Fremen étaient jeunes et inexpérimentés et tout ce qu'ils comprirent fut qu'ils devaient la vie à ce serviteur de l'Empereur.

Deux jours plus tard, Kynes se retrouva dans un sietch qui dominait la Passe du Vent. Pour lui, tout cela n'était que très naturel. Il parla de l'eau aux Fremen, des dunes maintenues par l'herbe, des palmeraies où l'on pourrait cultiver des dattiers, de qanats à ciel ouvert sillonnant le désert. Il parlait, parlait, parlait sans cesse.

Et il n'avait pas conscience du débat dont il était l'objet. Que faire de ce fou ? se demandaient les Fremen. Il connaissait maintenant la position d'un sietch important. Que faire ? Et que racontait-il donc ? Qu'est-ce que c'était que cette histoire d'Arrakis transformée en paradis ? Il ne faisait que parler. Il en savait trop. Mais il avait tué des Harkonnens ! Et le fardeau de l'eau ? Depuis quand devons-nous quelque chose à l'Imperium ? Il a tué des Harkonnens, oui, mais n'importe qui peut le faire. Moi aussi, j'ai tué des Harkonnens. Mais que raconte-t-il à propos de la fertilisation d'Arrakis ? Où est l'eau nécessaire ? Il dit qu'elle se trouve ici ! Et il a sauvé trois des nôtres. Trois jeunes idiots qui se sont trouvés sur le chemin des Harkonnens ! Il a vu les krys !

Bien avant qu'elle fût exprimée, on connut la décision. Le tau d'un sietch dicte leur conduite à ses membres, il prescrit les plus brutales obligations.

Un combattant expérimenté fut envoyé avec un couteau consacré, suivi de deux porteurs d'eau qui devaient recueillir l'eau du corps. Brutale obligation.

On peut douter que Kynes se soit rendu compte de l'arrivée de ce bourreau. Il était fort occupé à discourir devant un groupe qui s'était formé à prudente distance. Tout en parlant, il marchait de long en large et gesticulait. De l'eau partout, disait-il. Plus besoin de distille pour marcher dans le désert ! De l'eau dans les lacs ! Des portyguls dans les vergers !

L'homme au couteau s'avança, se trouva face à Kynes.

« Otez-vous d'ici ! » dit Kynes, et il continua de parler, évoquant des pièges à vent secrets. Il passa devant l'homme et offrit son dos au coup rituel.

On ne saura jamais ce qui se produisit alors dans l'esprit du bourreau. Ecouta-t-il et comprit-il à ce moment les paroles de Kynes ? Qui sait ?... Mais, en tout cas, on sait ce qu'il fit. Il se nommait Uliet, ce qui signifie Liet le Vieux. Uliet, donc, fit trois pas en avant et, délibérément, s'abattit sur son couteau et mourut. Suicide ? Certains prétendent que ce fut Shai-Hulud qui guida son geste.

Ainsi naissent les présages.

A partir de cet instant, Kynes n'eut qu'à lever le petit doigt et à dire : « Venez ! » Et ils vinrent. Par tribus entières, de toutes parts. Les femmes, les enfants, les hommes mouraient en chemin, mais ils venaient toujours.

Kynes repartit travailler pour l'Imperium dans les Stations de Biologie Expérimentale. Et des Fremen commencèrent à faire leur apparition au sein du personnel de ces stations. A ce stade, les Fremen se rendirent compte qu'ils étaient en train de s'infiltrer dans le « système » et c'était là une possibilité qu'ils n'avaient jamais envisagée. Certains outils que l'on employait dans les stations apparurent dans les communautés des sietch, et particulièrement les taillerays que l'on utilisait pour agrandir les bassins et creuser les pièges à vent.

L'eau commença de s'accumuler au fond des bassins.

Les Fremen se rendirent compte que Kynes n'était pas totalement fou, mais juste assez pour faire un saint. Il appartenait à l'umma, la confrérie des prophètes. Et Uliet s'en alla rejoindre les Sadus, les juges divins.

Kynes, l'homme direct et farouchement obstiné, savait que la recherche organisée au sommet ne produit rien de nouveau. Il créa donc de petites unités d'expérimentation qui échangeaient régulièrement des informations afin d'aboutir rapidement à l'effet de Tansley, chaque groupe suivant sa propre voie. Ils devaient accumuler des millions de faits infimes et Kynes n'organisait que des tests isolés et rapides afin de faire ressortir leurs difficultés.

Des échantillons furent prélevés dans tout le bled. On établit des cartes de ces longs courants de temps appelés climats. Kynes découvrit que dans la large ceinture comprise entre les 70e degrés de latitude nord et sud, les températures, depuis des milliers d'années oscillaient entre 254 et 332 degrés absolus. Cette zone avait de longues saisons de germination au cours desquelles la moyenne de température s'établissait entre 284 et 302°, ce qui laissait une marge confortable pour la vie terraformée... quand serait résolu le problème de l'eau.

Quand sera-t-il résolu ? demandaient les Fremen. Quand connaîtrons-nous le paradis sur Arrakis ?

Et, un peu comme un instituteur répondant à un enfant qui vient de lui demander combien font deux et deux, Kynes disait : « Dans quatre cents ou cinq cents ans. »

Un peuple inférieur aurait désespéré. Mais les Fremen avaient appris la patience sous le fouet. Ce délai leur semblait plus long que ce qu'ils avaient espéré mais le jour béni viendrait, c'est tout ce qui comptait. Ils serrèrent leurs ceintures et se remirent au travail. Pour un paradis que la déception rendait plus réel, en quelque sorte.

Le grand problème d'Arrakis n'était pas tant l'eau que l'humidité. Le bétail y était rare, les animaux domestiques inconnus. Certains contrebandiers utilisaient bien l'âne du désert, le kulon, comme animal de bât, mais le prix de l'eau nécessaire était prohibitif, même lorsque l'on réussissait à faire porter à l'animal un distille à sa taille.

Kynes songea à installer des usines pour synthétiser l'eau à partir de l'oxygène et de l'hydrogène présents dans les roches, mais le coût de l'énergie eût été trop élevé. Les calottes polaires qui donnaient aux pyons une fausse impression de richesse en eau n'en contenaient pas assez pour le projet de Kynes... Et il commençait déjà à soupçonner où l'eau devait se trouver. Aux altitudes moyennes et dans certains vents, le taux d'humidité augmentait significativement. Et puis, il y avait ce premier indice qui lui avait été fourni par la composition de l'air : 23 % d'oxygène, 75,4 % d'azote et 0,023 % de gaz carbonique, les gaz rares formant le reste.

Il existait une plante locale à racine, très rare, qui poussait dans la zone tempérée nord au-dessus de 2 500 mètres. Sa racine tubéreuse de deux mètres contenait près d'un demi-litre d'eau. Il y avait aussi les plantes désertiques terraformées dont certaines, dans les dépressions où l'on avait installé des précipitateurs de rosée, croissaient mieux que les autres.

C'est alors que Kynes découvrit la cuvette de sel.

Il se rendait d'une station à une autre en orni quand une tempête l'obligea à dévier de son cap. C'est ainsi qu'il découvrit la grande cuvette de sel, une immense dépression ovale de quelque trois cents kilomètres de long qui brillait d'un éclat aveuglant en plein désert.

Kynes atterrit, toucha la surface lisse et blanche et porta son doigt à ses lèvres.

Du sel.

Maintenant, il avait une certitude.

Autrefois, il y avait eu de l'eau sur Arrakis. Il repensa alors à ces puits asséchés où un filet d'eau était apparu, une fois, pour s'évanouir ensuite et ne plus revenir.

Kynes mit au travail sur la question ses limnologistes fremen nouvellement formés. Leur indice principal : des traces d'une matière semblable à du cuir que l'on retrouvait dans la masse d'épice après son explosion. Dans les contes folkloriques fremen, on attribuait cela à une mythique « truite des sables ». Les faits, en s'accumulant, dessinaient le portrait d'une créature qui pouvait effectivement être à l'origine de cette matière pareille à du cuir, une créature qui « nageait » dans le sable et qui isolait l'eau dans des poches fertiles, à l'intérieur de la couche poreuse inférieure, en dessous de la limite des 280° (absolus).

Dans chaque explosion de masse d'épice, ces « voleurs d'eau » mouraient par millions. Une variation de température de cinq degrés pouvait les tuer. Les quelques survivants entraient alors dans une phase de cysohibernation dont ils émergeaient six ans après sous la forme de petits vers de sable, longs d'environ trois mètres. Seuls quelques-uns réussissaient alors à échapper à leurs grands frères et aux poches d'eau de l'épice en gestation pour devenir avec le temps de gigantesques shaï-hulud. (L'eau est un poison pour le shaï-hulud. Les Fremen l'avaient appris depuis longtemps en noyant le « petit ver » de l'Erg Mineur pour produire le narcotique appelé Eau-de-Vie qui accroissait leur perception. Le « petit ver » de l'Erg Mineur est une variété primitive de shaï-hulud qui ne dépasse jamais neuf mètres de long.)

A présent, ils avaient tout le cycle : du Petit Faiseur à la masse d'épice en gestation ; du petit faiseur au shaï-hulud ; le shaï-hulud dispersant l'épice qui nourrissait les microscopiques créatures appelées « plancton des sables » ; le plancton des sables, nourriture du shai-hulud, croissant et s'enfouissant pour devenir petit faiseur.

Se détournant alors des rapports, Kynes et les siens se concentrèrent sur la micro-écologie. Et tout d'abord sur le climat. La surface de sable atteignait souvent des températures de 344 à 350° absolus. A moins de cinquante centimètres de profondeur, la température s'abaissait de 55°. A cinquante centimètres *au-dessus* du sol, elle s'abaissait également de 25°. Des feuilles de matériau noir pouvaient permettre de gagner encore 18°. Les agents de nutrition, ensuite. Le sable d'Arrakis est en grande partie le produit de la digestion du ver. La poussière (le problème omniprésent) est produite, elle, par le balayage constant de la surface, le mouvement de « saltation » du sable. Les grains les plus grossiers se trouvent sur le versant opposé au vent, dans les dunes. Ceux qui se trouvent face au vent sont plus lisses et plus durs. Les plus vieilles dunes sont jaunes à cause de l'oxydation alors que les plus jeunes ont encore la coloration grise de la roche originelle.

Les versants opposés au vent des plus vieilles dunes constituèrent la première zone de plantation. Les Fremen commencèrent avec une herbe pour terrains pauvres qui comportait des fibrilles entrelacées pareilles à celles de la tourbe. L'objectif était de tasser et de fixer les dunes en privant le vent de son arme principale : les grains mobiles.

Des zones d'acclimatation furent développées loin des observateurs harkonnens dans le sud. Les herbes mutantes furent tout d'abord plantées sur les dunes situées sur le parcours des vents d'ouest dominants. Une fois que le versant opposé au vent était ancré, celui qui était offert au vent devenait de plus en plus haut et l'herbe était déplacée pour permettre l'édification de sifs géants (de longues dunes à la crête sinueuse) dont la hauteur dépassait parfois 1 500 mètres.

Lorsque les dunes-barrières avaient atteint une altitude suffisante, le versant au vent recevait de nouvelles herbes, plus coriaces. Chaque structure était ainsi fixée sur une base ancrée.

On passa ensuite aux plantes à racines plus longues. Les éphémères d'abord (chénopodes, ansérine, amaranthe), puis genêt d'Ecosse, lupin, eucalyptus (de la variété adaptée aux territoires nordiques de Caladan), tamaris nain, pin mediterraneen. Ensuite, les véritables plantes désertiques : castus candélabres, saguaro, cactus-tonneau. Et enfin, quand leur croissance était possible : la sauge, l'herbe de Gobi, l'avoine à froment, l'alfalfa sauvage, la verveine des sables, l'onagre, l'encens, le créosote, le fustet.

Puis ils introduisirent la vie animale nécessaire à l'aération du sol, des espèces fouisseuses : renard, rat-kangourou, lièvre du désert, terrapène... et des prédateurs pour l'équilibre : faucon du désert, hibou nain, aigle et chouette du désert. Des insectes, aussi, pour habiter les petits creux : scorpion, mille-pattes, araignée piégeuse, guêpe, mouche... et la chauve-souris du désert pour les surveiller.

L'épreuve cruciale, enfin : les dattiers, les cotonniers, les melons, le café, les plantes médicinales... Plus de deux cents variétés qui devaient être essayées, adaptées.

« Ce que ne comprend pas celui qui ignore tout de l'écologie, c'est qu'il s'agit d'un système », disait Kynes. « Un système ! Un système qui maintient une certaine stabilité qui peut être rompue par une seule erreur. Un système qui obéit à un ordre, à un processus d'écoulement d'un point à un autre. Si quelque chose vient à interrompre cet écoulement, l'ordre est rompu. Et celui qui ignore l'écologie peut ne pas intervenir avant qu'il soit trop tard. C'est pour cela que la plus haute fonction de l'écologie est la compréhension des conséquences. »

Avaient-ils construit un système ?

Ils attendirent, observèrent. Les Fremen, maintenant, comprenaient pourquoi Kynes avait prévu cinq cents ans de patience.

Un premier rapport arriva des palmeraies :

A la limite du désert, le plancton des sables est empoisonné par l'interaction avec les nouvelles formes de vie. Raison : incompatibilité des protéines. Il se formait là de l'eau empoisonnée que la vie d'Arrakis ne pouvait approcher. Une zone désolée se formait donc autour des plantations et Shai-hulud lui-même ne pourrait la franchir.

Kynes se rendit lui-même jusqu'aux palmeraies. C'était un voyage de vingt marteleurs (en palanquin, comme un malade ou une Révérende Mère, car jamais Kynes n'avait chevauché un faiseur). Il explora la zone désolée (et puante) et en revint avec une prime, un cadeau d'Arrakis.

L'addition de soufre et d'azote pouvait convertir la zone en un terrain particulièrement favorable à la vie terraformée. Les plantations pouvaient être étendues à volonté !

« Cela réduit-il le délai ? » demandèrent les Fremen.

Mais Kynes répondit par ses formules planétaires. Le programme de mise en place des pièges à vent était alors pleinement réalisé. Kynes se montra optimiste dans ses prévisions tout en sachant que l'on ne peut tracer des lignes nettes à partir de problèmes écologiques. Une partie de la couverture végétale devait être réservée au maintien des dunes. Une autre à l'alimentation humaine et animale. Une autre enfin devait permettre d'acheminer l'eau vers les zones sèches par le processus d'accumulation de l'humidité dans les racines. A cette époque, les zones froides du bled avaient été circonscrites et portées sur les cartes. Elles entraient également dans les formules. Shai-hulud lui-même y avait sa place. Sous aucun prétexte il ne devait être détruit, sous peine de mettre fin à la production d'épice. Mais son « usine » interne de digestion, avec ses concentrations colossales d'acides et d'aldéhydes, était une source immense d'oxygène. Un ver de taille moyenne (d'environ 200 mètres de long) dégageait dans l'atmosphère autant d'oxygène qu'une surface couverte de verdure sur dix kilomètres carrés.

Il fallait considérer le problème représenté par la Guilde. Déjà, le taux d'épice qui lui était versé pour que nul satellite ou un autre engin d'observation n'apparût dans le ciel d'Arrakis avait atteint des proportions gigantesques.

Et les Fremen ne pouvaient plus être ignorés. Les Fremen, avec leurs terres aux limites irrégulières, leurs pièges à vent. Les Fremen, avec leur culture écologique toute neuve et leurs rêves qui les faisaient couvrir Arrakis de prairies, puis de forêts.

Un résultat apparut. Trois pour cent, dit Kynes. S'ils pouvaient parvenir à ce que trois pour cent des plantes vertes d'Arrakis contribuent à la production de composés du carbone, ils auraient atteint le cycle autonome.

« Mais dans combien de temps ? » demandèrent les Fremen.

« Oh… Trois cent cinquante ans », dit Kynes.

Ainsi, il avait dit vrai dès le début : cette chose ne connaîtrait pas son terme avant que se soit écoulée une vie d'homme, avant huit générations… Mais cela viendrait un jour.

Le travail se poursuivit. On construisit, on planta, on creusa, on éduqua les enfants.

Et puis, Kynes l'Umma fut tué durant l'excavation du Bassin du Plâtre.

A cette époque, son fils, Liet-Kynes, avait dix-neuf ans. C'était un vrai Fremen, un cavalier des sables qui avait tué plus de cent Harkonnens. Le contrat impérial lui fut transmis normalement. Le système rigide des faufreluches remplissait tout aussi bien son rôle sur Arrakis. Et le fils avait été formé à l'école de son père.

Dès cet instant, le chemin était tracé et les Fremen écologiques y étaient engagés. Il suffisait à Liet-Kynes de les surveiller et de ne pas perdre de vue les Harkonnens... Jusqu'au jour où un Héros échut à cette planète.

RELIGION DE DUNE

COMME le sait n'importe quel écolier, les Fremen d'Arrakis, avant la venue de Muad'Dib, pratiquaient une religion qui tirait ses origines du Moameth Saari. Depuis, nombreux sont ceux qui ont relevé ses nombreux emprunts à d'autres religions. L'exemple le plus courant est celui de l'Hymne de l'Eau qui appelle sur Arrakis des nuages de pluie que la planète n'a jamais vus et qui est directement repris du Manuel Liturgique Catholique Orange. Mais il existe encore bien d'autres points communs entre le Kitab al-Ibar des Fremen et les enseignements de la Bible, de l'Ilm et du Fiqh.

Toute comparaison portant sur les croyances religieuses qui prédominaient dans l'Imperium jusqu'à l'apparition de Muad'Dib doit s'accompagner d'une liste des forces principales qui étaient à la base de ces croyances :

1. Les adeptes des Quatorze Sages, dont le livre sacré était la Bible Catholique Orange et dont les idées sont exprimées dans les Commentaires et autre littérature issue de la Commission des Interprètes Œcuméniques (C.I.Œ.).

2. Le Bene Gesserit, qui nie être un ordre religieux mais qui opéra toujours derrière un impénétrable écran de rituel mystique et dont les méthodes d'éducation, l'organisation, la symbolique sont essentiellement religieux.

3. La classe dominante et agnostique (y compris la Guilde) pour laquelle la religion n'est qu'un théâtre de marionnettes destiné à amuser la populace et à la rendre docile Cette classe croit dans

l'essentiel que tout phénomène — même religieux — peut être expliqué de façon mécanique.

4. Les soi-disant Enseignements Anciens, qui comprennent ceux qui furent préservés des trois mouvements islamiques par les Errants Zensunni, le Navachristianisme de Chusuk, les Variantes Bouddislamiques de Lankiveil et Sikun, les Livres Mêlés de la Mahayana Lankavatara, le Zen Hekiganshu de Delta Pavonis III, la Taurah et le Zabur Talmudique qui étaient encore en usage sur Salusa Secundus, l'envahissant Rituel Obeah, le Muadh Quran avec l'Ilm et le Fiqh préservés par les planteurs de riz pundi de Caladan, les formes d'Hindouisme que l'on trouvait dans tout l'univers chez les pyons isolés et, enfin, le Jihad Butlérien.

La cinquième force existe, bien sûr. Elle façonne toutes les croyances, mais de façon universelle et profonde, à tel point qu'elle doit être considérée isolément. Il s'agit du voyage spatial que, dans toute discussion religieuse, il convient d'exprimer ainsi :

LE VOYAGE SPATIAL !

Durant les cent dix siècles qui précédèrent le Jihad Butlérien, l'essor de l'humanité dans l'espace marqua la religion d'une empreinte profonde. Le voyage spatial, dans les premiers temps, était lent, incertain et irrégulier, bien que largement répandu. Ceci, avant le monopole de la Guilde qui s'établit par un curieux et complexe concours de méthodes. Les premières expériences spatiales, dont on sut bien peu de choses et qui donnèrent lieu à toutes sortes de déformations, ouvrirent la voie à toutes les spéculations mystiques.

Immédiatement, l'espace donna un sens et un attrait différents au concept de Création. Cette différence est parfaitement visible dans les mouvements religieux les plus importants de cette période. L'essence sacrée de toutes les religions fut atteinte par cette sorte d'anarchie qui émanait de l'espace.

Ce fut alors comme si Jupiter, dans ses nombreux avatars, regagnait les ténèbres maternelles pour être remplacé par une immanence femelle pleine d'ambiguïté et dont le visage reflétait d'innombrables terreurs.

Les formules anciennes se fondirent, s'interpénétrèrent en

s'adaptant aux nouvelles conquêtes et aux nouveaux symboles héraldiques. C'était comme un combat entre les démons d'un côté et les vieux prêtres et leurs invocations de l'autre.

Jamais il n'y eut de décision nette.

Durant cette période, on dit que la Genèse fut réinterprétée et les paroles de Dieu devinrent :

« Croissez et multipliez, et emplissez l'univers ; et soumettez-le, et régnez sur toutes les espèces de bêtes étranges et de créatures vivantes dans les cieux infinis, sur les terres infinies et sous elles. »

Ce fut une époque de sorciers dont les pouvoirs étaient réels. Jamais ils ne révélèrent comment ils prenaient les tisons à main nue.

Puis vint le Jihad Butlérien. Deux générations de chaos. Le dieu de la logique mécanique fut alors renversé dans les masses et un nouveau concept se fit jour :

« L'homme ne peut être remplacé. »

Ces deux générations de violence constituèrent une pause thalamique pour toute l'humanité. Les regards des hommes se portèrent sur leurs dieux et leurs rites et ils y lurent la plus terrible des équations : la peur multipliée par l'ambition.

Les chefs des diverses religions dont les fidèles avaient répandu le sang de millions de leurs semblables, hésitants, se réunirent pour échanger leurs points de vue. Ils y étaient encouragés par la Guilde Spatiale qui commençait à prendre le monopole des voyages interstellaires et par le Bene Gesserit, qui rappelait à lui les sorcières.

Les premières réunions œcuméniques eurent deux résultats majeurs :

1. On comprit que toutes les religions ont au moins un commandement en commun : « Point ne déformeras l'âme. »
2. La Commission des Interprètes Œcuméniques.

La C.I.Œ. se réunit sur une île neutre de la Vieille Terre, berceau des religions-mères. Le principe de la réunion était « la croyance commune en l'existence d'une Essence Divine dans l'univers ». Toute confession ayant au moins un million de fidèles était représentée et, de façon surprenante, un accord intervint très vite quant au but commun.

« Nous sommes ici pour ôter une arme essentielle des mains des croyants en conflit. Cette arme est la prétention à une seule et unique révélation. »

La joie qui éclata aussitôt devant ce « signe d'un profond accord » se révéla prématurée. Durant plus d'une année standard, la C.I.Œ. se limita à cette seule déclaration. On se mit à parler avec amertume du temps qui passait sans rien apporter. Les troubadours composèrent des chansons spirituelles et mordantes sur les 121 délégués de la C.I.Œ., les vieux « Chiens Ignobles » comme on les appelait depuis que courait un refrain de corps de garde à leur propos. L'une de ces chansons, « En terre molle », est venue jusqu'à nos jours :

> « En terre molle ils dorment,
> Tous ces vieux chiens ignobles.
> Abrutis, sales et sourds,
> Ils ne voient plus le jour.
> Et passe, passe le temps,
> Rien n'y fera plus,
> Rien ni personne.
> Foutez-leur la paix :
> Ils dorment ! »

Des rumeurs filtraient parfois des réunions de la C.I.Œ. On disait que les délégués comparaient leurs textes et, inévitablement, on nommait ces textes. Ce genre de rumeurs finit par provoquer des troubles anti-œcuméniques et par susciter de nouvelles campagnes d'hostilité.

Deux années passèrent. . puis trois

Des Commissaires, neuf moururent et furent remplacés. On annonça alors la création d'un livre unique qui devait faire état de « tous les symptômes pathologiques » des religions du passé.

« Nous façonnons un instrument d'Amour qui sera utilisable de toutes les façons », dirent les Commissaires.

Certains considèrent qu'il est étrange que cette déclaration ait provoqué les pires explosions de violence que l'on eût jamais connues à propos d'œcuménisme. Vingt délégués furent rappelés par leur congrégation. L'un d'eux se suicida en volant une frégate spatiale pour aller plonger dans le soleil.

Selon les historiens, les troubles firent alors quatre-vingts millions de morts. Cela correspond à environ six mille morts pour chaque monde de la Ligue du Landsraad. Compte tenu de l'époque, cette estimation ne semble pas excessive. Mais il faut bien se garder de vouloir fournir des chiffres précis car les communications inter-mondes étaient alors à leur plus bas niveau.

Tout naturellement, les troubadours se déchaînaient. Une comédie musicale à un succès montrait un délégué de la C.I.Œ. assis sur une plage de sable blanc au pied d'un palmier et chantant :

> *« Pour Dieu, la femme et la splendeur de l'amour,*
> *Nous voici ici sans peurs ni soucis.*
> *Ah troubadour, chante-moi une autre mélodie*
> *Pour Dieu, la femme et la splendeur de l'amour ! »*

Troubles et comédies sont des symptômes profondément révélateurs, à toute époque. Ils traduisent le climat psychologique, les incertitudes profondes... et l'espoir en quelque chose de meilleur, espoir mêlé de la crainte de ne rien voir venir, jamais.

Les barrages les plus sûrs contre l'anarchie étaient alors la Guilde (à l'état embryonnaire), le Bene Gesserit et le Landsraad, qui atteignait ses 2 000 années d'existence malgré les obstacles les plus sérieux. Le rôle de la Guilde semblait clair : elle offrait le transport au Landsraad et à la C.I.Œ. Le rôle du Bene Gesserit est moins évident. Il est certain qu'à cette époque, il consolidait son emprise sur les sorcières, explorait le domaine des narcotiques les plus subtils, développait l'entraînement prana-bindu et mettait sur pied la Missionaria Protectiva, cette arme noire de la superstition. Mais cette période vit aussi la création de la Litanie contre la Peur et la réunion du Livre d'Azhar, cette merveille bibliographique qui recèle les grands secrets des fois les plus anciennes.

Le commentaire d'Ingsley est sans doute le seul admissible : « Une époque de profonds paradoxes. »

Pendant presque sept ans, la C.I.Œ. continua son travail. Aux approches du septième anniversaire de l'assemblée, l'univers humain se prépara à une annonce historique. Quand le jour vint, la Bible Catholique Orange était née.

« Une œuvre pleine de dignité et de signification, dit-on. Un moyen pour l'humanité de prendre conscience d'elle-même en tant que creation totale de Dieu »

Les hommes de la C.I.Œ. étaient comme des archéologues des idées, inspirés par Dieu dans la grandeur de cette redécouverte. On prétendit qu'ils avaient mis en lumière « la vitalité des grands idéaux enrichis par les siècles », qu'ils avaient « renforcé les impératifs moraux de la conscience religieuse »

En même temps que la Bible Catholique Orange, la C.I.Œ. présenta le Manuel Liturgique et les Commentaires qui sont par bien des aspects des œuvres remarquables, non seulement à cause de leur brièveté (moins de la moitié de la Bible C.O.), mais aussi par leur naïveté et leur mélange d'apitoiement et de pharisaïsme.

Le début constitue un appel évident aux dirigeants agnostiques.

« Les hommes, ne trouvant aucune réponse au *sunnah* (les dix mille questions religieuses du Shari-ah) appliquent maintenant leur propre raisonnement. Tous les hommes cherchent la lumière. La Religion n'est que la façon la plus ancienne et la plus vénérable de trouver un sens à l'univers créé par Dieu. Les savants cherchent les lois des événements. Le rôle de la Religion est de découvrir la place de l'homme dans cette légalité. »

Dans leur conclusion, cependant, les Commentaires ont un ton dur qui, très certainement, annonçait déjà quel serait leur destin.

« En grande partie, ce que l'on appelle religion a toujours eu une attitude inconsciemment hostile envers la vie. La véritable religion doit enseigner que la vie est pleine de joies plaisantes à l'œil de Dieu, que la connaissance sans action est vide. Tous les hommes doivent comprendre que l'enseignement de la religion par des règles est une duperie. Le seul enseignement qui soit valable est celui que l'on accepte dans le plaisir. Il est impossible de ne pas le reconnaître car il éveille en vous la certitude d'avoir toujours su ce qu'il vous apprend. »

Comme les presses et les imprégnateurs de shigavrilles se mettaient au travail pour répandre les paroles de la Bible Catholique Orange, une impression de calme se répandit sur les mondes. Certains interprétèrent cela comme un signe de Dieu, un présage d'unité.

Mais les délégués de la C.I.Œ. eux-mêmes démentirent ce calme en regagnant leurs congrégations respectives. Dix-huit d'entre eux furent lynchés dans les deux mois qui suivirent et cinquante-trois se désavouèrent dans l'année.

La Bible C.O. fut dénoncée comme une œuvre produite par « le nombril de la raison » On déclara que ses pages étaient imprégnées d'un intérêt pour la logique très racoleur et des révisions commencèrent d'apparaître, qui avaient leur origine dans la bigoterie populaire. Elles s'appuyaient surtout sur les symboles acceptés depuis longtemps (la Croix, le Croissant, la Plume, les Douze Saints, le Bouddha d'ascèse...) et il devint vite évident que les superstitions anciennes n'avaient pas du tout été absorbées par le nouvel œcuménisme.

Halloway avait qualifié les sept années de travail de la C.I.Œ. de « galacto-phase déterministe ». Pour des milliards de personnes, les initiales G.D. prirent le sens de « gare à Dieu ! ».

Le Président de la C.I.Œ., Toure Bomoko, Ulema des Zensunnis qui faisait partie des quatorze délégués qui ne s'étaient encore jamais désavoués (« Les Quatorze Sages », selon la tradition populaire) admit finalement que la C.I.Œ. avait été une erreur.

« Nous n'aurions pas dû essayer de créer de nouveaux symboles, dit-il. Nous aurions dû comprendre que notre rôle n'était pas d'introduire des incertitudes dans la croyance acceptée, d'éveiller la curiosité à l'égard de Dieu. Chaque jour nous sommes témoins de la terrifiante instabilité des choses humaines, et pourtant nous laissons nos religions devenir de plus en plus rigides et contrôlées, de plus en plus conformistes et oppressantes. Quelle est cette ombre sur le chemin du Commandement Divin ? C'est l'avertissement que portent les institutions puis les symboles quand le sens des institutions s'est perdu, un avertissement qui dit que la Somme de toutes les connaissances n'existe pas. »

Le double sens amer de cet « aveu » n'échappa point aux adversaires de Bomoko et, peu après, il fut obligé de fuir en exil, ne devant la vie sauve qu'au serment de silence de la Guilde. On dit plus tard qu'il avait trouvé la mort sur Tupile, honoré et adoré, et que ses dernières paroles avaient été : « La religion doit demeurer un moyen qui permette aux gens de se dire : Je ne suis pas tel que je voudrais être. En aucun cas, elle ne doit conduire à l'union des auto-satisfactions. »

On se plaît à penser que Bomoko comprenait le sens prophétique des mots : « Que portent les institutions. » Quatre-vingt-dix générations plus tard, la Bible C.O. et les Commentaires s'étaient répandus dans tout l'univers religieux.

Lorsque Paul-Muad'Dib posa la main droite sur le mausolée de pierre abritant le crâne de son père (la main droite de celui qui est béni et non la main gauche du damné) les paroles qu'il prononça provenaient directement du « Legs de Bomoko » :

« Vous qui nous avez défaits, dites-vous que Babylone fut abattue et ses œuvres dispersées. Pourtant, je vous le dis : l'homme est encore en jugement, chaque homme est une petite guerre. »

Les Fremen disaient de Muad'Dib qu'il était pareil à Abu Zide dont la frégate défiait la Guilde et pouvait aller *là-bas* puis revenir. *Là-bas,* dans la mythologie fremen, est le pays de l'esprit-ruħ, l'alam al-mithal où toute limitation disparaît.

On voit évidemment le rapport avec le Kwisatz Haderach. Le Kwisatz Haderach qui était l'aboutissement du programme de sélection de la Communauté Bene Gesserit représentait « le court chemin » ou « celui qui peut être en deux endroits simultanément ».

Mais ces deux interprétations sont directement issues des Commentaires : « Quand la loi et le devoir religieux ne font qu'un, le moi enferme l'univers. »

De lui-même, Muad'Dib disait : « Je suis un filet dans la mer du temps, entre le passé et l'avenir. Je suis une membrane mobile à laquelle aucune possibilité ne peut échapper. »

Ces pensées n'expriment qu'une seule et même chose que l'on retrouve dans le kalima 22 de la Bible C.O. qui dit : « Qu'une pensée soit ou non exprimée, elle demeure une chose réelle et elle en a les pouvoirs. »

Mais ce sont les propres commentaires de Muad'Dib, dans « Les Piliers de l'Univers » tels qu'ils furent interprétés par ses fidèles du Qizara Tafwid qui révèlent ses dettes à l'endroit de la C.I.Œ. et des Fremen-Zensunni.

Muad'Dib : « La loi et le devoir ne font qu'un ; qu'il en soit donc ainsi. Mais souvenez-vous de ces limitations — Car vous n'êtes jamais pleinement conscients. Car vous demeurez immergés dans le tau commun. Car vous êtes toujours moins qu'un individu. »

Bible C.O. : Formulation identique (Révélations 61.)

Muad'Dib : « La religion participe souvent du mythe du progrès qui nous protège des terreurs de l'avenir incertain. »

Commentaires de la C.I.Œ. : Formulation identique. (Le Livre d'Azhar attribue cette sentence à l'écrivain du 1er siècle, Neshou.)

Muad'Dib : « *Si un enfant, une personne non éduquée, ignorante ou folle provoque des troubles, la faute en incombe à l'autorité qui n'a pas su prévoir et prévenir ces troubles.* »

Bible C O. . « Tout péché peut être expliqué, au moins en partie, par une mauvaise tendance naturelle qui est une circonstance atténuante acceptable par Dieu. » (Le Livre d'Azhar fait remonter l'origine de cette sentence à l'ancienne Taurah.)

Muad'Dib : « *Tends ta main et prends ce que Dieu te donne ; et quand tu seras rassasié, remercie le Seigneur.* »

Bible C.O. : Paraphrase de sens identique. (Attribuée sous une forme légèrement différente au Premier Islam par le Livre d'Azhar.)

Muad'Dib : « *La tendresse est le début de la cruauté.* »

Kitab al-Ibar des Fremen : « Le poids d'un Dieu de douceur est effrayant. Dieu ne nous a-t-il pas donné le soleil brûlant ? (Al-Lat) Dieu ne nous a-t-il pas donné les Mères d'Humidité ? (les Révérendes Mères) Dieu ne nous a-t-il pas donné Shaitan ? (Satan, Iblis) Et, de Shaitan, n'avons-nous point reçu la souffrance de la vitesse ? »

(Ceci est à l'origine de la maxime fremen : « De Shaitan vient la vitesse. » En effet : Pour chaque centaine de calories produites par l'exercice [la vitesse] le corps dégage six onces de sueur. Le mot fremen pour la sueur est bakka, assimilé à larmes, et se définit par . « L'essence de vie que Shaitan extrait de votre âme. »)

L'arrivée de Muad'Dib est qualifiée de « religieusement opportune » par Koneywell. Comme Muad'Dib le dit lui-même : « Je suis ici ; donc... »

Cependant, pour comprendre l'impact religieux de Muad'Dib, il est absolument nécessaire de ne jamais perdre de vue un fait : les Fremen étaient un peuple qui habitait le désert et qui, depuis longtemps, s'était habitué à un site hostile. Le mysticisme apparaît facilement lorsque chaque seconde de vie est gagnée en luttant. « Vous êtes là ; donc... »

Avec une telle tradition, la souffrance est acceptée, peut-être comme un châtiment inconscient, mais acceptée tout de même. Et il faut noter que les rites fremen libèrent presque complètement des sentiments de culpabilité. Ce n'était pas seulement parce que la loi et la religion ne faisaient qu'un, confondant désobéissance et péché. Il serait plus vrai de dire que les Fremen se purifiaient eux-mêmes de toute culpabilité parce que leur existence quotidienne nécessitait des jugements brutaux, voire radicaux qui, dans un milieu plus favorable, auraient chargé ceux qui les appliquaient d'un sentiment de culpabilité intolérable.

Et cela, sans doute, contribua en grande partie au développement de la superstition, si importante chez les Fremen (même sans tenir compte des implantations de la Missionaria Protectiva). Quelle importance cela a-t-il que vous deviez lire un présage dans le sifflement du sable ? Faire le signe du poing au lever de la Première Lune ? La chair d'un homme lui appartient et son eau appartient à la tribu. Le mystère de la vie n'est pas un problème à résoudre mais une réalité à vivre. Les signes et les présages vous aident à ne jamais l'oublier. Et parce que vous êtes *ici*, parce que vous avez la *religion*, la victoire ne saurait vous échapper.

Ainsi que le Bene Gesserit l'enseigna durant des siècles avant de se heurter aux Fremen :

« Quand la religion et la politique voyagent dans le même équipage et que cet équipage est conduit par un homme saint (baraka), rien ne peut l'arrêter. »

RAPPORT SUR LES BUTS ET MOTIVATIONS
DU BENE GESSERIT

> Ce qui suit est extrait de la Somme préparée par les agents de Dame Jessica à sa requête à la suite de l'Affaire d'Arrakis. La sincérité de ce rapport lui confère une valeur qui transcende largement l'ordinaire.

DURANT des siècles, le Bene Gesserit agit sous le masque d'une école semi-mystique tout en poursuivant un programme de sélection parmi les humains. Pour cette raison, nous tendons à lui accorder plus d'importance qu'il n'en mérite apparemment. L'analyse de son « jugement de fait » sur l'Affaire d'Arrakis révèle l'ignorance profonde de l'école quant à son propre rôle.

On peut certes faire valoir que le Bene Gesserit ne pouvait examiner que les faits dont il disposait et n'eut jamais directement accès à la personne du Prophète Muad'Dib. Mais l'école avait surmonté des obstacles bien plus importants et son erreur n'en apparaît que plus grave.

L'objectif du programme Bene Gesserit était l'apparition d'un être appelé le « Kwisatz Haderach », ce qui signifie : « Celui qui peut être en plusieurs endroits. » En termes plus simples, ce que désirait le Bene Gesserit, c'était un humain dont les pouvoirs mentaux lui permettraient de comprendre et d'utiliser des dimensions d'ordre supérieur.

Ils cherchaient un super-Mentat, un ordinateur humain qui aurait certains des pouvoirs prescients des navigateurs de la Guilde. Maintenant, examinons soigneusement les faits :

Muad'Dib, né Paul Atréides, était le fils du duc Leto, un

homme dont la lignée, depuis plus de mille ans, était l'objet d'une surveillance attentive. La mère du Prophète, Dame Jessica, était une fille naturelle du baron Vladimir Harkonnen et portait des repères génétiques dont l'importance extrême pour le programme de sélection était connue depuis près de deux mille ans. Elle était un produit du Bene Gesserit, éduquée dans la Manière et *aurait dû être un instrument consentant du programme.*

Dame Jessica avait reçu l'ordre de donner une fille aux Atréides. Le programme prévoyait l'union de cette fille avec Feyd-Rautha Harkonnen, neveu du baron Vladimir. Les probabilités d'apparition du Kwisatz Haderach étaient très élevées. Au lieu de cela, pour des raisons qui, selon elle, ne lui apparurent jamais très clairement, elle se retourna contre ses ordres et engendra un fils.

Cela déjà aurait dû alerter le Bene Gesserit. Une variante imprévisible venait de s'introduire dans le plan. Mais il y avait bien d'autres indications plus importantes que le Bene Gesserit ignora virtuellement :

1. Enfant, Paul Atréides révélait déjà des dispositions à prédire l'avenir. Il eut des visions prescientes particulièrement nettes et détaillées qui défiaient toute explication par la quatrième dimension.

2. La Révérende Mère Gaius Helen Mohiam, Rectrice du Bene Gesserit qui vérifia l'humanité de Paul à l'âge de quinze ans, rapporta que, durant l'épreuve, il avait enduré une souffrance telle qu'elle n'avait jamais été infligée auparavant à un être humain. Pourtant, dans son rapport, elle omit de le signaler !

3. Lorsque les Atréides se transportèrent sur Arrakis, la population Fremen salua le jeune Paul comme un prophète, comme « la voix d'ailleurs ». Le Bene Gesserit savait parfaitement quel pouvait être le degré de sensibilisation de ces gens qui vivaient sur un monde rigoureux, désertique, totalement dépourvu d'eau, un monde où les nécessités primitives dominaient. Pourtant, les observateurs Bene Gesserit demeurèrent aveugles à la réaction des Fremen, de même qu'à l'élément nouveau et évident introduit par le régime à base d'épice.

4. Lorsque les Harkonnens et les soldats-fanatiques de l'Empereur Padishah réoccupèrent Arrakis, tuant le père de Paul et exterminant la plupart de ses hommes, Paul et sa mère disparurent. Presque immédiatement, des rapports mentionnèrent l'apparition d'un nouveau chef religieux chez les Fremen, un homme appelé « Muad'Dib » que l'on saluait à nouveau comme « la voix d'ailleurs ». Les rapports précisaient même qu'il était accompagné d'une nouvelle Révérende Mère du Rite Sayyadina, « qui est la femme qui lui a donné naissance » Le Bene Gesserit avait également à sa disposition des documents qui citaient nettement les paroles de la légende fremen du prophète : « Il sera né d'une sorcière Bene Gesserit. »

(On peut faire remarquer quant à ce dernier point que la Missionaria Protectiva du Bene Gesserit avait accompli son œuvre sur Arrakis des siècles auparavant et y avait implanté certaines légendes destinées éventuellement à aider des membres de l'Ecole qui viendraient à échouer sur ce monde et que cette « voix d'ailleurs » ne fut ignorée du Bene Gesserit que parce qu'elle évoquait très précisément une ruse Bene Gesserit courante. Mais cet argument n'aurait de valeur que si le Bene Gesserit avait eu des raisons d'ignorer tous les autres indices.)

5. Quand l'Affaire d'Arrakis éclata, la Guilde Spatiale fit des ouvertures au Bene Gesserit La Guilde prétendait que ses navigateurs, qui utilisaient l'épice d'Arrakis pour susciter la prescience limitée qui était nécessaire au pilotage des astronefs dans le vide, étaient « inquiets à propos de l'avenir », qu'ils « voyaient des problèmes surgir à l'horizon » Ce qui signifiait clairement qu'ils décelaient un nexus, une conjoncture de décisions multiples et difficiles au-delà de laquelle le chemin de l'avenir était barré. N'était-ce pas là la preuve que quelque force intervenait entre les dimensions ?

(Certaines Bene Gesserit savaient depuis longtemps que la Guilde ne pouvait intervenir directement à la source de l'épice car, déjà, les navigateurs s'occupaient des dimensions supérieures à leur propre et inepte façon et admettaient que le moindre faux pas sur Arrakis serait catastrophique Il était bien connu que les navigateurs de la Guilde ne voyaient aucun moyen de s'emparer du contrôle de l'épice sans, justement, produire un tel nexus La conclusion qui s'imposait donc était que quelqu'un, dont les pouvoirs étaient supérieurs, visait le contrôle de l'épice à la source. . Mais les Bene Gesserit ne comprirent pas cela !)

Devant ces faits, on en arrive à la conclusion que l'inefficacité du Bene Gesserit dans cette affaire ne fut que le résultat d'un plan plus vaste dont l'école n'avait pas la moindre connaissance !

ALMANAK EN ASHRAF
(Extraits sélectionnés des Maisons Nobles)

SHADDAM IV (10134-10202)

Empereur Padishah, 81ᵉ de la lignée (Maison de Corrino) à occuper le Trône du Lion d'Or. Il régna de 10156 (date à laquelle son père, Elrood IX, succomba au chaumurky) jusqu'en 10196 où lui succéda une Régence, instituée au nom de sa fille aînée, Irulan. Son règne fut surtout marqué par la Révolte d'Arrakis que certains historiens expliquent par son comportement superficiel et son goût du faste. Le nombre des Bursegs fut doublé durant les seize premières années de son règne. Dans les trente années qui précédèrent la Révolte, les crédits pour la formation des Sardaukar augmentèrent régulièrement. Il avait cinq filles (Irulan, Chalice, Wensicia, Josifa et Rugi) et aucun fils légitime. Quatre de ses filles l'accompagnèrent lorsqu'il se retira. Sa femme, Anirul, Bene Gesserit du Rang Caché, mourut en 10176.

LETO ATRÉIDES (10140-10191)

Cousin des Corrinos du côté maternel. Souvent appelé le Duc Rouge. La Maison des Atréides régit Caladan en fief-siridar durant vingt générations avant de recevoir Arrakis. Le duc Leto est surtout connu comme père du duc Paul Muad'Dib, Umma régent. Les restes du duc Leto se trouvent dans la « Tombe du Crâne » sur Arrakis. On attribue sa mort à la trahison d'un docteur de l'École Suk. L'acte fut perpétré par le Siridar-Baron Vladimir Harkonnen.

DAME JESSICA (Hon. Atréides) (10154-10256)

Fille naturelle (référence Bene Gesserit) du Siridar-Baron Vladimir Harkonnen. Mère du duc Paul Muad'Dib. Diplômée de l'école B.G. de Wallach IX.

DAME ALIA ATRÉIDES (10191)

Fille légitime du duc Leto Atréides et de sa concubine, Dame Jessica. Dame Alia est née sur Arrakis huit mois après la mort du duc Leto. Les références B.G. la désignent comme « la Maudite », ce qui peut s'expliquer par une exposition prénatale au narcotique de perception. L'histoire populaire la désigne sous le nom de Sainte Alia du Couteau ou Sainte Alia. (Pour plus de détails, voir *Sainte Alia, Chasseresse d'un Milliard de Mondes*, par Pander Oulson.)

VLADIMIR HARKONNEN (10110-10193)

Communément désigné comme le baron Harkonnen. Son titre officiel était Siridar-(gouverneur planétaire) Baron. Vladimir Harkonnen était le descendant mâle direct du Bashar Abulurd Harkonnen qui fut banni pour couardise après la Bataille de Corrin. On attribue généralement le retour en grâce de la Maison Harkonnen à d'adroites spéculations sur le marché de la fourrure de baleine, spéculations qui furent renforcées par les bénéfices tirés du Mélange d'Arrakis. Le Siridar-Baron mourut sur Arrakis durant la Révolte. Le titre fut brièvement porté par le na-Baron, Feyd-Rautha Harkonnen.

COMTE HASIMIR FENRING (10133-10225)

Cousin de la Maison de Corrino par le côté maternel, il fut le compagnon d'enfance de Shaddam IV. (L'*Histoire pirate de Corrino,* souvent discréditée, rapporte de curieuses rumeurs selon

lesquelles Fenring serait responsable de la mort d'Elrood IX.)
Tous les témoignages s'entendent pour reconnaître que Fenring
était le meilleur ami de Shaddam IV. Le comte Fenring fut Agent
Impérial sur Arrakis durant le régime harkonnen et, plus tard,
Siridar Absentia de Caladan. Il rejoignit finalement Shaddam IV
sur Salusa Secundus.

COMTE GLOSSU RABBAN (10132-10193)

Glossu Rabban, comte de Lankiveil, était le neveu aîné de
Vladimir Harkonnen. Glossu Rabban et Feyd-Rautha Rabban
qui prit le nom d'Harkonnen lorsqu'il fut choisi pour régir la
maison du Siridar-Baron) étaient les fils légitimes du plus jeune
des demi-frères du Siridar-Baron, Abulurd. Abulurd renonça au
nom d'Harkonnen, à tous les droits et à tous les titres lorsqu'on
lui offrit le poste de gouverneur du sous-district de Rabban-
Lankiveil. Rabban était son nom matrilinéaire.

LEXIQUE DE L'IMPERIUM

A

Aba : robe de forme vague portée par les femmes fremen. Généralement noire.

Ach : virage à gauche. Ordre lancé par l'homme de guide du ver.

Adab : la mémoire qui exige et qui s'impose à vous.

A. G. : avant la Guilde.

Akarso : plante originaire de Sikun (70 Ophiuchi A) et caractérisée par ses feuilles presque rectangulaires. Ses rayures blanches et vertes correspondent aux zones de chlorophylle active et dormante.

Alam al-Mithal : le monde mystique des similitudes où cessent toutes limitations.

Al-Lat : le soleil originel de l'humanité. Par extension : tout soleil d'un système.

Ampoliros : le légendaire « Hollandais Volant » de l'espace.

Amtal ou règle de l'Amtal : règle en usage sur les mondes primitifs et destinée à déterminer les défauts et les aptitudes d'un homme. Communément : l'épreuve de la destruction

Aql : l'épreuve de la raison. A l'origine, les « Sept Questions Mystiques » qui commencent par « Qui est-ce qui pense ? »

Arbitre du Changement : désigné par le Haut Conseil du Landsraad et l'Empereur pour surveiller un changement de fief, une rétribution, ou une bataille dans une Guerre des

Assassins. L'autorité de l'Arbitre ne peut être contestée que devant le Haut Conseil et en présence de l'Empereur

Arrakeen : la première base d'Arrakis qui fut longtemps le siège du gouvernement planétaire.

Arrakis : troisième planète du système de Canopus. Plus connue sous le nom de Dune.

Assemblée : différente du Conseil, l'Assemblée est la convocation des chefs fremen afin d'assister à un combat pour le pouvoir tribal. (Un Conseil est une assemblée qui tranche des problèmes intéressant toutes les tribus.)

Auliya : dans la religion des Vagabonds Zensunni, la femelle à la main gauche de Dieu.

Aumas : poison administré avec la nourriture. (Plus particulièrement : avec la nourriture solide.) Chaumas dans certains dialectes.

Ayat : les signes de vie. (*Voir* Burhan.)

B

Bakka : dans la légende fremen, celui qui pleure pour toute l'humanité.

Baklawa : pâtisserie à base de sirop de datte.

Balisette : instrument de musique à neuf cordes, descendant de la zithra, accordé selon la gamme de Chusuk et dont on pince les cordes. Instrument favori des troubadours impériaux.

Baramark (pistolet) : pistolet à poudre et à électricité statique conçu sur Arrakis pour tracer de vastes signes sur le sable.

Baraka : homme saint aux pouvoirs magiques.

Bashar (souvent Colonel Bashar) : officier sardaukar qui, selon la hiérarchie militaire classique, est à un degré audessus d'un colonel. Désigne également le responsable militaire d'un sous-district planétaire.

Bataille (langage de) : tout langage spécial à l'étymologie restreinte et destiné aux communications en temps de guerre.

Bedwine : voir Ichwan Bedwine.

Bela Tegeuse : cinquième planète de Kuentsing. Troisième station du Zensunni, la migration forcée des Fremen.

Bene Gesserit : ancienne école d'éducation et d'entraînement physique et mental réservé à l'origine aux étudiants de sexe féminin après que le Jihad Butlérien eut détruit les prétendues « machines pensantes » et les robots.

B. G. : sigle pour « Bene Gesserit ».

Bhotani jib : voir Chakobsa.

Bible Catholique Orange : le « Livre des Accumulations ». Texte religieux produit par la Commission des Interprètes Œcuméniques, contenant des éléments empruntés aux religions anciennes, du Saari de Mahomet, de la Chrétienté Mahayana, du Catholicisme Zensunni et des traditions Bouddislamiques. Son commandement suprême est : « Point ne déformeras l'âme. »

Bi-lal kaifa : Amen. (Littéralement : « Toute autre explication est inutile. »)

Bindu : en rapport avec le système nerveux humain et, plus particulièrement, avec l'entraînement nerveux. (*Voir* Prana.)

Bindu (suspension) : forme particulière de catalepsie volontaire.

Bled : désert plat.

Bobine : désigne toute impression sur shigavrille utilisée pour l'éducation et chargée d'une impulsion mnémonique.

Bordure : second niveau de la grande falaise du Bouclier d'Arrakis. (*Voir* Bouclier.)

Bouclier : champ de protection produit par un générateur Holtzman. Résulte de la Phase Un de l'effet d'annulation gravifique. Un bouclier ne peut être pénétré que par des mobiles à faible vitesse (cette vitesse allant de six à neuf centimètres par seconde) et ne peut être détruit que par un champ électrique de vastes dimensions.
Désigne également une formation montagneuse du nord d'Arrakis qui protège un territoire de faible étendue des tempêtes coriolis.

Bourka : manteau isolant porté par les Fremen dans le désert.

Brilleur : dispositif d'éclairage autonome (généralement équipé de piles organiques) et muni de suspenseurs.

Burhan : les preuves de vie. (Communément : l'ayat et le burhan de vie. *Voir* Ayat.)

Burseg : général des Sardaukar.

Butlérien (Jihad) : voir Jihad (*également* Grande Révolte).

C

Caïd : officier sardaukar plus particulièrement chargé des rapports avec les civils. Gouverneur militaire d'un district planétaire. Supérieur au Bashar sans être toutefois égal au Burseg.

Caladan : troisième planète de Delta Pavonis. Monde natal de Paul-Muad'Dib.

Canto et respondu : rite d'invocation de la panoplia propheticus de la Missionaria Protectiva.

Carte des creux : carte de la surface d'Arrakis faisant apparaître les routes de paracompas les plus sûres entre les refuges. (*Voir* Paracompas.)

Cavalier des sables : terme fremen désignant celui qui est capable de capturer et de chevaucher un ver des sables

Chakobsa : le « langage magnétique » dérivé en partie de l'ancien Bhotani (Bhotani-Jib, jib signifiant dialecte) Formé de plusieurs dialectes modifiés pour les besoins du secret, et surtout du langage de chasse des Bhotani, les mercenaires de la première Guerre des Assassins.

Chaumas X (Aumas dans certains dialectes) : poison administré dans la nourriture solide par distinction avec tout poison administré sous une autre forme.

Chaumurky (Musky ou Murky dans certains dialectes) : poison administré dans une boisson.

Chenille : désigne tout engin destiné à opérer à la surface d'Arrakis et à participer à la récolte de l'épice.

Cheops : jeu des pyramides. Forme de jeu d'échecs à neuf niveaux dont le but est de placer la reine en apex et le roi adverse en échec.

Chercheur-tueur : petite aiguille de métal munie de suspenseurs et dirigée à distance. Moyen d'assassinat courant

Choses sombres : expression idiomatique désignant les superstitions implantées par la Missionaria Protectiva au sein des civilisations instables.

Cherem : fraternité de la haine.

CHOM : sigle pour Combinat des Honnêtes Ober Marchands Compagnie universelle contrôlée par l'Empereur et les

Grandes Maisons avec la Guilde et le Bene Gesserit comme associés sans droit de vote.

Chusuk : quatrième planète de Têta Shalish, appelée encore « Planète des Musiciens » et renommée pour la qualité des instruments qui y sont fabriqués. (*Voir* Varota.)

Cielago : Chiroptère d'Arrakis modifié dans le but d'acheminer les messages distrans.

Collecteurs de rosée ou précipitateurs : à ne pas confondre avec Récolteurs de rosée. Les collecteurs et précipitateurs sont des appareils de forme ovoïde longs d'environ quatre centimètres. Ils sont faits d'un chromoplastique qui, soumis à la lumière, devient blanc et la reflète pour retrouver sa transparence dans l'obscurité. Les collecteurs constituent une surface froide sur laquelle la rosée de l'aube se condense. Les Fremen les utilisent surtout dans les plantations des bassins afin de recueillir un petit appoint d'eau.

Cône de silence : champ de distorsion qui limite la portée d'une voix ou de toute autre forme de vibration par la projection d'une vibration-parasite déphasée à 180°.

Coriolis (tempête) : désigne toute tempête d'ordre majeur sur Arrakis où les vents, soufflant sur les plaines, voient leur force accrue par la révolution de la planète pour atteindre parfois 700 kilomètres/heure.

Corrin (bataille de) : la bataille qui donna son nom à la Maison de Corrino. Elle eut lieu près de Sigma Dragonis en l'an 88 A. G. et établit le pouvoir de la Maison régnante sur Salusa Secundus.

Creux : dépression formée à la suite des mouvements des couches métamorphiques sous-jacentes.

Cristacier : acier stabilisé par des fibres de stravidium insérées dans sa structure cristalline.

Cuvette : sur Arrakis, désigne toute dépression ou région de basse altitude formée par l'effondrement des couches souterraines. (Sur les planètes pourvues d'eau, une cuvette indique une région autrefois occupée par un plan d'eau. On a relevé une seule trace de ce genre sur Arrakis mais la question est loin d'être résolue.)

D

Dar al-hikman : école religieuse de traduction et d'interprétation.

Derch : virage à gauche. Ordre lancé par l'homme de guide du
ver.

Demi-frères : fils de concubines d'une même demeure et ayant
le même père.

Dictum familia : règle de la Grande Convention qui interdit le
meurtre d'une personne royale ou d'un membre d'une
Grande Maison par une traîtrise illégale. La règle définit la
forme et les limitations de l'assassinat.

Discipline de l'eau : inflexible, elle permet aux habitants
d'Arrakis de survivre sans gaspiller l'humidité.

Diseuse de vérité : Révérende Mère qualifiée pour entrer en
transe et distinguer la vérité du mensonge.

Distille : vêtement mis au point sur Arrakis et fait d'un tissu
dont la fonction est de récupérer l'eau d'évaporation du
corps et des déjections organiques. L'eau ainsi recyclée est
recueillie dans des poches et peut être à nouveau absorbée à
l'aide d'un tube.

Distrans : appareil utilisé pour pratiquer une impression
neurale sur le système nerveux des oiseaux ou chiroptères.
Le message s'intègre au cri normal de la créature et peut
être lu par un autre distrans.

Dunes (hommes des) : désigne tous ceux qui travaillent dans le
sable (chasseurs d'épice et autres), sur Arrakis.

E

Eau de Vie : poison d' « illumination ». (*Voir* Révérende
Mère.) Liquide produit par un ver des sables (*voir* Shai-
hulud) lorsqu'il meurt noyé et qui, transformé par l'organisme de la Révérende Mère, devient un narcotique provo-
quant l'orgie du tau.

Ecaz : quatrième planète d'Alpha Centauri B. Paradis des
sculpteurs à cause du *bois-brouillard,* substance végétale que
la seule pensée humaine parvient à façonner.

Ego-simule : portrait exécuté à l'aide d'un projecteur à
shigavrille. Il reproduit les mouvements les plus subtils et
l'on dit qu'il recèle l'essence de l'ego.

Elacca : narcotique obtenu par la torréfaction de bois d'elacca d'Ecaz. A pour effet d'atténuer dans des proportions majeures l'instinct de conservation. Confère à la peau une coloration carotte caractéristique. Généralement utilisé pour préparer les esclaves-gladiateurs pour l'arène.

El-sayal : la « pluie de sable ». Masse de poussière soulevée à une altitude moyenne (environ 2 000 mètres) par une tempête coriolis et qui, en retombant au sol, ramène fréquemment de l'humidité.

Éperonneur : vaisseau spatial de combat formé de la réunion de plusieurs petits vaisseaux et destiné à détruire les positions ennemies en les écrasant sous son poids.

Entraînement : associé au Bene Gesserit, désigne tout un système d'éducation, de conditionnement nerveux et musculaire (*voir* Bindu *et* Prana) poussé aux limites des fonctions naturelles.

Épice : voir Mélange.

   Conducteur d'épice : tout homme de Dune qui commande et pilote un engin à la surface d'Arrakis.

Usine à épice (ou épiçage) : voir Chenille.

Erg : mer de sable, zone de dunes.

Étrange (art) : méthode de combat qui participe de la sorcellerie et de la magie.

F

Fai : le tribut d'eau. Le principal impôt d'Arrakis.

Faiseur : voir Shai-hulud.

Fanemétal : métal formé par l'addition de cristaux de jasmium dans du duraluminium. Apprécié pour son rapport poids/résistance particulièrement élevé.

Fardeau de l'eau : pour les Fremen : une obligation mortelle.

Faufreluches : système de classes rigide mis en place par l'Imperium. « Une place pour chaque homme et chaque homme à sa place. »

Fedaykin : commandos de la mort fremen. A l'origine formés pour redresser les torts.

Feu (pilier de) : pyrofusée de signalisation dans le désert.

Filtre : dispositif dont est muni un distille et qui permet de récupérer l'humidité de la respiration.

Fiqh : connaissance, loi religieuse. L'une des origines semi-légendaires de la religion des Vagabonds Zensunni.

Frégate : grand astronef qui peut se poser sur une planète.

Fremen : libres tribus d'Arrakis, habitants du désert, survivants des Vagabonds Zensunni. (« Pirates des sables », selon le Dictionnaire Impérial.)

Fremkit : trousse de survie fabriquée par les Fremen.

G

Galach : langage officiel de l'Imperium. Hybride Inglo-Slave fortement marqué par les différents langages spécialisés nés des migrations humaines.

Gamont : troisième planète de Niushe, renommée pour sa culture hédoniste et ses étranges pratiques sexuelles.

Gare : butte.

Geyrat : tout droit. Ordre lancé par l'homme de guide du ver.

Ghafla : s'abandonner à la distraction. Se dit d'une personne à laquelle on ne peut se fier.

Ghanima : ce que l'on acquiert durant le combat. Plus communément : souvenir de combat destiné à éveiller la mémoire.

Giedi prime : planète d'Ophiuchi B (36), monde natal de la Maison Harkonnen. Planète moyennement habitable à l'activité photo-synthétique réduite.

Ginaz (maison du) : alliés temporaires du duc Leto Atréides. Défaits par Grumman pendant la Guerre des Assassins.

Giudichar : sainte vérité. (*Voir* Mantène.)

Grande Convention : désigne la trêve universelle établie par la Guilde, les Grandes Maisons et l'Imperium. Elle interdit l'usage des armes atomiques contre des êtres humains. Chacun de ses édits commence par la phrase : « Les formes doivent être obéies... »

Grande Mère : la déesse à cornes, le principe féminin de l'espace (Mère-Espace), visage féminin de la trinité mâle-femme-neutre reconnue comme l'Être Suprême par de nombreuses religions de l'Imperium.

Grande Révolte : terme courant pour désigner le Jihad Butlérien. (*Voir* Jihad Butlérien.)

Gridex (plan) : séparateur à charge différentielle utilisé pour dégager l'épice du sable.

Grumman : seconde planète de Niushe. Surtout connue pour les démêlés de sa Maison régnante (Moritani) avec la Maison du Ginaz.

Gom jabbar : Le haut-ennemi. Aiguille enduite de métacyanure et utilisée par les Rectrices du Bene Gesserit pour l'épreuve d'humanité.

Goûte-poison : analyseur à rayons destiné à détecter les substances toxiques.

Guerre des Assassins : forme de conflit limité autorisée par la Grande Convention et la Guilde de Paix dans le but d'épargner les populations innocentes en réglementant l'usage des armes et en instituant la déclaration préalable des objectifs.

Guetteurs : ornithoptères chargés de la surveillance d'un groupe d'épiçage.

Guilde : Guilde Spatiale. Un des trois éléments du tripode sur lequel repose la Grande Convention. La Guilde constitue la seconde école d'éducation psycho-physique (*voir* Bene Gesserit) fondée après le Jihad Butlérien. La Guilde a le monopole du voyage spatial et de la banque. Le Calendrier Impérial est daté de sa création.

H

Hagal : la « planète des joyaux » (II Têta Shaowei). Mise en exploitation sous Shaddam Ier.

Haiiii-yoh ! : en avant ! Ordre lancé par l'homme de guide du ver.

Hajj : saint voyage.

Hajr : voyage dans le désert, migration.

Hajra : voyage de recherche.

Hal yawm : Enfin ! (Exclamation fremen.)

Hameçons à faiseur : crochets de métal utilisés pour la capture, la monte et le guidage d'un ver des sables.

Harmonthep : Ingsley avance le nom de cette planète comme sixième station de la migration des Zensunni. On suppose qu'il s'agissait d'un satellite de Delta Pavonis disparu depuis.

Haut Conseil : cercle intérieur du Landsraad habilité à agir comme tribunal suprême dans les conflits entre Maisons.

Hiereg : camp volant fremen dans le désert.

Holtzman (effet) : effet de répulsion négative d'un générateur de bouclier.

Hors freyn : terme galach pour « étranger proche ». C'est-à-dire : qui n'appartient pas à la communauté.

I

Ibad (yeux de l') : effet caractéristique de l'épice qui fond le blanc de l'œil et l'iris en un bleu foncé.

Ibn qirtaiba : « Ainsi vont les saints mots... » Début rituel de toute incantation religieuse fremen (issue de la panoplia propheticus.)

Ichwan bedwine : fraternité des Fremen sur Arrakis.

Ijaz : prophétie qui, par sa nature même, ne peut être niée.

Ikhut-eigh ! : cri du porteur d'eau sur Arrakis. (Étymologie incertaine.) (*Voir également* Soo-Soo Sook !)

Ilm : théologie. Science de la tradition religieuse. L'une des origines semi-légendaires de la foi des Vagabonds Zensunni.

Imperial (conditionnement) : le plus puissant des conditionnements pouvant affecter un être humain. Mis au point par l'École Suk. Les initiés ont sur le front un tatouage en forme de diamant et sont autorisés à porter les cheveux longs, maintenus par un anneau d'argent.

Istislah : règle établie pour le bien général. Annonce généralement une mesure brutale.

Ix : voir Richèse.

J

Jihad : croisade religieuse.

Jihad Butlérien (*voir aussi* Grande Révolte) : croisade lancée contre les ordinateurs, les machines pensantes et les robots conscients en 201 avant la Guilde et qui prit fin en 108. Son principal commandement figure dans la Bible C. O. : « Tu ne feras point de machine à l'esprit de l'homme semblable. »

Jolitre : récipient d'un litre destiné à recevoir l'eau, sur Arrakis. Fait de plastique à haute densité et muni d'un sceau à charge positive.

Jubba : cape portée en toute occasion par-dessus le distille. Peut admettre ou réverbérer la chaleur, se transformer en hamac ou même en abri.

K

Karama : miracle. Action du monde spirituel.

Khala : invocation traditionnelle destinée à calmer les esprits courroucés que l'on mentionne.

Kindjal : épée courte à double tranchant, légèrement courbe, longue d'environ 20 centimètres.

Kiswa : tout dessin appartenant à la mythologie fremen.

Kitab al-Ibar : manuel religieux et pratique rédigé par les Fremen.

Krimskell (fibre ou corde de) : la « fibre croc » provenant des plants d'*huluf* d'Ecaz. Les nœuds d'une corde de krimskell se serrent d'eux-mêmes à la moindre traction. (Pour une étude détaillée, voir l'ouvrage de Holjance Vohnbrook : « Les vignes étrangleuses d'Ecaz. »)

Krys : couteau sacré des Fremen. Il est fait en deux versions, fixe et instable, à partir de la dent du ver des sables. Un couteau instable se désintègre à distance du champ électrique d'un organisme humain. Les couteaux fixes sont traités pour être stockés. Les uns comme les autres ne dépassent pas 20 centimètres de longueur.

Kull Wahad ! : « Je suis bouleversé ! » Exclamation de totale surprise répandue dans l'Imperium. Son sens exact dépend du contexte. (On prétend que Muad'Dib, voyant un faucon du désert s'extraire de sa coquille se serait écrié : « Kull Wahad ! »)

Kulon : âne sauvage des steppes asiatiques de Terra, acclimaté sur Arrakis.

Kwisatz Haderach : « Le court chemin ». Ainsi les Bene Gesserit désignaient-elles l'*inconnu* pour lequel elles cherchaient une solution génétique, le mâle B. G. dont les pouvoirs psychiques couvriraient l'espace et le temps.

L

La, la, la : exclamation de chagrin chez les Fremen. Ultime
   dénégation.

Lancette : désigne toute lame courte, fine, souvent enduite de
   poison et utilisée de la main gauche lors d'un combat au
   bouclier.

Lecteur de temps : personne formée aux diverses méthodes de
   prédiction du temps sur Arrakis. (Sondage du sable, examen des vents.)

Légion (impériale) : dix brigades (environ 30 000 hommes).

Liban : infusion de farine de yucca. A l'origine, boisson à base
   de lait aigre.

Libres commerçants : Contrebandiers.

Lisan al-Gaib · « La voix d'ailleurs. » Dans les légendes
   messianiques fremen, le prophète étranger Parfois traduit
   par « Donneur d'eau ». (*Voir* Mahdi.)

Long-courrier : Principal vaisseau de transport de la Guilde.

M

Mahdi : dans les légendes messianiques fremen : « Celui Qui
   Nous Conduira Au Paradis. »

Maison : désigne le Clan Régnant d'une planète ou d'un
   ensemble de planètes.

Maison majeure : maison qui détient des fiefs planétaires.
   Entrepreneur interplanétaire. (*Voir* Maison).

Maison mineure : entrepreneur planétaire. (En Galach :
   « Richece »).

Maître de sable · désigne celui qui dirige les opérations
   d'épiçage.

Manière : associé à Bene Gesserit : observation attentive et
   minutieuse.

Mantène : sagesse secrète, principe premier. (Giudichar.)

Manuel des Assassins : résultat de trois siècles de compilation
   sur les poisons, ce manuel était d'usage courant durant les
   Guerres des Assassins. Il fut plus tard augmenté d'une

étude sur tous les engins autorisés par la Grande Convention et la Guilde de Paix.

Marcheur des sables désigne tout Fremen entraîné à survivre dans le désert.

Marée de sable : effet de marée produit par le soleil et les lunes dans certaines importantes dépressions d'Arrakis où la poussière s'est accumulée au fil des siècles.

Marteleur : tige munie d'un ressort et destinée à produire un bruit sourd et rythmé dans le sable afin d'attirer le shai-hulud. (*Voir* hameçons à faiseur.)

Mashad : toute épreuve dont dépend l'honneur.

Masse d'épice : masse de végétation fongoïde produite par le mélange de l'eau et des excrétions du Petit Faiseur. A ce stade, l'épice d'Arrakis produit une « explosion » caractéristique qui permet l'échange entre les matières souterraines et celles de la surface. Cette masse, après avoir été exposée au soleil et à l'air, devient la véritable épice, le Mélange. (*Voir également* Mélange *et* Eau de Vie.)

Maula : esclave.

Maula (pistolet) : arme à ressort lançant des aiguilles empoisonnées. Portée approximative : 40 mètres.

Mélange : l' « épice des épices » dont Arrakis constitue l'unique source. L'épice, utilisé surtout pour ses qualités gériatriques, provoque une légère accoutumance et devient très dangereux dans le cas d'une absorption supérieure à deux grammes par jour pour un organisme de soixante-dix kilos. (*Voir* Ibad, Eau de vie et Masse d'épice.) L'épice serait la clé des pouvoirs prophétiques de Muad'Dib et, également, des navigateurs de la Guilde. Son prix, sur le marché impérial, a parfois dépassé 620 000 solaris le décigramme.

Mentat : classe de citoyens de l'Imperium formés à la logique la plus poussée. Appelés « ordinateurs humains ».

Mesures d'eau : Anneaux de métal de différents diamètres destinés à servir de monnaie d'échange pour l'eau. Les mesures d'eau ont une signification symbolique profonde dans le rituel de naissance, de mort et de mariage.

Métaglass : verre formé à haute température entre des feuilles de quartz de jasmium. Particulièrement apprécié pour sa résistance (environ 450 tonnes au centimètre carré pour deux centimètres d'épaisseur) et ses capacités de filtre sélectif.

Mihna : la saison de l'épreuve pour les jeunes Fremen destinés à devenir des adultes.

Minimic (film) : shigavrille d'un micron de diamètre utilisée pour la transmission d'information dans le domaine de l'espionnage.

Mish-mish : abricots.

Misr : « Le peuple ». Ainsi se désignaient eux-mêmes les Zensunni (Fremen).

Missionaria protectiva : le bras du Bene Gesserit chargé de semer la superstition sur les mondes primitifs et de les préparer ainsi à l'exploitation du Bene Gesserit. (*Voir* Panoplia propheticus.)

Moissonneuse : machine de grandes dimensions (en général 120 mètres sur 40) destinée à récolter l'épice sur les gisements riches. Souvent appelée simplement *chenille* en raison de son aspect.

Monitor : engin spatial de combat formé de dix sections, lourdement blindé et muni de boucliers. Les sections se séparent pour regagner l'espace à partir d'une planète.

Muad'Dib : souris-kangourou adaptée à Arrakis. Associée à la mythologie fremen, sa silhouette étant visible sur la seconde lune de la planète. Ce petit animal est admiré par les Fremen pour sa capacité d'adaptation au désert.

Mudir Nahya : nom fremen pour Rabban (Rabban la Bête, Comte de Lankiveil), cousin des Harkonnens qui fut siridar-gouverneur d'Arrakis pendant quelques années. Appelé quelquefois « Maître Démon ».

Mushtamal : petit jardin annexe.

Musky : poison administré dans une boisson. (*Voir* Chau-murky.)

Mu zein wallah ! Mu zein signifie littéralement : « rien de bon », et wallah est une exclamation terminale. Précède généralement une malédiction fremen à l'encontre d'un ennemi.

N

Na : préfixe signifiant « nommément » ou « le prochain ».
Ainsi, na-Baron désigne l'héritier apparent d'une baronnie.

Naib : celui qui a juré de n'être jamais pris vivant par
l'ennemi. Serment traditionnel d'un chef fremen.

Nezhoni (mouchoir) : carré d'étoffe porté sous le distille par
les épouses ou les compagnes fremen après la naissance d'un
fils.

Noukkers : officiers du corps impérial qui sont liés par le sang
à l'Empereur. Titre traditionnel des fils des concubines
royales.

O

Objectifs à huile : huile d'huluf maintenue sous tension par
deux champs de force à l'intérieur d'un tube. Chaque
objectif à huile peut être réglé séparément avec une
précision de l'ordre du micron. Les objectifs à huile sont
considérés comme l'achèvement ultime de l'optique.

Opaflamme : opaline très rare de Hagal.

Ornithoptère (plus communément appelé orni) : engin aérien à
ailes mobiles dont le principe de sustentation est analogue à
celui des oiseaux.

P

Panoplia propheticus : ce terme recouvre toutes les superstitions utilisées par le Bene Gesserit pour l'exploitation des
régions primitives. (*Voir* Missionaria Protectiva.)

Paracompas : désigne tout compas indiquant les anomalies
magnétiques locales. Utilisé lorsque des cartes sont disponibles et lorsque le champ magnétique d'une planète est
particulièrement instable.

Pentabouclier : générateur de champ de force portatif, utilisé
pour protéger les couloirs et les portes. (Les boucliers
d'appoint deviennent de plus en plus instables avec
l'augmentation des différents champs.) Le pentabouclier est
virtuellement infranchissable pour quiconque ne possède
pas un désactivateur réglé sur le code. (*Voir* Porte de
prudence.)

Petit Faiseur : semi-plante, semi-animal qui est à l'origine de la naissance du ver des sables d'Arrakis et dont les excrétions forment la masse d'épice.

Piège à vent : appareil placé sur le parcours des vents dominants et qui condense l'humidité par l'effet d'un brusque abaissement de température.

Pleniscenta : plante verte d'Ecaz renommée pour son parfum.

Poritrin : troisième planète d'Epsilon Alangue, considérée par de nombreux Zensunni comme leur monde natal, quoique leur langage et leur mythologie indiquent des origines plus lointaines.

Porteur d'eau : Fremen chargé des devoirs rituels de l'eau et de l'Eau de Vie.

Portyguls : oranges.

Prana (Musculature - Prana) : Les muscles du corps considérés comme autant d'unités pour l'ultime entraînement. (*Voir* Bindu.)

Première lune : satellite naturel principal d'Arrakis et le premier à apparaître. La forme d'un poing humain est visible à sa surface.

Procès-verbal : rapport semi-officiel sur un crime commis contre l'imperium.

Prudence (porte de) : pentabouclier destiné à empêcher la fuite de certaines personnes. (*Voir* Pentabouclier.)

Pundi (riz) : variété de riz mutante dont les grains, riches en sucre naturel, atteignent parfois quatre centimètres de long. Principale exportation de Caladan.

Pyons : paysans ou travailleurs locaux d'une planète. Formaient l'une des classes inférieures sous le système des Faufreluches. Légalement : gardiens de la planète.

Pyrétique (conscience) : « Conscience du feu ». Niveau d'inhibition du conditionnement impérial. (*Voir* Conditionnement impérial.)

Q

Qanat : canal d'irrigation à ciel ouvert acheminant l'eau à travers le désert, sur Arrakis.

Qirtaiba : *Voir* Ibn Qirtaiba.

Quizara tafwid : prêtres fremen (après Muad'Dib.)

Rachag : stimulant à base de caféine extrait des baies jaunes de l'akarso. (*Voir* Akarso.)

Ramadhan : ancienne période religieuse marquée par le jeûne et la prière. Traditionnellement, neuvième mois du calendrier lunaire et solaire. Les Fremen le mesurent au passage de la première lune à la verticale du neuvième méridien.

Ramasseurs de rosée : ceux qui prélèvent la rosée sur les plantes d'Arrakis à l'aide d'une sorte de serpe.

Rectrice : désigne une Révérende Mère du Bene Gesserit qui dirige également une école régionale B. G. (Appelée communément : Bene Gesserit avec le Regard.)

Rétribution : forme féodale de vengeance, strictement limitée par la Grande Convention. (*Voir* Arbitre du Changement.)

Razzia : raid de guérilla.

Recycles : tubes reliant le dispositif de traitement des déjections du distille aux filtres de recyclage.

Repkit : nécessaire de réparation du distille.

Révérende Mère : à l'origine, une rectrice du Bene Gesserit qui a transformé le « poison d'illumination » dans son corps pour atteindre le plus haut degré de perception. Titre adopté par les Fremen pour leurs propres chefs religieux qui connaissent une épreuve similaire. (*Voir également* Bene Gesserit *et* Eau de Vie.)

Richèse : quatrième planète d'Eridani A, renommée, avec Ix, pour sa civilisation technique. Spécialisée dans la miniaturisation. (Pour de plus amples détails quant à la façon dont Richèse et Ix ont échappé aux effets principaux du Jihad Butlérien, voir *Le dernier Jihad*, par Sumer et Kautman).

Ruh (esprit) : dans la croyance fremen, cette part de l'individu qui est en contact permanent avec le monde métaphysique. (*Voir* Alam al-Mithal.)

Résiduel (poison) : innovation dans le domaine des poisons attribuée au Mentat Piter de Vries et qui consiste à injecter dans l'organisme une substance toxique dont les effets doivent être annulés par des doses répétées d'antidote. La suppression de l'antidote provoque la mort.

Sables-tambours : couche de sable dont la densité est telle qu'un coup frappé en surface produit le son caractéristique d'un tambour.

Sadus : juges. Pour les Fremen : juges saints.

Salusa Secundus : troisième planète de Gamma Waiping. Choisie comme Planète-prison impériale après que la Cour se fut retirée sur Kaitain. Salusa Secundus est le monde originel de la Maison de Corrino et la seconde station des Vagabonds Zensunni. La tradition fremen rapporte qu'ils furent maintenus en esclavage sur Salusa Secundus durant neuf générations.

Sapho : liquide hautement énergétique extrait de racines d'Ecaz. Communément en usage chez les Mentats dont il augmenterait les pouvoirs. Provoque l'apparition de taches rubis sur les lèvres.

Sardaukar : soldats fanatiques de l'Empereur Padishah. Ces hommes étaient formés dans un milieu hostile au sein duquel six personnes sur treize trouvaient la mort avant d'atteindre l'âge de onze ans. Leur entraînement militaire impitoyable développait leur férocité tout en éliminant presque l'instinct de conservation. Dès l'enfance, on leur enseignait l'utilisation de la cruauté et de la terreur. Ils furent au combat les égaux des soldats du dixième niveau du Ginaz et leur habileté en combat singulier était comparable à celle d'un adepte du Bene Gesserit. Chaque Sardaukar équivalait à dix combattants ordinaires du Landsraad. Sous le règne de Shaddam IV, leur puissance subit l'effet de leur trop grande confiance et leur mystique guerrière fut sapée par le cynisme.

Sarfa : l'acte de se détourner de Dieu.

Sayyadina : acolyte féminine dans la hiérarchie religieuse fremen.

Sceau de porte : dispositif portatif d'obturation en plastique destiné à retenir l'humidité à l'intérieur des grottes fremen, durant le jour.

Schlag : animal originaire de Tupile, renommé pour son cuir mince et dur et qui fut chassé jusqu'à ce que l'espèce soit en voie de disparition.

Seconde lune : le plus petit des deux satellites naturels d'Arrakis. Certains détails de sa surface semblent former l'image d'une souris-kangourou.

Selamlik : Salle d'Audience Impériale.

Sélection (index de) : index où le Bene Gesserit enregistrait le développement de son programme de sélection génétique destiné à produire le Kwisatz Haderach.

Sémuta : narcotique. Dérivé secondaire de la torréfaction du bois d'elacca. Ses effets (suspension du temps, extase) sont accrus par certaines vibrations atonales appelées « musique de la sémuta ».

Serrure à main : désigne tout dispositif de fermeture qui peut être ouvert par le simple contact d'une main humaine pour laquelle il a été programmé.

Servok : mécanisme automatique destiné à des tâches simples. L'un des rares appareils de ce type autorisé apres le Jihad Butlérien.

Shadout : Qui creuse les puits. Titre honorifique.

Shah-Nama : Le Premier Livre semi-légendaire des Vagabonds Zensunni.

Shai-Hulud : ver des sables d'Arrakis, « le vieil homme du désert », « le vieux père éternité », « le grand-père du désert ». Il est significatif que ces noms, prononcés d'une certaine façon ou écrits avec des majuscules, désignent la déité terrestre des superstitions fremen. Les vers des sables atteignent des dimensions colossales (on a observé dans le désert profond des vers de 400 mètres de long) et vivent très longtemps quand ils ne se tuent pas entre eux ou ne se noient pas dans l'eau qui, pour eux, est toxique. On pense qu'une grande partie du sable qui recouvre Arrakis est produit par l'action des vers. (*Voir* Petit Faiseur.)

Shaitan : Satan.

Shari-a : partie de la panoplia propheticus qui concerne les rites superstitieux. (*Voir* Missionaria Protectiva.)

Shigavrille : produit métallique d'une plante (la *Narvi narviium*) qui ne pousse que sur Salusa Secundus et III Delta Kaising. Réputé pour son extrême résistance à la traction.

Sietch : terme Fremen pour « lieu de réunion en période de danger ». Les Fremen vécurent si longtemps dans le danger que le terme finit par désigner toute grotte habitée par une communauté tribale.

Sihaya : terme fremen désignant le printemps du désert avec des implications religieuses sur la fécondité et « le paradis à venir ».

Sillon : dépression entourée de terrains élevés, sur Arrakis, et protégée des tempêtes. Zone habitable.

Sirat : passage de la Bible C. O. qui décrit la vie humaine comme le passage sur un pont étroit (le Sirat) avec « le Paradis sur ma droite, l'Enfer sur ma gauche, et l'Ange de la Mort derrière moi ».

Solari : unité monétaire de l'Imperium dont la valeur était fixée par la Guilde, le Landsraad et l'Empereur.

Solido : image tri-dimensionnelle issue d'un projecteur solido utilisant les signaux à 360° inscrits sur une bobine de shigavrille. Les solido ixiens sont les plus réputés.

Sondagi : tulipe-fougère de Tupali.

Sonder le sable : art qui consiste à planter des tiges fibroplastiques dans les étendues désertiques d'Arrakis et à interpréter les traces laissées par les tempêtes de sable pour essayer de prédire le temps.

Soo-Soo Sook ! : cri du marchand d'eau sur Arrakis. Sook désigne la place du marché. (*Voir* Ikhut-eigh !)

Subakh ul kuhar : « Comment allez-vous ? » Formule de politesse fremen.

Subakh un nar : « Ça va. Et vous ? » Réponse traditionnelle à la formule précédente.

Suspenseur : application de l'effet de phase d'un générateur de champ Holtzman. Le suspenseur annule la gravité dans certaines limites relatives à la masse et à l'énergie consommée.

T

Tahaddi al-Burhan : épreuve ultime pour laquelle il ne saurait y avoir d'appel (en général parce que son issue est la mort)

Tahaddi (défi du) : défi fremen annonçant un combat à mort

Taillerays : laser à faible portée, modifié pour être utilisé comme outil de taille ou scalpel chirurgical.

Taqwa : littéralement : « le prix de la liberté ». Quelque chose de grande valeur. Ce qu'un dieu exige d'un mortel. La peur suscitée par cette demande.

Tau : en terme fremen, l'*unité* d'une communauté sietch induite par l'épice et plus spécialement à la suite de l'orgie tau au cours de laquelle on absorbe l'Eau de Vie.

Tleilax : unique planète de Thalim, centre de formation « clandestin » de Mentats « tordus ».

Transe de vérité : transe semi-hypnotique provoquée par certains narcotiques de perception et au cours de laquelle on décèle le mensonge par les plus infimes détails. (Note : les narcotiques de perception sont fréquemment fatals, sauf pour les individus capables de modifier la structure du poison dans leur organisme.)

Tupile : « planète-sanctuaire » (il y en eut probablement plusieurs) des Maisons de l'Imperium défaites et dont la situation n'est connue que de la Guilde. Cet asile est demeuré inviolé pendant toute la durée de la Paix de la Guilde.

U

Ulema : docteur en théologie des Zensunni.

Umma : membre de l'une des fraternités de prophètes. Terme de mépris dans l'Imperium pour toute personne « bizarre ».

Uroshnor : l'un des mots dépourvus de sens particulier et que les Bene Gesserit implantent dans l'esprit de leurs victimes pour les contrôler. Celles-ci, lorsque le mot est prononcé, sont immobilisées.

Usul : terme fremen signifiant : « La base du pilier. »

V

Varota : luthier fameux pour ses balisettes. Natif de Chusuk.

Vérité : narcotique d'Ecaz qui annihile la volonté. Interdit tout mensonge à celui qui l'absorbe.

Ver des sables : Voir Shai-Hulud.

Vidangeur : terme général désignant les astronefs-cargos de forme irrégulière chargés de déverser des matériaux depuis l'espace vers la surface d'une planète.

Vinencre : plante rampante originaire de Giedi Prime et dont les maîtres d'esclaves se servent fréquemment comme d'un fouet. Laisse dans la chair une cicatrice de couleur rouge sombre et une douleur résiduelle qui subsiste durant des années.

Voix (la) : effet de l'éducation Bene Gesserit. Permet aux adeptes de sélectionner certaines harmoniques de leur voix afin de contrôler les individus.

W

Wali : jeune Fremen inexpérimenté.

Wallach Ix : neuvième planète de Laoujin qui abrite l'École Mère du Bene Gesserit.

Y

Ya hya chouhada : « Longue vie aux combattants ! » Cri de bataille des Fedaykin. *Ya* (maintenant) est ici augmenté de la forme *hya* (maintenant prolongé éternellement). *Chouhada* (combattants) a ici le sens précis de combattants *contre* l'injustice.

Yali : appartement personnel d'un Fremen à l'intérieur d'un sietch.

Ya ! Ya ! Yawm ! : chant rythmé fremen pour les rites les plus importants. *Ya* a le sens de : « Maintenant, faites bien attention ! » La forme *yawm* accentue l'urgence. Ce chant est en général traduit par : « Maintenant, écoutez bien ! »

Z

Zensunni : adeptes de la secte schismatique qui rompit vers 1381 A. G. avec les enseignements de Mahomet (le soidisant « Troisième Mahomet »). La religion des Zensunni se caractérise par l'importance accordée au mysticisme et le retour aux « voies de nos pères ». Certaines études indiquent qu'Ali Ben Ohashi aurait été à l'origine du schisme mais diverses preuves tendent à le faire apparaître comme un simple porte-parole de sa seconde épouse, Nisai.

Achevé d'imprimer sur les presses de

BUSSIÈRE
GROUPE CPI

à Saint-Amand-Montrond (Cher)
en septembre 2001

POCKET - 12, avenue d'Italie - 75627 Paris Cedex 13
Tél. : 01-44-16-05-00

— N° d'imp. 15141. —
Dépôt légal : 1ᵉʳ trimestre 1980.

Imprimé en France